SV

# Helmuth Plessner
# Gesammelte Schriften

Herausgegeben von
Günter Dux, Odo Marquard und Elisabeth Ströker
unter Mitwirkung von
Richard W. Schmidt, Angelika Wetterer
und Michael-Joachim Zemlin

# Helmuth Plessner
# Gesammelte Schriften
# I
# Frühe philosophische Schriften 1

Suhrkamp Verlag

Die Editionsarbeiten wurden durch die Werner-Reimers-Stiftung,
Bad Homburg v. d. H., gefördert.

Erste Auflage 1980

Gesamtherstellung: Hieronymus Mühlberger, Augsburg
Printed in Germany

CIP-Kurztitelaufnahme der Deutschen Bibliothek

*Plessner, Helmuth:* [Sammlung]
Gesammelte Schriften / Helmuth Plessner.
Hrsg. von Günter Dux ... unter Mitw. von Richard W. Schmidt ...
– Frankfurt am Main : Suhrkamp.
1. Frühe philosophische Schriften : 1. – 1. Aufl. – 1980.
ISBN 3-518-06521-1 kart.
ISBN 3-518-06520-3 Lw.

# Inhaltsübersicht

# Die wissenschaftliche Idee

## Ein Entwurf über ihre Form

## (1913)

Hans Driesch
in herzlicher Verehrung

# Vorwort

Der Entwurf trägt in sich den unlösbaren Zwiespalt zwischen seinem Willen und seiner Leistungstatsächlichkeit. Das rein Skizzenhafte der Ausführung diktiert ihm in gleichem Maße den Anspruch auf Vollständigkeit des entwickelten Planes wie auf Beschränkung der dazu eigentlich erforderlichen Mittel.
Dessen muß man sich bewußt sein, will man unserer Arbeit gerecht werden. Denn viele Unausgeglichenheiten in der ganzen Anlage wie besonders in der oft schwerfälligen Auseinandersetzung mit älteren Problemen, die in neuem Zusammenhang auftauchen, werden dadurch verständlich.
Die Rücksicht auf die Schwierigkeiten, die sich stets einstellen, wenn mit überkommenen Werkzeugen ein ganz neuartiges Gebilde geschaffen werden soll, wenn geradezu die Absicht besteht, Etwas Mittel werden zu lassen, von welchem niemand diese innere Fähigkeit ahnte, wird manchem Vorwurf seine Schwere nehmen.
Dies eben ist unser eigentliches Ziel: Ein Continuum von Schlüssen zu schaffen, dessen Tektonik kraft innerer Sicherheit das Notwendige ihres Gehaltes wie ihrer Form selbst erkennen läßt und damit ohne weiteres sich befreit hat von allen Unterlagen, auf denen es gebaut, von allen Mitteln, mit denen es errichtet ist. Wenn wir deshalb vieles bringen müssen, dessen eigene Problematik in dieser Richtung, in diesem Zusammenhange unseres Entwurfes ganz und gar nicht erschöpft werden kann (den Gottesbegriff als des seienden letzten Ganzen, die mit ihm erstehenden Probleme des Schicksals, der Institutionen, der Wertung), *so zerbricht ja der Zusammenhang, einmal erstanden, jedes Mittel, mit dem er sich schuf.* Wie die psychologischen Umstände, unter denen eine Wahrheit gefunden wird, gleichgültig sind für ihre Geltung, so müssen unsere Begründungen und Illustrationen – ihre Eigenbedeutung unangetastet – vor dem Erstandenen in schattenhaftes Nichts versinken.
Wenn auf den folgenden Seiten es versucht ist, zu einem Verständ-

nis jener Erscheinung durchzudringen, welche wir als *»Wissenschaften«* bezeichnen, so ist wohl die Frage erlaubt, an was für einem allgemeinsten Ziel, an welchem allbefassenden Problem wir damit orientiert sind. Um das zu verstehen, ist es allerdings nötig, mit einem gleichsam kindlichen und ganz ungetrübten Auge die kulturellen Wirklichkeiten anzuschauen.

Da wird uns denn eine Seltsamkeit beschäftigen, *daß der Begriff in zwei streng unterschiedenen Formen lebt,* einmal als ein sporadisch die Mannigfaltigkeit durchsetzendes, regellos erstehendes und verschwindendes Gebilde, das andere Mal als ein imposanter in seiner furchtbaren Geschlossenheit unendlich sich fügender Bau. Dies Doppelgesicht zu erkennen, ist aber ein über die Spezialität des Problems hinaus interessierendes Beginnen, *weil jenes hemmungslose Wachstum des Begriffs* (welches doch aus ihm allein nicht kommen kann, wie es sein anderes »kurzes« Leben offenbart), *einem noch unbekannten Zwang zugeschrieben werden muß.*

Nach jenen Andeutungen ist es leicht, in unserem Problem eine Grundfrage nach dem Tat-apriori der Vernunft überhaupt zu erblicken; womit gleichzeitig ein bestimmtes Stellungnehmen zu einer anderen in unseren Tagen heftig diskutierten Angelegenheit ermöglicht ist, *zu der These von der unabweisbaren Notwendigkeit der Annahme eines einheitlichen Weltbildes.*

Denn, sollte es unseren Untersuchungen gelingen, eine Struktur der Vernunftfunktion zu entdecken, welcher mit eindeutiger Bestimmtheit das »Zustandekommen« der Wissenschaftsgestalt (bedeutungsgenetisch genommen) verdankt wird, dann wird wohl auch für die Monismusfrage endlich einmal ein festes Prinzip gefunden sein; vorausgesetzt natürlich, daß überhaupt Wissenschaft urwesenhaft mit »Einheit« verwandt und unter Monismus eine sowohl der populären, meistens recht einseitig naturwissenschaftlichen, wie der philosophischen Ansicht gemeinsame postulierte Anschauung verstanden ist.

Nun ist es von großem Interesse, zu sehen, wie trotz des hie und da auftretenden Bewußtseins von dem Wirken eines solchen »Gesetzes«, von dem Bestehen eines »immanenten Zwanges«, eines »unabweislichen Bedürfnisses« und »Triebes« zur Einheit doch niemals bisher die Frage nach dem »Wie«, der Qualität dieses Gesetzes auftauchte. Worin besteht denn dieses Joch der Vernunft, woher kommt ihr dieses seltsame Gebot, mußte man doch zuerst vor aller sachlichen Auseinandersetzung fragen. Sicherlich läßt sich dann erst kritisch der philosophische Monismus beurteilen, wenn die Berechtigung seiner Forderung erkannt, die Unabweisbarkeit seines Ansinnens festgestellt ist. Lassen wir aber dieses Problem, das unmittelbar systematisch bedeutsam werden kann, noch einige Momente beiseite.

Wichtig ist auf jeden Fall die Einsicht, daß irgendwie die Vernunft unter einem solchen Zwange dauernd lebt und nur in seinem Sinne überhaupt arbeiten, sich betätigen kann; dafür zeugt die bald sporadisch aufleuchtende, bald zu immer hellerem Lichte sich steigernde Begriffsbildung; woraus erhellt, daß das gesamte Denken – sei es ungeformt oder in festen Fugen eines Gebildes – in irgendeiner Weise das Wirken jenes geheimen Gesetzes erkennen lassen muß.[1] Um ein Mißverständnis von vornherein nicht aufkommen zu lassen, betonen wir ganz klar, daß die Existenz eines solchen »Gesetzes« nur aus der allerdings festen Tatsächlichkeit eines Sollens zur Einheit bisher in der Geschichte der Philosophie angenommen werden mußte; daß aber von einem Wissen um ein solches Gesetz, oder gar von einem Wissen um sein Wesen, nicht die Rede sein kann.

1 Wie sehr ein derartiges grundtiefes Sollen zur Einheit bemerkt wurde und wird, dafür wollen wir nur wenige markante Aussprüche anführen. Kant spricht von der »Erwartung, es vielleicht dereinst bis zur Einsicht des ganzen reinen Vernunftvermögens (des theoretischen sowohl als des praktischen) bringen und alles aus einem Prinzip ableiten zu können, welches das unvermeidliche Bedürfnis der menschlichen Vernunft ist, die nur in einer vollständig systematischen Einheit ihrer Erkenntnisse völlige Zufriedenheit findet« (KpV, Akad.-Ausg., V, S. 91). Fichte, der ja außerordentlich stark und wiederholt diese »Notwendigkeit« insonderheit für die Philosophie betont hat, daß alle Philosophie das Mannigfaltige auf absolute Einheit zurückzuführen habe, »und könnte man historisch nachweisen, daß es eine nicht gewollt hätte, so läßt sich dieser der philosophische Beweis entgegenstellen, daß sie es habe wollen müssen, so gewiß sie hat existieren wollen« –, gerade Fichte spricht hier von dem »bewußtlos tätigen, mechanischen Vernunftgesetz« (WL. 1804, S. W. Ed. I. H. Fichte, X, S. 93). Oft, wenn auch nur angedeutet, läßt er

Es erwächst uns demnach die Aufgabe, zuerst eine Entscheidung über sein Sein oder Nicht-Sein zu treffen; fällt die Untersuchung positiv aus, dann das »So« des Gesetzes aufzuhellen und eine Begründung für dieses »So« zu geben. Hiermit ist aber noch nicht angedeutet, wo wir denn das Problem anpacken wollen, da uns ja das Gesamtgebiet der menschlichen Vernunfttätigkeit ohne Unterschied Angriffspunkte für die Aufdeckung des Gesetzes bieten kann. Wir werden nur einer praktischen Forderung wissenschaftlichen Forschens folgen und diejenige Region des Denkens analysieren, in der das verborgene Gesetz sich am unmittelbarsten auswirkt, gleichsam ganz unter der Oberfläche schafft: eben *die Wissenschaft.* An ihr kann uns allein das einigende Moment, das wissenschaftliche, ihre Idee, das Apriori ihrer Realisiertheiten in der kulturellen Wirklichkeit interessieren. So bemühen wir uns, durch die Lösung eines einzelnen Problems, der Idee aller Wissenschaften, gleichzeitig das Gesamtproblem zu beantworten: das »unabweisbare Bedürfnis« der Vernunft nach Einheit.
Mit diesen Andeutungen ist die Einteilung unserer Schrift gegeben; ferner ist ihr innerer Charakter als im engeren Sinne der einer wissenschaftlichen, forschenden Arbeit betont, welches von einer gewissen Wichtigkeit für ihr Verständnis, wie für die Bemerkung einer in ihr zum Ausdruck gebrachten programmatischen Absicht ist.
Es sei diese Vororientierung zum Abschluß geführt mit einem kritischen Hinweis, der an die werttheoretisch gerichtete gegenwärtige Philosophie sich wendet. Wie wir schon in der Anmer-

anklingen, daß sich das Gesetz gerade im Aufsteigen vom Faktischen zur Einheit selbst schon dartut, ja daß die Idee des Faktischen als eines solchen die Idee der Einheit setzt, mithin die Einheit gleichsam uns vom Faktischen forttreibt. Aus der neuesten Literatur: Lipsius spricht in seinem Buche »Einheit der Erkenntnis und Einheit des Seins« (Leipzig 1913) davon, daß »der unserem Geiste immanente Zwang, hinter der Welt der Erscheinungen immer wieder eine letzte allbefassende Einheit zu suchen, unmöglich als ein bloßes Vorurteil beiseite geschoben werden kann«. Ferner in dem Aufsatze von Kroner »Zur Kritik des philosophischen Monismus« (Logos III, Tüb. 1912) findet sich eine recht interessante Ansicht vom Ursprung des »Motives«, des »Triebes« zum Monismus, die wir allerdings durchaus vertiefen wollen; im Haupttext sprechen wir sogleich davon.

kung kurz darauf hinwiesen, ist es nur in einem einzigen Falle seither unternommen worden, das Wesen des monistischen Zwanges zu prüfen. Kroner hat es versucht, den Antrieb zu monistischem Begreifen herzuleiten aus dem Bewußtsein von der Durchgängigkeit des Erlebens; eben die Tatsache, daß schließlich alles auf den Generalnenner: Erleben radiziert werden kann, soll uns dazu verleiten, die Einheit der Funktion als Wesenheit des Materiales der Funktion aufzufassen. Von diesem Standpunkt aus verwirft Kroner mit Recht die Idee einer Begründbarkeit des Einheitsdranges, denn Erleben als logisch irrelevantes Moment liefert keinen systematischen Einheitsbegriff, kann als Tatsache niemals etwas begründen. Mit Motiven und Trieben kann man nicht vor dem Antlitz der Philosophie bestehen. Es scheint uns jedoch diese Erklärung nicht bindend zu sein – wiewohl Kroner sie recht plausibel macht –, und zwar einfach aus dem Grunde, daß er einen Nachweis für seine Ansicht nicht beibringt; wir sind genau wie früher vollkommen über das Geheimnis im unklaren.

Unser Ziel aber ist es, zu entscheiden, wo die Wurzel des ewigen Triebes liegt, weil dann erst klar wird, ob die Möglichkeit gegeben ist, ihn nicht mehr bloß als ein biologisches außerwesentliches, sondern als ein für die Vernunft tragfähiges Moment darzustellen. Vermöchten wir dieses in der Tat, so wäre ein »Muß« der Vernunft, gegen das sie sich sträubt, enthüllt als ein »Soll«, vor dem sie frei ist. Erweist sich jedoch allein jener Begriff als zureichend, welcher als gemeinten Gegenstand das Absolute, die in sich und an sich freie Bedeutung, besitzt, dann wäre – und dieses sehen wir als das Aktuelle in unserem Vorhaben an – eine Brücke von der reinen Wertsphäre in das Reich des Absoluten geschlagen, das Sollen zum ersten Male metalogisch, metaphysisch beheimatet.

Historisch genommen, zeigt ein solches Unternehmen Verwandtschaft mit allen Bestrebungen, die einem Ordnungsmonismus (Driesch) sichere Basis zu geben suchen. Wie ja die Forschungen über das Problem des Absoluten durchgängig als zwei große Richtungen sich erkennen lassen, von denen die eine das Absolute der Natur seines Bestehens nach in seiner Realität, die andere in seiner Ordnung zu erfassen gewillt ist.

Die »Wirklichkeit« der dem erkennenden Geiste gegebenen Gegenstände, im Reich der Natur wie in dem der Seele, wird zu der einen großen Frage, die Losgelöstheit, die Unabhängigkeit, die Wahrheit der Objekte.
Ohne eine wenigstens leicht aufzudeckende Beziehung zu dieser Kardinalfrage steht in den Philosophien das andere Problem der universellen Ordnung, der Alleinheit der Gegenstände. Ist die überhaupt uns irgendwie erfahrbare Summe der Welteinzelheiten ein im letzten Sinne Ganzes, sind die Einzelheiten seine Teile? Wohnt den Gesetzen, den Regeln, den Übereinstimmungen der Gebilde ein über sie hinausgehender Zug inne, der sie letzthin aufhebt in den allübergreifenden Zusammenhang eines Kosmos?
Nach diesen beiden aufgezeigten Seiten des Problems des Absoluten hat sich die Forschung von jeher orientiert, bald die eine, bald die andere das Philosophieren in ihren Bannkreis gezogen. Es scheint uns, als ob die Philosophie unserer Zeit nach ihrer neukritischen Grundlegung weit mehr dem ersten Problem der Metaphysik nachgeforscht habe, so daß die Frage nach der Allordnung in den Hintergrund treten mußte. Selbst ein so unabhängiger Denker wie Bergson – bis heute der einzige Metaphysiker unserer Tage – sieht den Weg zur Wirklichkeit als den Hauptweg; und die gegenwärtige deutsche Philosophie schließt sich ihm, wenn auch aus wesentlich anderen Gründen, darin an. Die Erfassung des Gegenstandes erhält ihre Zentralstellung für das selbstbesinnliche Bewußtsein.
In Schärfe durchgeführt ist eine Untersuchung über die Möglichkeit einer Allordnung in der gegenwärtigen Philosophie nicht, und nimmt, wenn sie wenigstens als Problem gesehen ist, auch nicht den ihr gebührenden Platz ein, wenngleich andeutungsweise in der gegenwärtigen Logik, z. B. bei Driesch (wie übrigens auch bei Bergson) manche verwandte Fragen sich finden.

καὶ ὁ λόγος σὰρξ ἐγένετο καὶ ἐσκήνωσεν ἐν ἡμῖν . . .

κατὰ Ἰωάννην I, 14.

# I

Diese Untersuchung setzt sich also ausgesprochen die Rechtfertigung des immanenten Zwanges zur Einheit durch die Aufdeckung des ihm zugrunde liegenden Momentes (mittels der Wissenschaftstheorie), mithin des monistischen Ideals selbst, zum Ziel. Seine Ausprägungen als Bedeutungsbestimmungen des Absoluten in der Philosophie können wir dafür ganz außer acht lassen; wichtig ist nur, daß sie als Formen Eines Wesens stehen. Die Theorie wird dabei den Weg zu gehen haben, der ihr als der sicherste und geradeste, wenn auch neu in Ansehung seiner Mittel, erscheint.

Die Forschungen der Phänomenologie, welche über das Verhältnis des Allgemeinen zum Besonderen fruchtbare Ergebnisse zutage gefördert haben, sowie gewisse eigenartige Resultate aus dem Gebiete der Denkpsychologie werden wir, soweit es notwendig ist, zu verwerten suchen, um sie dann in den Zusammenhang des fortschreitenden Gedankenganges hineinzuheben.

Damit berühren wir nun die Frage unseres Ausganges überhaupt, unsere Stellung zu den Einzelheiten, die uns in irgendeiner Art gegenständlich werden. Wir können kurz sagen: ohne irgendeine Voraussetzung, sei sie logisch-philosophischer oder dogmatisch-empiristischer Natur, treten wir an die seienden Bestände heran. Wir behaupten nicht, daß unser Standpunkt in der Tat voraussetzungslos sei, sondern allein, daß wir keine Voraussetzungen machen. Gegen einen unbewußten Einschluß, den vielleicht das Denken von vornherein bilden muß, wenn es einer Sphäre des Objektes überhaupt gegenübertritt, können wir uns natürlich niemals wehren; das hat die Logik näher auszuarbeiten. Wir können auf jeden Fall einen logikfreien Ausgang desjenigen Forschens, das man von jeher als Philosophieren bezeichnet hat, einnehmen. Nicht sagen wir, daß ein solcher Ausgang möglich wäre als Ausgang der Philosophie, sondern nur, daß er möglich, weil sinnvoll, ist als Ausgang des Philosophierens. (Auch sagen wir z. B. nicht, daß das gesamte Gegenstandsreich nur für mich oder auf jeden Fall nur für mich gegeben sei.) Das kann und soll für unseren Zweck vorläufig keine Bedeutung besitzen. Wir gehen durchaus vor wie der wissenschaftliche Forscher, der seine Kategorien anzuwenden vermag, ohne daß er darum zu wissen braucht, daß es Kategorien sind, der sich den Gegenständen hingibt, ohne sich jemals darüber zu besinnen, welche logische oder ethische Tat er dabei vollzog. Dieser durch und durch methodisch-naive Standpunkt, wie wir ihn nennen können, soll uns allerdings nur vorläufig gelten, denn am Ende der Untersuchung wird sich zeigen, wie er selbst mit Notwendigkeit eine andere Betrachtungsart fordert.

Wie erscheinen nun von diesem methodisch-naiven Standort die Gegenstände; was nur können wir von ihnen berichten? Diese wichtige Grundfrage, der doch eine bewußte Einschränkung vorausgehen soll, werden wir am deutlichsten an unserem speziellen Gegenstandsgebiete, der wissenschaftlichen Wirklichkeit, dartun können. Lassen wir also die Entscheidung noch einen Augenblick beiseite und wenden wir uns der eigentlichen speziellen Untersuchung zu.

Wir befinden uns der allumfassenden Gegebenheit von »natur«-haften und »kultur«haften gegenständlichen Einzelheiten gegenüber. Natur und Kultur bedeuten uns zwei auf jeden Fall grundverschiedene Wesensformen dessen, was wir stets als »Wirklichkeit« bezeichnen. Die kulturhaften Gegenstände, die, in ihrer Gesamtheit genommen, die Kultur bilden, gehören zu dem Reich der geistigen Güter, ja sie machen es in vollem Umfang geradezu aus; diesen geistigen Gütern, wie man sie einmal nennt, kommen wieder verschiedene Merkmale ihrer Eigenart und Eigenbedeutung zu. Da haben wir Kunst, da haben wir Staat, Wirtschaft, Gesellschaft, da haben wir Wissenschaft. Auf jenen letztgenannten Kom-

plex kulturhafter Art wollen wir unser Augenmerk richten, er allein soll für uns jetzt den problembergenden Gegenstand bedeuten. Freilich darf man von uns keinerlei Begründung dafür verlangen, weshalb wir gerade hier und nicht in einem anderen Gebiete Probleme sehen. Denn unsere letzte und höchste Frage nach dem Ursprung des Einheit-Strebens ist viel zu umfassend, als daß in ihr für unsere Einsicht ohne weiteres das Sonderproblem mitgefordert sei; eine Beantwortung in toto machte auf jeden Fall *ein Durchdringen der gesamten menschlichen Tätigkeiten aus.* Es ist eine durchgehende Erfahrung, daß für das Verhalten der Fragestellung niemals zureichende Gründe gefunden werden. Wir können nur sagen, daß wir aus einer gewissen weiter nicht diskutablen Erwartung heraus unsere Aufmerksamkeit einem Sondergebiete zuwenden, weil uns gerade dessen Erforschung besonders weittragende Ergebnisse für unser Problem des Grundes der Notwendigkeit einheitlich gericheten Denkens und seines gemäßen Ideales zu versprechen scheint.
Halten wir hier einen Moment inne, um aus unserem Vorgehen die Art und die Grenzen dieses methodisch-naiven Standpunktes kennenzulernen. Einmal läßt sich sagen, daß wir in keiner Weise in dem Sinne rein naiv sind, daß wir etwa dogmatische Behauptungen aufstellen, die wir niemals zu erweisen imstande wären. Dogmatisch geht ja sehr oft der naive Mensch vor; soweit erleidet also die rein methodisch-unbesonnene Betrachtung ihre kritische Einschränkung. Wir sagen beispielsweise nicht, Kunst und Natur seien die beiden einzig möglichen Formen einer absoluten Wirklichkeit, oder Wissenschaft sei das Werk eines Denkens, das mit meinem Denken »übereinstimme«. Solche Aussagen, wie sie der rein Naive macht, darf man in unsere Ausführungen natürlich niemals hineinlegen. Uns bedeuten alle Gegenstände, wie Kultur, Natur, Wissenschaft usw. lediglich sinnhafte Gebilde. Daß wir das überhaupt Erfahrbare so und so gegliedert finden, ist nun einmal Tatsache, die wir hinnehmen; gerade dieses Hinnehmen, ohne weiter danach zu fragen, ob die Gliederung unser oder eines fremden Gliederers Werk sei, ist das Naive unseres Beginnens. Aber wir ziehen doch immer die scharfe Grenze zwischen dem Ich und der

außerichhaften Gegenstandssphäre. Die Gegenstände sind, selbst in ihrem ausgesprochen lebensvollen Sein und Werden, nur Schemen, nur Bilder, Phänomene. Das gilt für die Gegenstände der Natur wie für die des Innenlebens, des Selbstbewußtseins. In einer rein bildhaften Sphäre stehen für uns die Einzelheiten; daß sie Sinn haben, daß wir sie verstehen und einzuteilen vermögen, daß sie Verwandtschaft untereinander besitzen – das alles geben wir zu und setzen wir einmal als bestehend voraus. Aber es haftet doch allen Gebilden ein Als-Ob an, sie werden als solche ihrer Eigenheit nach nur gewissermaßen belassen; das quasi kann hier noch nicht fallen.

Sehr deutlich zeigt sich diese kritische Färbung der naiven Ansicht bei den geltenden Gegenständen, dem Überzeitlichen. Wir sind auch hier, wie überall, rein deskriptiv. Da treten uns eben Gebilde gegenüber, deren eigenartige Bedeutungsgestalt durch den Terminus »ewiges Gelten« am besten ausgedrückt wird; durch eine solche entsprechende Bezeichnung wird dieses demnach festgehalten; wir lassen sie einmal vorläufig »gelten«. Aber nicht vollziehen wir bewußt den Schritt von der rein bildhaften[2] Sphäre in die Ebene des absoluten Geltens der Gebilde als solcher; vorläufig tun wir das nicht. Reine Deskription bloßer Gebilde sinnhafter Art und ihre möglichste Reduktion in einbegreifenden Setzungen ist unsere Methode; erst die Tatsache des Sinnes überhaupt kann einer darauf besonders gerichteten Forschung die endgültige Zerstörung der bildhaften Sphäre gelingen lassen.

Wir können hier noch zweierlei anfügen, was von unmittelbarer Wichtigkeit für die Entwicklung unseres Gedankenganges ist. Die Sonderung der Wirklichkeit in Kultur und Natur erhält im Verlauf unserer Darlegung einen tieferen Sinn, bleibt aber für uns als Formung durchaus auch noch provisorisch. Zwischen den Formen

2 Mit Abbildlichkeit und anderen daran sich anschließenden erkenntnistheoretischen Fragen hat diese Bildhaftigkeit nichts zu tun. Als *Eidologie* hat Stumpf die Lehre von den Gebilden des Innenlebens bezeichnet (C. Stumpf, Zur Einteilung der Wissenschaften, in: Abhandlungen Berliner Akademie, 1906); *Phänomenologie* hat sie Husserl genannt. Wir wollen diese gebildhafte Ansicht für die gesamte Gegenstandssphäre festgehalten wissen.

besteht Ein gültiger Sinn, die Formen überhaupt haben ebenfalls eine bestimmte Bedeutung, aber erst eine echt normative Logik oder eine andere eigens darauf gerichtete Disziplin kann hier zu einem Aufzeigen der *Berechtigung* der Form als solcher und keiner anderen vordringen. Dann noch eins: man darf nicht etwa sagen, daß unsere Ausführungen deshalb unsicher sein müßten, weil sie einmal nicht bewußt auf Logik basierten, zum andern grundlos an einem Problem, dem der Wissenschaft, einsetzten. Darauf hat die Antwort zu lauten: innerhalb der bildhaften Sphäre kann sehr wohl logisch, d. h. richtig und ohne Mängel des Schließens vorgegangen werden; dort haben ihre Resultate natürlich Geltung; was von den Gegenständen gilt, gilt nicht ohne weiteres von Nichtgegenständen, weshalb unsere obigen Ausführungen auf mein Denken, sofern es mir nicht gegenständlich wird, keine Anwendung haben.[3] Zweitens wird deshalb die Grundlosigkeit eines Beginnens niemals verhängnisvoll für den Fortgang einer Untersuchung, weil sich zeigt, daß ihre Ergebnisse aus einer ihnen innewohnenden Kraft sondergebietsübergreifenden Geltungsanspruch erhalten; von der Zufälligkeit des Gefundenseins befreien sie sich selbst. Es ist eben Tatsache, daß, wo immer auch der menschliche Geist ansetzt, dasjenige, was er findet, sich über die beschränkte Tat des Geistes noch hinaushebt, aus seinem zufälligen in seinen ewigen Ort. Dieses Phänomen wird in ähnlicher Form noch einmal bei den Wissenschaften überhaupt sich vorfinden und müßte in einer Metaphysik gebührende Erwähnung finden.

Jenen methodischen Ausführungen soll einzig und allein diese Bedeutung zugesprochen werden, daß sie eine Abwehr gegenüber Vorwürfen darstellen, die in gar keiner Weise – selbst wenn sie zu Recht bestünden – an unseren Gedankengängen und Ergebnissen das mindeste zu ändern vermöchten. Einmal ganz kurz gesagt: Ob kritischer oder nichtkritischer, ob dogmatisch-realistischer oder

3 Für den Phänomenologen ist das Denkhafte selbst in die Gegenstandssphäre eingerückt; hier hat es nach unseren vorigen Ausführungen nur vorläufige Geltung. Das Denken des Phänomenologen, auf das er sich nicht richtet, sondern mit dem er sich richtet, gehört aber nicht in die Sphäre, untersteht also nicht für seinen bloßen Gebrauch unter irgendwelcher theoretischer Kontrolle.

solipsistischer Natur auch unser Ausgang – der des Forschers – sein mag, ist eine vollkommen außerhalb des Geltungsanspruches unserer Resultate liegende Angelegenheit. Wir bleiben stets innerhalb einer Sphäre und lassen uns letzten Endes, wie jeder Denkende, in ihr forttreiben; außerhalb dieser Sphäre uns zu begeben, hieße nicht mehr Wissenschaftstheorie, sondern Denklehre versuchen. Daß wir uns überhaupt auf eine Erörterung und Umgrenzung unseres Standpunktes – den der bewußten Standpunktlosigkeit – einlassen, geschieht eigentlich allein im Interesse der Vollständigkeit. Wir können immer nur wieder betonen, daß wir davon so wenig in unseren Ergebnissen alteriert werden können, wie ein Natur- oder Geschichtsforscher; unser Gebiet ist die Wissenschaft.

*Was erhebt,* so fragen wir, um das Wirklichkeitsapriori, die Idee, herauszulösen, *eine sinnvolle Rede in die Sphäre der Wissenschaft,* welche Eigentümlichkeit muß allen wissenschaftlichen Disziplinen demgemäß als identisch zugrunde liegen? Gewiß, es ist nicht das erstemal, daß man diese Frage stellte, doch hat man darauf weder eine befriedigende Antwort gefunden, noch hat man jemals versucht, überhaupt eine genügend umschriebene Fassung des Problems selber zu geben. In den meisten methodologischen Abhandlungen spielt – zweifellos aus einem innerlichen praktischen Bedürfnis – die Einteilung, womöglich die reine Systematisierung – eine rein normative Angelegenheit – der einzelnen Wissenschaften die Hauptrolle; es soll in keiner Weise in Abrede gestellt sein, daß dadurch sich bedeutende Perspektiven eröffnet haben. Ferner haben auch die Wissenschaftslehren Fichtes und Bolzanos an erster Stelle logische, gegenstands- und erkenntnistheoretische Fragen behandelt, ohne sich auf eine spezielle Analyse des Gebildes »Wissenschaft« näher einzulassen. Und doch kommt der Frage nach der allen Sonderdisziplinen gemeinsamen Wissenschaftlichkeit die Zentralstellung in einer Wissenschaftstheorie zu.[4] Das wissen-

4 Diesen Begriff der Wissenschaftslehre hat zum ersten Male wohl Husserl in den »Logischen Untersuchungen«, 2 Bde. Halle 1900/01, festgehalten, wo er die Aufgabe der Wissenschaftslehre dahin präzisiert, dasjenige an der Wissenschaft zu untersuchen, »was sie der Form nach als Wissenschaft charakterisiert«.

schaftliche Moment, das aus einer solchen Durchsuchung herausgehoben werden kann, bildet als logischer Kern den Maßstab für eine Kritik eines jeden Sinngebildes, das sich als Wissenschaft ausgibt, und stellt ferner den festen Punkt dar, von dem aus (unter Berücksichtigung noch anderer Gegebenheiten) das System der Wissenschaften entwickelt werden kann. Eine solche Wissenschaftslehre im engsten Sinne des Wortes, deren direkte Bedeutsamkeit wir hier hervorgehoben haben, hat also zum Objekt ihres Forschens die daseienden Wissenschaften, das *wissenschaftliche Verhalten,* wie wir es auch nennen können. Aus diesen Verhaltensweisen, aus diesem Benehmen, hat sie das Identische, das in allem Gleiche zu isolieren, um eben das Wissenschaft schaffende Urmerkmal zu bekommen.

Dabei können wir eine Angelegenheit noch erwähnen, die ein Streiflicht auf die Stellung, welche wir den denkhaften Gegenständen gegenüber einnehmen, werfen wird. Wir müssen ja bei unserer rein bildhaften Auffassung von sehr komplexen Gegebenheiten ausgehen, wie Denken, Wissenschaften usw., und es sei nochmals mit Schärfe betont, daß für die Entwicklung unserer Gedanken diese logische Kompliziertheit gänzlich gleichgültig ist. Daß wir einmal darum wissen, ist nicht zu ändern, aber wir brauchen es eben nicht zu wissen. Daraus darf man keinen Meinungsgegensatz gegen die heutige Logik konstruieren wollen; denn über die logische Aufklärung sagen wir ja gar nichts aus, wenn wir auf die Gegenstände selbst, d. h. auf ihren Sinn, unsere Darlegungen gründen. Vorläufig ist es für uns ganz einerlei, ob z. B. Denken tatsächlich als Tätigkeit im Sinne eines echten Werdens erlebt werden kann, oder ob es nur eine Ordnungssetzung für alleinerlebbare Denkmomente darstellt[5]; für uns kommt es nur darauf an, was Denken bedeutet, und daß es, als Tätigkeit aufgefaßt, haltbaren Sinn besitzt. Das gleiche gilt für alle anderen Gegenstände, die für

5 Wir haben uns später näher darauf zu berufen, daß eine Denktätigkeit, wenn auch nicht im rein phänomenologischen Gebiete, mit gutem Recht behauptet werden kann – Natorp bestätigt das in seiner neuen »Allgemeinen Psychologie nach kritischer Methode«, Bd. I. Tübingen 1912 –, allerdings in einer anderen Ebene als in derjenigen, in der man nur von Momenten des Erlebten sprechen muß.

uns Material werden: wir wollen sie nur ihrem Sinne nach verstehen, ihre innere logische Struktur, auch die des Sinnes selber, bleibt vorerst außerhalb des Gesichtskreises.
Zwei Wege sind es, die wir zur Lösung unseres Problems beschreiten werden: einmal versuchen wir aus der Analyse der reinen Bedeutung des Wortes, der Ausdrucksbedeutung »Wissenschaft« gewisse Anzeichen zu erhalten, die uns bei der Durchsuchung der Wissenschaften leiten können. Denn man wird in der Annahme nicht fehlgehen, daß in die reine Bedeutung – und somit auch in den Gebilden, denen man diesen selben Sinn verliehen hat – gleichbleibende, wiederkehrende, in diesem Verstande wesentliche Elemente mit aufgenommen sind.
Der andere Weg, der eigentliche Hauptweg, muß, wie schon angedeutet, derjenige sein, aus der Struktur der einzelnen Wissenschaften oder ihrer Gruppen die übereinstimmenden Züge, womöglich die eine identische Linie, herauszulösen. Der Wert, diese beiden Wege zu beschreiten und nicht etwa sofort den zweiten zu gehen, beruht aber nicht darauf, daß man dasjenige Ergebnis, was man auf dem einen fand, nun auch auf dem anderen finden könnte; daß man mit dem einen die Probe aufs Exempel des anderen machte! Vielmehr werden uns die notwendigerweise ganz unbestimmten und in Formung und Benennung höchst persönlichen Resultate der Bedeutungsanalyse allein auf die Hauptangriffspunkte des Zentralproblems hinweisen können; denn da an den Einzelwissenschaften zahlreiche identische Bestimmtheiten gefunden werden können, die trotzdem »sachlich« – eine für unsere rein bildhafte Einstellung höchst auffällige Angelegenheit – wenig oder gar nichts ausmachen, so bedürfen wir eines Leitfadens zur Unterscheidung vorläufig wesentlicher und unwesentlicher Bestimmtheiten; dieser Kanon soll ein unnützes Aufhalten bei unwesentlichen Merkmalen verhindern, die, wie die fortschreitende Analyse ja doch am Ende zeigen müßte, in die wesentlichen eingehen. Deshalb wird die ganze Untersuchung weniger weitläufig und sachlich gesicherter, wenn sie beide Wege beschritten hat. Dem für uns Wesentlichen haftet allerdings ein sehr provisorischer Zug an, und man darf nicht daraus auf eine uneingestandene theoretische

Orientierung schließen. Dieses tastende Vorwärtsschreiten muß stets ein Symptom unseres empirisch bildhaft geleiteten Vorgehens bleiben.

## II

Unter *»Wissenschaft«* versteht der Sprachgebrauch, in erster Linie der des täglichen Lebens, außerordentlich Sinn-Heterogenes. Schon jede einigermaßen genaue, wahrheitsgetreue Schilderung eines Tatbestandes, sorgsame Aufzählung von Kennzeichen wird als wissenschaftlich bezeichnet. Man erinnerte sich der »beschreibenden Naturwissenschaften«, der Anatomie, Zoologie und Botanik der älteren Zeit; sie mußten allmählich der Forderung nachgeben, die reine Deskription als Vorstufe zu betrachten und tiefer zu dringen. Es ist diese Bedeutung, die des umsichtigen Protokolls allein, in Wahrheit eine ganz äußerliche, bestenfalls vorläufige, denn man braucht nur einen Polizeibericht dagegenzuhalten, um zu erfahren, daß die oben angeführten Sinnmerkmale zu der Prädikation »wissenschaftlich« hier nicht verwandt werden und deshalb als durchgehende, wesentliche Bedeutungszeichen nicht ausreichen können.

Man sagt dann, Wissenschaft versteht, erkennt, begreift eine Gegebenheit, vorausgesetzt natürlich, daß sie diese erst genau kennengelernt hat, wobei also die Genauigkeit, die »Protokollheit« schon mitverstanden ist; die exakte Gegenstandsfassung ist notwendig für eine Gegenstandserfassung, stellt deshalb ein Merkmal der Bedeutung dar, das aber weder als einziges betont werden darf, noch das Anrecht auf besondere Hervorhebung überhaupt hat: es geht ja in die weitere Bestimmung Erkennen mit ein. Da man nun weiß, daß Wissenschaft von einer Generation zur anderen weitergegeben und weiter ausgebildet wird, so ist damit klargestellt, daß diese Kenntnis der Gegebenheit im Laufe der Generationen festgehalten werden muß, auf daß sie nicht verloren gehe und dadurch der Wissenschaft Schaden entstünde. (Was wir nur deshalb hinzufügen, um den neuen Schritt, welchen die Analyse macht, nicht ganz unvermittelt erscheinen zu lassen.) Dieses Festhalten prägt in das Gefüge der Wissenschaft eine strenge Ordnung, eine verkettete Aneinanderordnung, und daher geht in die Bedeutung des Wortes, wenn man etwas tiefer schürft, das Kennzeichen *Ordnung* ein. Wissenschaft ist somit ein geordnetes Wissen, also mehr als nur einzelnes und summenhaftes Wissen.

Ordnung zerlegt sich aber weiter bedeutungsmäßig in äußere und innere Ordnung. Der systematische Aufbau, das Festhalten am einmal Gegebenen, – alle diese echten Kennzeichen der Tradition in einer Wissenschaft – bilden ihre äußere Ordnung. Damit erschöpft sich die Bedeutung in keiner Weise, wie wir sahen, es ist eben in ihr noch ein Moment gegeben, das geradezu als das Zentrum der Bedeutung »Wissenschaft« erscheint und rein phänomenologisch eine ungemein starke Betonung besitzt. Mit innerer Ordnung erfüllt sich erst die Bedeutung völlig, und das steht ganz damit im Einklang, was die Analyse des Sinnes kurz davor fand: daß Wissenschaft erkenne, also ein Mehr gegenüber dem Kennen der sorgsamen Deskription leiste.

Diese innere Ordnung kennzeichnet sich weiter am treffendsten durch die Bestimmtheit: das *»Allgemeine«*. Wissenschaft ist geordnetes Wissen mit Richtung auf Allgemeines; ihr ist es nicht nur um das Besondere, sondern um das Besondere in seinem Zusammenhange zu tun. Das Suchen des Zusammenhanges, des Allgemeinen am Besonderen, ist der Kern von Wissenschaft. *Das Allgemeine hat ganz ausgesprochenerweise gar keine irgendwelche spezifizierte Bedeutung, sondern will gegenüber Allgemeingültigkeit, Allgemeingesetzlichkeit usw. nur als das »Übereinzelne«, als reine Struktur und Form und als weiter nichts genommen sein.* Und weil man nun weiß, daß es niederes und höheres Allgemeines gibt, Stufen und Grade des Allgemeinen, so faßt man dieses Wissen in die Struktur, in den Ausdruck der inneren Ordnung zusammen. Hier schon wird der reinen Bedeutungsanalyse das Zusammenhängen der äußeren und inneren Ordnung deutlich; denn sie besitzen beide ein Strukturmerkmal: *die Engstufigkeit.* Die Graduierung des Allgemeinen, der »Begriffe«, ist ohne jede Lücke, ganz gleichmäßig, aber nicht etwa ineinanderfließend und sukzessive neuartig wie die farbigen Lichter eines Spektralbandes, sondern wohl abgesetzt gleich den Stufen einer Treppe. Ist einmal aber – schon sinnanalytisch – die innere Ordnung engstufig gegliedert

kraft ihres Zentralelements, des Allgemeinen, dann erhellt ohne weiteres die Form der äußeren Ordnung daraus als eine Notwendigkeit. Der ganze menschlich-literarische Apparat, das schrittweise Vorgehen, welches gar nicht vom wissenschaftlichen Tun wegzudenken ist, empfängt seine Organisation im Wesen aus der innerlichen Struktur des Allgemeinen: scientia non facit saltum.
Es wird gut sein, noch aus anderem Munde Bedeutungsanalytisches über den Begriff der Wissenschaft zu erfahren, da eine Determinierung der Aussagen durch eine besondere, vielleicht ganz ungewußte Ansicht das Urteil beeinträchtigen könnte. Edmund Husserl spricht im ersten Bande seiner Logischen Untersuchungen Seite 25 ff. (Halle ²1913) von diesem Thema: »Einzelne Begründungen finden wir ja auch außerhalb der Wissenschaft und somit ist klar, daß einzelne Begründungen – und ebenso zusammengeraffte Haufen von Begründungen – noch keine Wissenschaft ausmachen. Dazu gehört, . . ., eine gewisse Einheit des Begründungszusammenhanges, eine gewisse Einheit in der Stufenfolge von Begründungen; und diese Einheitsform hat selbst ihre hohe teleologische Bedeutung für die Erreichung des obersten Erkenntniszieles, dem alle Wissenschaft zustrebt, uns in der Erforschung der Wahrheit . . . des Reiches der Wahrheit, bzw. der natürlichen Provinzen, in die es sich gliedert – nach Möglichkeit zu fördern.«
Bei dieser skizzenhaften Bedeutungsanalyse konnten wir zweierlei nicht vermeiden; einmal ging die Analyse ganz gegen eine Einstellung aufs rein Sinnmäßige, wie zur Erklärung ihrer Aussagen, auf ein Wissen von den Wissenschaften zurück; sie verfuhr also an einigen Stellen nicht rein phänomenologisch, sondern ebenfalls erklärend. Doch tat sie dieses nur für eine lebendigere Veranschaulichung des Bedeutungsgehaltes selber, selbstredend vermag sie ohne dieses auszukommen.
Zum andern vermittelte sie uns eigentlich nur recht verschwommen die Bedeutungskennzeichen und beließ die Ausdrücke »Allgemein«, »Ordnung«, »Begründung« und dergleichen durchaus in ihrer logisch noch nicht genügend geklärten Stellung. Es sei nur daran erinnert, daß das Allgemeine als »die bloße Form« den ganzen Bereich des Nicht-Einzelnen einnahm, und von einer Sonde-

rung in Allgemeingültigkeit und bloße Verallgemeinheit in keiner Weise etwas zu bemerken war. Immerhin, bedeutungsanalytisch konnte man nicht gut mehr geben, ohne über die feinen Grenzen in fremdes Gebiet zu schreiten; unser ist aber jetzt das Wissen, worauf wir bei der Analyse der Wissenschaften zu achten haben. Vielleicht besitzt dafür noch jener Zug Interesse, daß in keinem Punkte von dem Materiale der Wissenschaft die Rede war. Weiterhin, daß uns selbst drei Bestimmtheiten, auf die man bislang großes Gewicht für eine Wissenschaftstheorie legte, gewissermaßen unter der Bedeutungsfläche mitgegeben worden sind, ohne daß sie in diese selbst emportauchten: Wahrheit, Richtigkeit und Wesenheit, welche drei in dem Kennzeichen von Kennen und Erkennen mit aufgenommen worden sind, wenn man so sagen darf, als Selbstverständlichkeiten, als das Kennen und Erkennen erst in der Tat zu solchen schaffenden Leitsätzen des Denkens. Deutlich fand sich bei Husserl ja die Bestimmung Wahrheit, aber doch nicht in dem üblichen Sinne der Maxime (als solche war sie bei ihm im Begriff der Begründung implicite mitgegeben), sondern als echte Zielidee, als »Reich«, die bei uns noch gar nicht auftauchte und bedeutungsanalytisch in engeren Grenzen auch wohl kaum erscheinen kann; erst kraft höherer Verarbeitung wird sie sich ergeben. Es wäre allerdings nicht richtig, zu sagen, daß bei der Bedeutungsklärung nicht eine oder die andere Maximenbestimmtheit – hauptsächlich wird es ja wohl Wahrheit sein – einmal gesondert betont hervorträte. Demgegenüber stellen wir nur fest, daß ein Festhalten an beiden Bestimmtheiten, nämlich Wahrheit und Erkennen, tautologisch wäre. »Erkennen« verdient aber aus dem Grunde beibehalten zu werden, weil hier alle Bestimmtheiten, auch Richtigkeit und Wesenheit mit eingeschlossen, mit gemeint sind.

Es sei bei dieser Gelegenheit ganz kurz vorgemerkt, was uns später noch einmal in anderem Zusammenhang entgegentreten wird, daß für Erkennen oder auch nur Kennen Wahrheit oder Richtigkeit allein als »Werte« erscheinen. Wir wollen auch hier nur wieder rein deskriptiv verstanden werden, wenn wir sagen, daß für das Gebilde Wissenschaft schon eine Verschmelzung von Wert und bloßem

Denken, also auch Kennen, vorliegt. Die Werte, die für das Denken in ihm gelten, gehören in dieser Ebene nicht mehr zu sonderbetonten Merkmalen der Bedeutung. Sie brauchen eben nicht gesondert gemeint zu sein, sie können es aber, wie die Bedeutungsanalyse eigentümlicherweise dartut. Diese sehr interessante Angelegenheit wird durch spätere Erörterungen über das Verhältnis von Wert und eigentlicher Wissenschaftsstruktur seine Erklärung, besser gesagt, tiefere Zurückführung erfahren.

# III

Wenden wir uns jetzt der Fülle der Sonderwissenschaften zu, wie sie in der Literatur als Bedeutungssysteme verschiedener Sachgebiete niedergelegt sind. Von vornherein müssen wir da eine Angelegenheit gleich erledigen, deren Nebensächlichkeit oftmals bei der Diskussion über ähnliche Fragen nicht genug hervorgehoben ist. Man sagt nämlich, daß der allgemeine Charakter dieser Wissenschaften in erster Linie seinen Grund in den Begriffen hätte, in denen die Bedeutungen übermittelt werden. Notwendigerweise müßten auch die individuellen Einzelheiten ja allgemein werden, da sie eben in die Sprache eingingen. Wir bestreiten diese rein grammatische Angelegenheit in keiner Weise, richtig ist, daß die Namen, die Benennungen allerdings auch einzigstes Einzelnes mit dem Zeichen eines Übereinzelnen stempeln; darum handelt es sich aber gar nicht, wenn wir von dem *Zug zum Allgemeinen* sprechen, der gerade die Wissenschaft beherrscht. Dieser liegt vielmehr im Metagrammatischen, in den Wortbedeutungen, nicht in den Worten. Die rein verbale Allgemeinheit ist überhaupt mit jeder Sprache gegeben, von dieser Tatsache wird eine wissenschaftliche Abhandlung geradeso gut getroffen wie ein Polizeibericht oder eine Dichtung. Das Bedeutungs-Allgemeine aber, das gemeinte Allgemeine ist davon ganz unabhängig. Mit dem Worte »Tisch« kann in gleicher Weise der vor mir stehende Tisch bezeichnet werden, dessen Einzigkeit, besser noch Einzelheit unbezweifelt ist, und dasselbe Wort kann Tisch überhaupt, einen Tisch, also etwas Allgemeines bezeichnen. Diese Unabhängigkeit der Bedeutungsallgemeinheit von der Wortallgemeinheit ist immerhin in diesem Zusammenhange nachdrücklich hervorzuheben. Jedoch macht dieser Sachverhalt unsere Untersuchung gerade nicht so einfach, wie es am Anfange scheinen konnte. In vielen Wissenschaften finden wir nämlich im Vordergrunde *Individuell-Einzelnes in einer ganz eigenartigen endgültigen Betonung*. Um das einzusehen, müssen wir selbst uns die Einzelwissenschaften betrachten, und wir werden dort Gele-

genheit haben, zu manchen methodischen Ausführungen, besonders der jüngsten Zeit, selbst kritisch Stellung zu nehmen.
Es ist auf den ersten Blick klar, daß nicht alle Wissenschaften tatsächlich nach Gesetzen forschen; vielmehr schließt sich solches für diejenigen, welche das Reich der seienden Gegenstände bearbeiten, also die Gebiete der Logik, Kategorienlehre, Ethik, Ästhetik und der reinen Mathematik, in der Tat aus. Ferner: die gesamten historischen Disziplinen, seien es die naturhistorischen oder kulturhistorischen, trachten nicht danach, Gesetze im Geschehen aufzudecken, sondern sie fassen es als ihre eigentliche Aufgabe, die einzelnen Etappen des Geschehens miteinander zu verbinden, und zwar möglichst ohne jede Lücke, vollständig und so getreu, »objektiv«, wie es irgend angeht. Ein jedes historisch festgehaltene Moment ist überhaupt nur festgehalten als Glied einer Kette, als Schritt einer Entwicklung, als Teil eines Ganzen. Gerade diese letzteren Maximen haben der Historie ja von jeher das Ansehen einer Wissenschaft gegeben, ohne daß man ahnte, damit gleichzeitig in viel tieferem Sinne ihr Wesen erfaßt zu haben. Indem in den historischen Disziplinen überhaupt ein Gegenstand entwickelt wird (ohne daß an Kausalität oder Wertbeziehung im einzelnen gedacht zu werden braucht), werden bestimmte Etappen so mit bestimmten anderen Etappen verknüpft, daß diese ihre Verknüpfung einen Einsichtigkeitszusammenhang – nach Möglichkeit – schaffen soll. Dieser Grundzug der wissenschaftlichen Historie überhaupt ist wohl unbestritten.
Jenen Wissenschaften, die die Einzelheiten miteinander verknüpfen und sie als verknüpfte Einzelheiten ihrer Einmaligkeit gemäß in ihren besonderen Stellungen belassen, treten die *Gesetzeswissenschaften* gegenüber. Hauptsächlich finden wir sie als Naturwissenschaften vertreten, aber die Nationalökonomie z. B., die es doch sicherlich mit Gütern, nicht mit bloßen Naturgegebenheiten zu tun hat, verfährt ebenfalls in gewissen ihrer Teildisziplinen gesetzmäßig. Ferner erinnern wir uns an die heiß umstrittenen, gewaltigen Versuche von Breysig und Lamprecht, innerhalb derjenigen Geschehensreiche, die sonst durchweg entwickelnd dargestellt werden, bestimmte Verlaufstypen hervorzuheben, Gesetzmäßig-

keiten herauszulösen wie im Naturgeschehen.[6] Offenbar, wenn wir den Tatsachen keinen Zwang antun wollen, stehen wir hier vor zwei grundverschiedenen Verfahrensweisen der Wissenschaften überhaupt.

Windelband war es, der zum ersten Male in Klarheit jenen Unterschied bezeichnete, indem er die »nomothetischen« von den »idiographischen« Wissenschaften trennte. Hiermit aber wollte er einzig und allein einen Unterschied der Methoden und nicht der Sachen hervorheben; dieser Satz wird auch in keiner Weise davon berührt, wenn er sagt: »Die Wirklichkeit wird Natur, wenn wir sie betrachten mit Rücksicht auf das Allgemeine, sie wird Geschichte, wenn wir sie betrachten mit Rücksicht auf das Besondere.« (Geschichte und Naturwissenschaft, Rektoratsrede Straßburg, 1894). Denn die Wissenschaft hat es schon mit dem Sein, der Natur und der Geschichte zu tun, nicht aber mit der unberührten Wirklichkeit; allgemein und besonders gedacht, ist noch gar nicht allgemein oder besonders wissenschaftlich gedacht. Wenn also Windelband konsequent kantisch die methodologische Formung als einzige Veranlassung aller Verschiedenheiten des Gegebenen statuiert, so läßt sein Standpunkt trotz allem eine Trennung in zwei methodologische Schichten zu, deren »obere« wissenschaftliche uns allein hier angeht. Wir haben zwei sich überbauende Lagen des Denkens scharf voneinander zu trennen, wollen wir nicht in die Fehler verfallen, die im Anschluß an diese höchst treffende Trennung entstanden sind. Nicht in der Wissenschaft wird Sein, Natur oder Geschichte, sondern Natur, Sein und Geschichte werden in ihr zu Etwas, mögen sie auch methodologischen Ursprungs gedacht sein. Deshalb kann uns also gar nichts rein erkenntnistheoretisch entgegengehalten werden, wenn wir das Seiende, das Daseiende und die Geschichte als die eigentlichen, (vom Denken, oder nicht vom Denken) bereits getrennten Sachgebiete der Einen »Wirklichkeit«

6 Ihnen scheint sich Wölfflin für die Kunstgeschichte mit bewundernswerter Schärfe, wenn auch in anderem Sinne angeschlossen zu haben. In seinem »Albrecht Dürer« (1905) kündete es sich schon an, sein Akademievortrag (1912) führt es programmatisch aus; vgl. auch seinen Aufsatz im Logos IV, Heft 1 (Tüb. 1913), »Über den Begriff des Malerischen«.

auffassen, auf die die Wissenschaften frei ihre beiden Methoden, die nomothetische wie die idiographische, anwenden.[7] Nur weil man in den daran sich anschließenden Erwägungen nicht sah, daß die besondere wissenschaftliche Denkleistung nicht mit der Denkleistung schlechthin zusammenfällt, die methodologische Formung als solche gar nicht zur Charakterisierung der Wissenschaftlichkeit allein ausreichte, fühlte man sich wohl zu der Festsetzung veranlaßt, daß Naturwissenschaft allgemein oder nomothetisch (generalisierend) verfahren müsse und Geschichtswissenschaft idiographisch (individualisierend); (wobei man übrigens die Wissenschaften des Seins, die es doch auch gibt, außer acht ließ).
Wir wollen an dieser Stelle die Frage in doppelter Beziehung zu Ende bringen. Wenn natürlich niemals davon die Rede sein kann, daß das Sein zur Natur-Wirklichkeit gehört, so steht es doch für die Wissenschaft in einer von ihr nicht geschaffenen Zone; in diesem Sinne wolle man hier »Wirklichkeit« verstehen. Später bedeutet sie den engeren Begriff der daseienden Gegenständlichkeit. Für die Wissenschaft ist bereits die primäre Spaltung der unberührten reinen Wirklichkeit gegenüber getan, für sie ist die unberührte Gegenstandssphäre schon in Formen gegossen. In diesem Sinne gibt es Sein, Natur und Geschichte auf jeden Fall für eine Wissenschaft und vor ihr; diese Tatsache muß auch dann zugegeben werden, wenn man nicht einmal annehmen wollte, daß die Wirklichkeitsgeformtheiten kategorialen Ursprungs seien!
Wir haben damit in nur verändertem Zusammenhang das gleiche gesagt, was wir am Anfang unserer Darlegung als provisorisch vorausschickten. Dort war die Trennung in Kultur und Natur ihrer Vollständigkeit, nicht ihrer Wesenheit nach vollzogen worden.[8] Sachlich war und ist sie uns durchaus vorläufig; aber in Schärfe verdient hervorgehoben zu werden: diese Trennung bestand, bevor von Wissenschaft die Rede war. Sie muß also in einer Zwischenregion entstanden sein, wenn anders wir Eine »Wirklich-

7 Diese Freiheit erleidet aber, wie wir gleich sehen werden, eine bestimmte Einschränkung.

8 Das Reich des Seins und der Setzungen gliedern wir hier einmal der Natur an, um, beide getrennt, sie auf alle Fälle der Kultur entgegenzusetzen.

keit« im Sinne einer unberührten Region überhaupt festhalten wollen.

Indem wir noch eine eigentümliche Form der nomothetischen Methode kennenlernen, sei kurz die Frage der Seinswissenschaften zum Schluß gebracht. Die Mathematik sowie eine Reihe von Disziplinen »philosophischer« Natur, nicht werthafter Struktur (Kategorienlehre z. B.) bringen die Vielzahl ihrer Gegenstände unter Typen und Begriffe, die naturgemäß nur das Sosein zu formulieren haben. Da sie kein Geschehen ausdrücken, sind sie nicht als Regeln oder Gesetze aufzufassen, sie sind jedoch einer Wertbeziehung ebenfalls durchaus fremd; vielmehr stellen sie reine Begriffe allgemeiner Bedeutung dar, die in keine besondere »Form« eingekleidet sind. Für unsere Absicht ist damit genügend charakterisiert; die Schwierigkeit, daß doch eine Logik, die mit Recht als Wertwissenschaft gilt, »nomo«thetische Methode haben soll, löst sich sehr einfach: die seienden Werte und die andere Reihe der ihnen gleichgestellten Gegenstände (die keine Werte sind) in der Logik oder Ethik und Ästhetik bilden eben das Material, welches nach dieser »nomo«thetischen Methode bearbeitet wird; wir belassen nun einmal, gerade wie die Trennung der Natur- und Kulturwissenschaften, die Sonderung in nomothetische und idiographische Methode. Man muß sich allein stets dessen bewußt sein, daß mit der ersten nicht nur Gesetze, sondern eben auch reine Typen formuliert werden können. Eine ausgebildete Wissenschaftslehre müßte in der Untersuchung wohl tiefer gehen, doch uns kommt es zur Hauptsache nur auf die Ergebnisse in ihrem Kern an: Gesetze und Typen sind die beiden Ausdrucksarten der nomothetischen Methode.[9]

Nun werden wir bei der Gegenüberstellung des nomothetischen und idiographischen Verfahrens eine gewisse Ungleichwertigkeit verspürt haben; denn wenn die sonder-, die eigenbeschreibende Methode wissenschaftlich sein soll, worin liegt dann ihre Wissen-

9 Ich finde bei Hönigswald (»Vom allgemeinen System der Wissenschaften«, Philos. Wochenschrift und Literaturzeitung, Bd. IV, 1906) zu meiner Freude den Terminus »formale Gesetzeswissenschaft« für die Mathematik. Vgl. auch seine in diesen Beiträgen erschienene Studie »Zum Streit über die Grundlagen der Mathematik«, in: Beiträge zur Philosophie Nr. 2, Heidelberg 1912.

schaftlichkeit? Es ist außerordentlich bezeichnend, daß wir diese Frage bei der nomothetischen Methode nicht taten, obwohl sie ebenfalls dort mit gleichem Rechte zu tun wäre. Hier aber, so wird man darauf entgegnen, findet sich jener *Zug zum Allgemeinen* deutlich genug ausgeprägt, die Gesetze, Regeln und Typen sind ja das sichtbare Zeichen dafür. Wie tief diese Anschauung überhaupt wurzelt, beweist die Tatsache, daß wiederholt Stimmen laut geworden sind und stets wieder von neuem laut werden, die Wissenschaftlichkeit sei geradezu an Gesetze gebunden, und wenn die historischen, idiographischen Disziplinen es mit dem Besonderen, Einzelnen zu tun hätten, so stellten sie eben eine Vorstufe der nomothetischen Disziplin dar. *Nomothetik* wäre das universelle Endziel aller Wissenschaft, die idiographischen Wissenschaften stünden dagegen in ihrer Wissenschaftlichkeit noch ganz am Anfang. Man beruft sich, um diese Anschauung zu stützen, da gewöhnlich auf die ersten Stadien der Naturwissenschaft mit ihrer reinen, von jeder Verallgemeinerung und Gesetzesbildung absehenden Deskription. Eine solche Auffassung ist jedoch einfach aus dem Grunde abzulehnen, weil sie eine eingehendere Analyse der idiographischen Wissenschaften vollkommen unterläßt. Erst Rikkert hat an dieser Stelle tiefer gegraben, und gerade wir haben ihm, auch wenn wir in den meisten Fragen einen ganz anderen Standpunkt einzunehmen gezwungen sind, viel zu danken. Er hat dadurch, daß er im ἴδιος, im Besonderen, Eigenen das Problem sah, die Wissenschaftlichkeit der idiographischen Methode, der Historie gerettet; auf diese Weise versuchte er es, die Berechtigung ihrer Sonderstellung eingehend zu begründen.

Das Besondere, Eigenartige, Einzelne in seiner unwiederholbaren Einmaligkeit ist der Gegenstand der Geschichte, und zwar ein jedes nur, sofern es ein Werttragendes darstellt, das Wertindifferente dagegen fällt aus der Geschichte heraus. Eins stellen wir sofort klar, daß nämlich »Geschichte« nicht etwa als die gesamte historisch gewordene Wirklichkeit verstanden ist; denn in dieser folgt ja dem Wertvollen das Wertlose ohne Unterschied, und ein solches Gegenstandsreich kann ja idiographisch wie nomothetisch behandelt werden; vielmehr versteht Rickert unter Geschichte ausdrücklich die Gesamtheit wertbarer Gegenstände und Glieder des historischen Ablaufs. Die Methode der Geschichtsschreibung, wie sie angewendet wird und immer angewendet ist, wenn eben Geschichtsschreibung und nichts anderes – auch keine historische Nomothetik – dabei erstehen soll, sieht sich deshalb vor zwei Aufgaben gestellt: ihre Gegenstände, ihr Material erhält sie überhaupt erst durch einen Siebprozeß mit Hilfe des (historischen) Wertbegriffs, zuerst dort sondert sich aus der geschichtlichen Materialmasse das Werttragende vom Indifferenten. In einer darüberliegenden Sphäre vermag dann in der Tat die Geschichtsschreibung erst als Wissenschaft vorzugehen; denn ihr steht dort eine schon geformte, »echt geschichtliche«, nicht mehr »bloß historische« Wirklichkeit gegenüber. Nimmt man also Rickerts Auffassung an – und wir tun dies ja, da wir keine Methodologie treiben wollen, vielmehr nur die vorliegenden Beurteilungstatsächlichkeiten auf das in ihnen Einheitliche zu bringen suchen –, so ergibt sich insofern eine klarere Position gegenüber dem nomothetischen Verhalten für die Frage der methodologischen Schichten, als hier in der Tat eine vorwissenschaftliche und eine wissenschaftliche Formgebung zu konstatieren ist.

Oder aber man faßt Geschichte bloß als Prozeß und läßt die *Geschichtswissenschaft die »erste« Wertbeziehung selbst* darstellen; dann *beschreibt der Historiker seine Wertauslese.* Diese Auffassung ist einfacher und wird den Verhältnissen ebenfalls gerecht; für unseren Zweck sind beide Ansichten in gleicher Weise zu verwerten. Man kann das übrigens gar nicht scharf genug betonen, denn immer wieder wird gegen die Untersuchungen Breysigs und Lamprechts eingewendet, sie seien keine Geschichtswissenschaft, keine Geschichte. Nun, »Geschichte« im Sinne der nach Wertgesichtspunkten vorgehenden Wissenschaft sind ihre Forschungen allerdings nicht und wollen es ja auch gar nicht sein; aber Wissenschaften oder wissenschaftliche »Versuche« vom historischen Sein und Geschehen sind sie, dagegen kann keine Logik der Welt.

Die idiographische Methode erhält also, wie uns scheint, mit größtem Recht ihren Hintergrund im Wert. Bloße Einzelheitsbeschreibung ohne Rücksicht auf Gesetz oder Wert, wie sie am Anfang von Naturwissenschaft und Geschichte notwendigerweise stehen muß, ist in gar keinem Sinne idiographisch, sondern restlos vorwissenschaftlich. Die werttragenden Einzelheiten finden sich allerdings nur in einem besonderen Gebiete, nämlich dem der Kultur, und also auch in dem mit ihr allein bestimmten Abschnitte der historischen Wirklichkeit, die darum wohl mit Recht Kulturgeschichte genannt wird. Sie finden sich aber nicht in der vormenschlichen Geschichte, der größtenteils ja hypothetischen Phylogenie des Lebendigen, wie in der Geschichte des Anorganischen. Und die Geschichte verfährt nicht nur idiographisch, weil sie Wertbezogenheiten zum Gegenstande hat, sondern diese selbst können ja nochmals nomothetisch behandelt werden; denken wir doch nur wieder an Buckle, Taine, Breysig und Lamprecht. In der Kulturhistorie ist das primum die Auswahl der Objekte nach bestimmten Werten, dem Werthaften und Wertindifferenten gegenüber;[10] das Auswahlprinzip, das in der Naturwissenschaft eine so geringe Rolle spielt und spielen muß, ist hier eine höchst bedeutsame Tat des Denkens für das ganze wissenschaftliche Verfahren, insofern der Bestimmung des Gegenstandes eben bereits eine Wertung vorauszugehen hat.

Wir geben zu, daß es sich vorwiegend in den Kulturwissenschaften um echte Individualitäten handelt, seien es Personen oder Epochen oder andere Sachgebiete. Und daß damit die Kulturgeschichte und Kulturwissenschaft, sofern sie idiographisch verfährt, mit Notwendigkeit gewisse Werte als endgültig annehmen muß, ohne daß sie selbst dafür die Begründung zu geben braucht, vielmehr zu dem Erweise der Objektivität ihrer Werte eine ausgebildete Kul-

10 Der nomothetische Historiker gibt dann – nach unserer etwas einfacheren Darstellung – »mehr« als der »echte« Historiker: er sucht über und zwischen seinen kraft Wertung geschaffenen Gegenständen Gesetze aufzustellen, begnügt sich also nicht allein mit ihrer Beschreibung. Daß aber der »echte« Historiker ebenfalls im Grunde mit bloßer »Deskription« unzufrieden ist, sondern seinen Wertungen eine *einheitliche Orientiertheit* zu geben sucht, ist eine von Rickert in seinen »Grenzen der naturwissenschaftlichen Begriffsbildung« (Tübingen 1913, 2. Aufl.) und von Driesch in der »Philosophie des Organischen«, Bd. I (Leipzig 1909) und a. a. O. mit höchstem Recht scharf betonte Tatsächlichkeit. Auf diese Frage gehen wir sogleich näher ein.

turphilosophie nötig hat. Wir halten es für richtig, daß sich in der gesamten Kulturwissenschaft mit Einschluß der Geschichte das Individualisieren gebunden findet an das Werten, doch notwendig ist dieser Zusammenhang sonst keineswegs. Von Notwendigkeit kann immer nur dann gesprochen werden, wenn man in einem ganz bestimmten Sinne, eben für eine idiographische Absicht, eine derartige Beziehung ins Auge faßt; dann sieht man die Verknüpftheit von Wert und Individuation allerdings ein, – sie besteht ja schon durch die aus jener Absicht heraus in der untersten Gegenstandssphäre geschehene Formung. (Vgl. S. 35) Individuell ist dann nur ein anderes Wort für »wertbeziehungsfähig«! Wer könnte sich vor der Tatsache verschließen, daß die moderne Biologie und Psychologie, besonders in ihren historischen Partien, gerade eine besondere Aufmerksamkeit den individuellen Differenzen um ihrer selbstwillen zuwendet, gleichgültig, in welcher Weise sie weiterhin in das *Allgemeine* eingehen. Auch die Naturwissenschaft sucht, sei es in der Astrophysik oder Geologie oder Vererbungswissenschaft, die Einzigkeit der Objekte zu ergründen, nicht, um sie vollständig zu beschreiben, sondern sie in echt für einen leitenden Gesichtspunkt verwertender Weise zu erfassen, dessen eigene Struktur allerdings Aufhellung verlangt. Es gibt wertindifferente Individualitäten oder Einzigkeiten, die wissenschaftlich und nicht nur deskriptiv ihre Bedeutung haben. Sicherlich durchdringen sich in den Kulturwissenschaften auch die werthaften und wertlosen Individualitäten, hier stellen jedoch die werthaften die wahren Gegenstände dar; dagegen in den Wissenschaften, die die Kulturgegenstände und Wertbeziehungen selbst wieder nomothetisch behandeln – eine durchaus mögliche, verwirklichte Form –, sind werthafte und wertfreie Gegenstände absolut gleich wichtig und wesentlich überhaupt nur in Rücksicht auf das *Allgemeine*.

Man darf uns auch hier nicht für unsere weiteren Folgerungen anrechnen, daß wir die Auffassung der Kulturwirklichkeit als Wertwirklichkeit gelten lassen. In der Tat spielt es für uns keine Rolle, ob wir darin gleicher oder anderer Meinung sind; wir übernehmen diese methodische Trennung eben nur als Material, rein empirisch.

Die scheinbare Prävalenz der Wertung hat nun zu einer Meinung verleitet, welcher ein Gedankengang zugrunde liegt, der uns zu unserem Spezialproblem mit vertiefter Einsicht zurückführen wird.
Man erinnert an die Tatsache, daß jede Wissenschaft gewisse Auswahlprinzipien besitzen müsse, nach denen sie den unabsehbaren Erfahrungsstoff für ihre besonderen Absichten, wenn auch nur vorläufig, ordne. So geht die Naturwissenschaft durchweg nach dem Gesichtspunkt größerer oder geringerer Ähnlichkeit der Objekte bei der Forschung vor, die Geschichte der Menschheit nach dem Prinzip der größten Wirksamkeit und ähnlichen Wertungen. Also sei auch jede Wissenschaft mit absoluter Notwendigkeit wertende Tat, wie im besonderen die Kulturwissenschaften. Ihr Gebiet umfasse jedoch, und darauf liegt der Nachdruck, alle Gebiete der Wertung, die ganze Kultur, zu der eben die Geschichte ebenso gehöre wie die Naturwissenschaft. Die Naturwissenschaft und ihre Geschichte sind damit zum Gegenstand der Kulturwissenschaft gemacht, diese zu der alles übergreifenden wissenschaftlichen Disziplin erhoben. Der Gedankengang erscheint durchaus folgerichtig, aber wir werden doch einige Trennungen vornehmen müssen, die uns den Weg einer strenger formulierten Lösung vorzuenthalten imstande waren.
Es ist schon eine sehr gefährliche Formulierung, wenn man das vorläufige Auswählen der Wissenschaften nach Gesichtspunkten ein Werten der Objekte nennt. Gewiß ist es ein Werten im weitesten Sinne, seiner formal-logischen Struktur nach ganz ohne Zweifel. Aber es ist ausdrücklich ein vorläufiges Werten, *das seinem Sinne nach sich scharf von dem Werten kulturhaften Gebilden gegenüber unterscheidet.* Wenn ein Objekt dem andern ähnlicher ist als einem dritten, wenn eine historische Persönlichkeit sich mehr oder weniger in irgendeiner Angelegenheit hervortut, dann sind das Feststellungen gewisser Sachverhalte von sehr vorläufigem Charakter für die Wissenschaft. Ganz abgesehen davon, daß die Wertungen in den Kulturwissenschaften selbst eine viel höhere Spezialisierung und Individualisierung, überhaupt eine *Geltungsbetonung* erfahren, werden diese primitiven »Wertungen« bei der

Auswahl der Objekte durch die sich weiter ausbildende Wissenschaft in ihrer Wirkung allmählich ausgeglichen. Die Tatsache der Vorläufigkeit, welche diesen anfänglichen Orientierungen im Gegenstandsgebiet anhaftet, das Improvisierte dieser ersten Wertungen einer jeden Wissenschaft *soll geradezu völlig für den Geltungsbereich der Resultate seine Bedeutung verlieren.* Es ist ganz einerlei, ob die Wissenschaft an dem oder jenem Punkte aus diesen oder jenen Gründen angesetzt hat, ihre Resultate gewinnen aus einer rätselhaften inneren Kraft jene umfassende Geltung über die Schranken menschlichen Beginnens hinaus. Damit hat eine Wissenschaftstheorie, sofern sie philosophisch sein will, zu rechnen; für eine Psychologie der Wissenschaft und der Werte wie für eine Methodologie gewinnt allerdings dieses anfängliche Improvisieren tieferes Interesse.

Ist aus diesen Gründen der Gedanke einer durchgehenden Wertung als wichtiges Kennzeichen des Sinnes theoretisch für alle Wissenschaften mit Ausnahme der idiographischen Kulturwissenschaften abzulehnen, so fällt mit der Panarchie der Werte auch die Vormachtstellung dieser Kulturwissenschaft selbst. Der Argumentation, daß es sich doch nicht ableugnen lasse, daß die Naturwissenschaft ein Kulturbestandteil sei und als solche eo ipso zum Gegenstand der Kulturwissenschaft werde, kann man mit demselben Rechte entgegenhalten, daß Kulturwissenschaft als geistige Tat des Menschen zum Gegenstand einer Naturwissenschaft wiederum gemacht werden könne, wie das ja auch schon oft versucht worden ist. Kurz, es ist gar nicht abzusehen, mit welchem Ergebnis man nicht die beiden Disziplinen gegeneinander ausspielen könnte. Es hat eben keine vor der anderen den Vorrang.

Worin entdeckte man nun den wissenschaftlichen Kern der historischen Disziplin? Den der naturhistorischen hat man wohl bisher nicht rein genug isoliert, die kulturgeschichtlichen Wissenschaften, wie überhaupt die idiographischen Kulturwissenschaften, sind aber daraufhin in durchaus glücklicher Weise erforscht. Lassen wir vorerst einmal die Naturgeschichte, also alle Phylogenie, Ontogenie, historische Geologie usw. beiseite.

Die Kulturhistorie verfährt mit ihrem Material, der kulturellen

Wirklichkeit, nach dem Gesichtspunkt der Einordnung unter allgemeine Werte, welche selbst an irgendeinem Letzten orientiert sein müssen. Was wir bisher so oft empirisch vorbringen mußten aus den Auffassungen über die wissenschaftlichen Methoden, insonderheit der Geschichtsforschung, wird jetzt auf den durchgängigen elementaren Wesenszug geprüft. Es zeigt sich dabei für das »Werten«, zum ersten *äußerlich* genommen für die Prädizierung eines Tatbestandes oder Sachverhaltes mit irgendeiner bestimmten Wertartigkeit, daß eine Vielheit einzelner an und für sich zusammenhanglos nebeneinander seiender Wesen und Dinge, bald in dieser, bald in jener Wertbeziehung vereinigt wird, eben in bezug auf diesen oder jenen Wert. Dieser selbst stellt alsdann den allgemeinen Ausdruck für eine unter der Mannigfaltigkeit gleichbleibende »Eigenschaft« der Gegenstände dar, ganz wie der Begriff »Schwere« oder »Dichtigkeit« für ein durchgehendes Charakteristikum der Naturkörper.

Die daran ganz allgemein vorauszusetzende Eigenschaft der »Objekte«, daß sie überhaupt gewertet werden können, muß eine δύναμις an ihnen sein, eine δύναμις του̃ παθει̃ν, eine Kraft, das Werten zu erdulden, nicht eine nur passiv zu denkende Wesenheit. Mit der Anwendung dieser Formel des Aristoteles läßt sich am kürzesten und doch klar die eigenartige »Wertbarkeit« der Dinge zum Ausdruck bringen.

Wird man dann nicht fehlgehen, eine Spezialisierung dieser δύναμις gemäß den jeweiligen Wertungen und eine Vielheit möglicher Wertungen und Werte anzunehmen, so zeigen doch, für sich betrachtet, die Werte wie die Gesetze – als Begriffe – den typischen pyramidenartigen Aufbau in der Gesamtheit. Werte niederer Ordnung werden von solchen höheren Allgemeinheitsgrades umfaßt, und es gipfelt ihr allmählich sich verjüngender Stufenbau in einem höchsten obersten allgemeinen Werte; wie er selbst näher aufgefaßt werden kann und tatsächlich schon aufgefaßt ist, begegnet uns am Schluß unserer Ausführungen. Letzthin muß man nicht mehr von den Werten, sondern von dem einen Wert sprechen, so, wie von dem Gesetze der Natur.

Es ist das mit allem Nachdruck zu erwähnen, weil wir hier rein äußerlich ein Pendant zu den Naturwissenschaften erhalten. Diese ordnen ihr Material unter allgemeine Regeln und Gesetze; also findet sich in beiden Fällen eine Unterstellung der individuellen Einzelheiten unter eine *Allgemeinheit* vor, unter eine denkmäßige Sonderheit, die alle ihr unter- und eingeordneten einzelnen Gegebenheiten zusammenfaßt in einem sie völlig einschließenden Ausdruck. Was die Naturgeschichte im besonderen angeht, so ist von vornherein zu bedenken, daß trotz der scheinbaren Möglichkeit einer idiographisch-wertenden Methode diese doch niemals in der Tat in wesentlicher Weise Anwendung gefunden hat.[11] Der Grund liegt wohl einfach darin, daß bei ihren Objekten die δύναμις, gewertet zu werden, sehr eingeschränkt ist: eine höchst wichtige Angelegenheit für eine Logik, für eine Wissenschaftslehre von sekundärer Bedeutung.

Für das nomothetische Verfahren dem geschichtlichen Werden gegenüber eröffnen sich nun zwei Möglichkeiten, die ich hier erwähnen will, weil sie uns unmittelbar hinführen zu der noch offenstehenden Frage von der »innerlichen« Struktur der Geschichtswissenschaft.

Einmal kann man Gesetze in dem Geschichtsverlaufe finden, und da hat man es mit rhythmisch wiederkehrenden Epochen zu tun, deren gleichbleibende Charaktere weiterhin in umfassende Ausdrücke zusammengeschweißt werden müssen. So stellen sich bei Breysig die Zeitalter von der Urzeit bis zur neuesten Zeit dar als die für die Entwicklung eines menschlichen Verbandes notwendigen, zu durchlaufenden Stufen, die für die einzelnen Verbände in ihrer Ordnung wiederkehren, für den einzelnen Verband eine Entwicklungsreihe bedeuten; in Lamprechts Epochen ist ganz Ähnliches zum Ausdruck gebracht. Oder aber man begreift den ganzen historischen Ablauf in toto und sucht ihn als Ein Gesetz, wie es Driesch will, zu formulieren. Im letzten Falle hätte man sogleich eine echte Entwicklung vor Augen, letzthin eine lückenlose Aus-

11 Ein gewisser Zusammenhang der Sachen mit der Methode leuchtet ja beim Reich des Seins ohne weiteres ein! Daß nicht Gesetze formuliert werden können, wenn die Gegenstände außerhalb der Zeit stehen, ist klar; doch gehören diese Fragen und ihre Komplikationen in die Logik.

einanderfolge eines Zustandes aus dem andern. In beiden Fällen müßte selbstverständlich das gleiche Resultat am Ende sich einstellen, und die scheinbar nicht zu ergründende Willkürlichkeit der Stellung, die haecceitas des Einzelnen, der letzten Einsicht Platz machen.

Lassen wir einen Augenblick den Begriff des Einen Gesetzes auf sich beruhen. Es steht nämlich jetzt als dringendes Problem vor uns die Frage, welche andere »eigentliche« Form der idiographischen Geschichtswissenschaft eigne, die ja bei weitem an Pflege der nomothetischen überlegen ist.

Daß wir die Wertbeziehung, die Hineinstellung des Einzelnen aus dem Gesamtgeschehen in einen werthaften Ausdruck, als Struktur isolierten und verfolgten, hatte schon seine Richtigkeit. Allerdings war mit ihr nur das äußere Hilfsmoment getroffen, welches die Historie anwendet; ganz offensichtlich aber fehlte dabei die *zielsetzende Bestimmung,* zu welchem Ende denn gerade der und kein anderer Wert zum Gebrauch kommen müßte. Außerdem war doch schon aus der bloßen Ansicht der wirklichen Geschichtswissenschaft aufgefallen, daß keineswegs sukzessive von niederen zu höheren Wertbeziehungen fortgeschritten wird, wie etwa in der Naturwissenschaft von engeren zu weiteren Gesetzen. Der Stufenbau ist zwar logisch aufgegeben, jedoch nicht tatsächlich in seiner Kontinuität angewendet. Wozu aber wird er überhaupt gebraucht?

Es bleibt schließlich nur die Antwort, die man schon früher gefunden hatte, welche jetzt aber ein weit tiefer dringendes Licht verbreiten kann, daß das Einzelne des geschichtlichen Ablaufes durch die Historie als Schritt einer echten *Entwicklung, deshalb als Teil eines Ganzen* begriffen werden solle. Das besondere Mittel gegenüber allen Naturgeschichten – eben dasjenige, was sie gerade zu einer Geschichte des Naturfremden macht – findet die Historie der Menschheit in der Wertbeziehung, weil nur durch die Hinaufhebung des Einzel»materials« in die Sphäre der Bedeutung ihm selbst ganz Genüge geschehen kann, nur dadurch seine Entwicklungsteilhaftigkeit erkannt wird. (Driesch, Rickert.)

Der Sinn der Wertbeziehung ist die Ganzheit; der *»Allgemein-*

*heits«*grad des Wertausdruckes bestimmt sich an dem Maße des Anteils, welchen dieses einzelste Individuum an der Entwicklung hat, seine Qualität an ihrem jeweiligen Sosein.
Somit ist die innere Form der Geschichtswissenschaft das sukzessive Hineinheben von Einzelheiten in die *»Allgemeinheit«* der ganzen Entwicklung durch allmählich sich nach ihr hin aufbauende *Allgemeinheits*stufen bestimmter Wertbedeutungen; hier ist das Streben realisiert, möglichst jedes Materialstück des geschichtlichen Wesens als schlechthin unersetzbare Individualität aufzufassen.
Wichtig ist dabei die Angelegenheit, *daß Wertbedeutungen für ihre Allgemeinheitsrelevanz nicht gemessen werden dürfen nach ihren Ausdrucksbedeutungen, sondern lediglich nach dem Erfolge, welchen sie für das Ganzheitsziel haben.* Daher denn auch neben der gemeinten Allgemeinheit im Wert zwei nicht interessierende Allgemeinheiten sich finden, einmal die des Wortes als solchen, sodann seine gewöhnliche Bedeutung. Die Allgemeinheit aber, auf welche es der Geschichte ankommt, ist der jeweilig ganz bestimmte Sinn, *welcher mit irgendeinem Wertausdruck (der sonst vielleicht eine ganz andere Bedeutung besitzen kann), festgelegt ist.* Nur diese Allgemeinheit ist es, welche in der Tat sukzessive sich aufbaut, unbekümmert darum, ob sie im Gewande von Ausdrucksbedeutungen niedrigster oder höchster Allgemeinheit auftritt!
Soll in der Tat der naturwissenschaftlichen Gesetzesbildung ein entsprechendes Phänomen an die Seite gestellt werden: so ist dem Gesetz der Natur methodologisch äquivalent die Ganzheit der Geschichte. Die Entwicklung ist der realisierte Letzt-Wert; er ist allein Richtungs- und Qualitätsbestimmer aller einzelnen zu seiner Erschaffung notwendigen Wertbeziehungen. (Ja das Eine Gesetz der Geschichte wäre selbst die reine Evolution als ein Ausdruck, der auf derselben Stufe wie der Eine Wert stünde; sie beide fügten erst in Wahrheit den dem »Leben adäquaten« Ausdruck.)
Fassen wir also dasjenige zusammen, was aus der Analyse der beiden großen Wissenschaftsarten als das ihnen Gemeinsame hervorgeht, so können wir es kurz so formulieren: jegliche Wissenschaft sucht die in ihrem Sachgebiete gegebenen gegenständlichen

Einzelheiten unter ein einschließendes Allgemeines zu bringen; die Gegebenheiten sollen in den Allgemeinheiten zu Aufgegebenheiten werden, hier im Gesetz und dem reinen Typ, dort im Wert. Allgemeinheit suchen ist die Grundeigentümlichkeit einer jeglichen Wissenschaft; und sie ist nicht nur eine Grundeigentümlichkeit, sondern schlechthin die einzige, da in ihr alles – »empirisch«-logisch gesprochen – miteinbegriffen, mitgesetzt ist, was jemals von bedeutungshafter Natur an den Wissenschaften gefunden werden kann. Die innere Ordnung, von der wir schon bei der Bedeutungsanalyse sprechen konnten, stellt sich als das Zentralmoment alles wissenschaftlichen Gebarens dar, das somit auch notwendigerweise verantwortlich gemacht werden muß für alle die der äußeren Ordnung unterfallenden Gleichheiten in den Wissenschaften. Verschieden sind sie allein durch die verschiedenen Sachgebiete. Die Mannigfaltigkeit aller wissenschaftlichen Disziplinen kann mit Vollständigkeit entwickelt werden aus den Sachgebieten und dem Zentralmomente, das will heißen, daß ein auf irgendein Gegenstandsgebiet sich richtendes, Allgemeinheit suchendes und meinendes Denkverfahren eine Wissenschaft abgeben muß, und in gleicher Weise es unter den Wissenschaften keine geben kann, die sich dieser Grundcharakterisierung wird entziehen können. Der große Erfahrungsstoff reduziert sich also auf jene eine Tatsache von der Allgemeinheit im Denken, auf den Bestand eines Denkuniversalen als eines wissenschaftlichen Urmomentes, wobei wir die charakteristische Bestimmtheit der *Einheit des Begründungsverfahrens, des zusammenhängenden Allgemeinheit-Meinens* in dieses Element hinüberziehen, jedoch aufmerksam stets im Auge behalten. Im Allgemeinen muß das Wesen der Wissenschaft unentwickelt vorliegen.[12]

12 Es darf nicht vergessen werden, daß an zwei prominenten Stellen der gegenwärtigen Philosophie die Natur des wissenschaftlichen Zentralmomentes geahnt ist: Bei Rickert (z. B. in seiner »Kulturwissenschaft und Naturwissenschaft« Tüb. 1899) klingt oft an, daß das *Allgemeine* den Wesenskern bilde; offenbar sah er hierin keinen wichtigen Anknüpfungspunkt für eine theoretische Auseinandersetzung über das Wesen der Wissenschaft. Husserl (besonders im Anhang des I. Bandes seiner »Logischen Untersuchungen«) erfaßt die Stellung des *Allgemeinen* klar,

An dieser Stelle bietet sich, was doch noch ganz kurz gestreift werden soll, ein recht interessanter Seitenblick auf eine Frage, die erst später von tieferer Bedeutung für uns werden wird. Nicht richtig wäre die Annahme, daß allein aus diesem Zentralmoment und den Sachgebieten man die Wissenschaften »entwickeln« könnte, ohne etwas sehr Wesentliches noch hinzuzutun: es kann nämlich die Dreiheit der Formung, die Ausprägung des zentralen Wesens in das »Wirkliche« hinein, die Spaltung in Gesetz, Typ und Wert nicht aus dem beiden Gemeinsamen, dem *Allgemeinen*, verstanden werden, auch nicht, wenn man das Wirkliche in seiner Verschiedenheit hinzuzieht. Uns treten dann wohl wertbare Gegenstände gegenüber, aber es kann daraus weder entwickelt werden, daß sie gewertet werden – noch ihre δύναμις, ihre Wertbarkeit selbst. Es fehlt in unserer rein bildhaften Sphäre, aus der wir das *Allgemeine* gewonnen haben, das Bindeglied, um das Universale selbst nun wieder mit dem Gegenständlichen zu verketten. Hier brauchen wir noch etwas anderes, eine Disziplin, die uns aus Gründen dazu den Weg weist; diese Aufgabe vermag eine Logik im normativen Sinne vielleicht zu erfüllen; auf jeden Fall wird sie an diesem Orte zum erstenmale gefordert.[13]

Bevor wir in der Entwicklung unserer gesamten Darstellung weiterschreiten wollen, wäre es doch im Interesse eines genaueren Verständnisses angebracht, das zentrale Moment noch einmal scharf zu fassen, welches uns das wissenschaftliche zu sein scheint. Sowohl im Gesetz (also in der Naturforschung), im reinen Typ

doch fehlt bei ihm die Begründung aus der Analyse der Wissenschaftsformen. Seine Bedeutungsfixierung des Begriffes »Wissenschaft« im Terminus »Begründung« läßt sich durchaus mit unserem »Allgemeinen« zusammenführen.

13 Am Ende der Kritik der Wissenschaften soll noch kurz etwas berührt werden, was eigentlich in eine ausgebaute Wissenschaftslehre hineingehört: man kann mit Recht hervorheben, daß die wissenschaftliche Formung in den Seinswissenschaften, die Typenbildung, zwischen oder gar über der idiographischen und der im engeren Sinne nomothetischen Methode steht, weil das *Allgemeine* am reinsten in ihr zum Ausdruck gebracht wird. Die höchst interessanten Fragen über das Fehlen improvisierten Wertens wie über den eigenartigen doppelt gerichteten »Einsichtszug«, die reine Rationalität in der Mathematik (vgl. unter IV) müssen wir einer Methodenlehre überlassen, welche eine Philosophie allererst ausarbeiten kann.

(also in der Mathematik, Logik und verwandten Disziplinen), wie im Wert (also in den Kulturwissenschaften und der Geschichte) sehen wir das *Allgemeine* als die das schlechthin Einzelne einfassende Form überhaupt repräsentiert. Wir fragen nicht, inwiefern gerade in den Wissenschaften der Kultur die Wertbeziehung als das oder ein zureichendes Mittel der Allgemeinheitsverknüpfung erscheint, sondern wir konstatieren es nur; diese von jeder eigentlich methodologischen Absicht getrennte Betrachtungsart wird demnach wohl für das Verständnis des Folgenden festzuhalten sein. Aber es könnte uns sachlich vielleicht bestritten werden, daß bei den Kulturwissenschaften und der Geschichte in dem Wertbeziehen eine *Allgemeinheits*verknüpfung gesehen werden könne, da es vielmehr doch ihr eigentlicher Sinn wäre, dasjenige, worauf es ihr immer ankommt, das Einzelne, in seiner Besonderheit zu ergreifen und festzuhalten. Daß wir also in den Fehler verfallen seien, den Zweck mit den Mitteln verwechselt zu haben, indem uns bei der Beurteilung der wertbeziehenden das Analogon der gesetzes-setzenden Methode vorgeschwebt habe: in dieser mit dem Mittel des Gesetzes das Gesetz, das *Allgemeine* selbst bezweckt, in jener mit dem Werkzeug der Wertbeziehung (die notwendigerweise Allgemeinheit ist) auch das *Allgemeine*, was aber der Idee und Absicht der Kulturforscher diametral entgegengesetzt sei. Freilich, wer aufmerksam unsere bisherigen Darlegungen verfolgt hat, wird gegen uns solchen Vorwurf nicht erheben können.

Diesen Einwand müssen wir noch einmal auf das schärfste zurückweisen, weil er die Forschungs*richtung*, das methodische Vorgehen, das oft sogar ausdrücklich vorläufige Anfassen und Beurteilen eines Sachverhaltes, einer geschichtlichen Entwicklung usw., vorgibt für die wahre innere Gemeintheit des Forschers. Wir geben zu und betonen sogar, daß der Historiker und Kulturwissenschaftler in den allermeisten Fällen das echt individuelle als das unwiederholbare, kostbare Einzige zu umgreifen strebt und der Naturwissenschaftler eigentlich nur das Typische fixiert. Damit ist aber nur ausgesprochen eine Verschiedenheit der Intentionsrichtung (wenn ich das Wort einmal prägen darf), eine entgegengesetzte Art, dem

Einzelnen sich gegenüberzustellen. Warum eine solche Verschiedenheit effektiv besteht, die wir also ganz und gar nicht verwischen wollen, das halten wir für eines der Hauptprobleme der Methodologie, welche die Notwendigkeit der Sonderung begreifen will. Für uns jedoch darf die Verschiedenheit der Richtung nicht die wahre Intention als solche verdunkeln: der Kulturwissenschaftler individualisiert, weil er nur so das Wertvolle herauslösen kann, der Historiker hält das Einzelne fest, weil nur auf diese Weise eine Entwicklung in irgendeinem Sinn konstatiert zu werden vermag. Das Individualisieren kann mithin einzig und allein das – an und für sich sehr bedeutsame – *Mittel* sein, Wertbeziehungen für das Material aufzufinden, so wie das Generalisieren des Naturwissenschaftlers auch nur ein Werkzeug bedeutet. Individualisieren und Generalisieren, Wertbeziehung und Gesetzesbildung sind eins in der Einen in ihnen repräsentierten Gemeintheit: das einzelnste, letzte Material hineinzuheben in ein sie einbegreifendes, haltendes und erleuchtendes *Allgemeines* vom Ausdruck des Wertes, des Typs oder des Gesetzes. Darum halte man klar auseinander, daß unser *Allgemeines* nicht etwa im Sinne von Generalisieren gemeint ist, noch daß Individualisieren bloß Einzelbeschreiben ist, wogegen sich ja schon Rickert gewandt hatte. Man darf sich auch nicht dadurch irremachen lassen, daß das Festhalten des Einzelnen in der Geschichtswissenschaft ein Beziehen auf Allgemeines scheinbar nicht erkennen läßt; immer steht ein Sinn dahinter, diese und jene Ereignisse als Manifestation einer echten Entwicklung oder als Verwirklichung eines Wertes aufzufassen, da man sonst ja nur der primitivsten, an allem uninteressierten Chronistenbeschreibung gegenüberstünde. Daß der Naturforscher von der Regel, vom Gesetz aus erst das Einzelne mitbegreift als Sonderfall, als notwendige Abwandlung eines typischen Sachverhaltes oder Gegenstandes, darf man mithin in Rücksicht der Hineinhebung des Einzelnen ins Allgemeine nun nicht mehr von dem kulturhistorischen Verfahren scheiden wollen (– trotz aller Geschiedenheit für die Methodologie –), für welches das Einzelne den Wert in notwendig erscheinen sollender Abwandlung lebt, diesen Einzelwert selbst bedeutet. Beide Male vollzieht das seiner Richtung nach verschiedene wissenschaftliche Verfahren die Darstellung der Hineingehobenheit des Einzelnen ins Allgemeine, mag für das Generalisieren das Individuum der Sonderfall der Gattung oder für das Individualisieren Repräsentant tiefster und höchster Werte sein. Darum ist das eigentliche Meinen eines jeden Wissenschaftlers, das identisch sein muß nur mit dem innersten, überall sich gleichbleibenden Wesenszug seiner Leistung, die Gründung des Einzelnen ins Allgemeine, seine Begründung; hier im innersten Wesenskern ist der Unterschied zwischen Gemeintheit und Leistung für das wissenschaftliche Werk aufgehoben.

Noch eine Angelegenheit sei kurz besprochen: alle unsere Ausführungen, insonderheit über die wertbeziehende Methode, behalten ihren Sinn und ihre Geltung, unberührt davon, ob die Werte Allgemeingültigkeit absolut oder nur relativ besitzen; das Problem der objektiven Relevanz der Geschichtswissenschaft, der tatsächlichen Gleichgestelltheit der Historie und Kulturwissenschaft mit der Naturwissenschaft in Hinsicht eines absoluten Geltungsanspruches tritt allein und erstmalig für die Methodologie auf; für uns genügt das Faktische der Wertbeziehung als solcher, weil mit ihr das einzelnste Einzelne erfaßt wird im Sinne einer umfassenden Idee.

## IV

Damit begeben wir uns an die Aufgabe, das Denkallgemeine in seiner logischen Wesenheit und erlebensmäßigen Eigenstellung zu erfassen. Hier betreten wir allerdings bekanntes Gebiet, nur von ganz anderen Wegen aus und zu ganz anderen Wegen hin. Die uralte Frage nach der Eigenart und Möglichkeit des Allgemeinen gegenüber dem Einzelindividuellen, dem Anschaulichen, das Universalienproblem in seiner Mannigfaltigkeit, war von jeher ein Mittelpunkt des philosophierenden Geistes bis auf unsere Zeit. Erst jüngst vermochte die Phänomenologie über gewisse rein logische Fragen Klarheit zu verbreiten, und Husserl hat in seinen »Logischen Untersuchungen« mit großer Schärfe das Wesen des Allgemeinen erkannt.[14] Sein Ausgang war der von den Tatsachen des Gedachten; gedacht wird Einzelnes und Allgemeines. Somit hieß die Frage nicht mehr, wie wir das Allgemeine auf das Einzelne zurückführen können, sondern wie Allgemeinheit vom Denken vor dem Denken überhaupt möglich gemacht wird, wie es als solches neben dem Einzel-Anschaulichen bestehen kann.
Die Antwort darauf mußte lauten, daß jede Allgemeinheit in einer Sonderart des Meinens bestünde; etwas Allgemeines wird als ein solches gemeint, wie ich diesen Stuhl da vor mir meine, wobei es mir völlig gleichgültig sein kann, ob das Gemeinte in Wirklichkeit existiert oder nicht;[15] daß es ist, ist ja mit dem Meinen notwendig bereits gesetzt. Also ist das Dreieck überhaupt, wie dieses Kreidedreieck an einer Tafel, nämlich beide Male als gemeint. Ein Eigenmeinen wird vom Denken vollzogen neben dem anderen Meinen

14 Der mittelalterliche Universalienstreit sollte natürlich in seiner metaphysischen Bedeutung damit noch kein Ende finden.
15 Sicherlich liegt ein großer Unterschied in der Art des Meinens, wenn ich einmal etwas Daseiendes oder ein nur Seiendes als intendierten Gegenstand aktmäßig habe; aber beide Male gemeint werden sie doch. Den Unterschied der intendierten Gegenstände hebt scharf in seiner neuesten Schrift »Die Logik als Aufgabe« (Tübingen 1913) Driesch hervor.

des Einzelnen. Das Sein des Allgemeinen liegt auf jeden Fall in der Intention.

War somit rein gebietsmäßig die Sonderstellung des Übereinzelnen in dem Denken für das Denken möglich gemacht, so war noch nicht sein Wesen aufgehellt. Es hatte Raum erhalten, allein selbst war es noch unbestimmt. Diese seine Wesenheit konnte erst durch eine spezielle Analyse dessen dargetan werden, was als seine denkmäßige Einkleidung aufzutreten pflegt.

Diese Gewandung metagrammatischer Art kennen wir als das Abstraktum. In dem von allem besonderen, von diesem und jenem befreiten Allgemeinen, wird etwas wie sein Wesen, sein Kern erfaßt; alle diese Umschreibungen sollen ihm gleichgelten. Mit ihm als Abstraktum ist weiterhin etwas festgelegt, das in Rücksicht auf den Fortschritt, auf das Werden des Denkens geschaffen ist und als derjenige Prozeß aufgefaßt wird, der das Allgemeine hervorzubringen, zu schaffen vermag – ich meine die Abstraktion. In ihr mußte der Kern des Formhaften gesucht werden und es galt daher, eine auf rein phänomenologischem Boden zureichende Theorie der Abstraktion, keine psychologisch-psychogenetische, zu entwikkeln.

Nun hat man in der früheren Logik und noch im heutigen populären Bewußtsein sich eine Theorie der Abstraktion zurechtgemacht, die selbst für einen ganz kleinen Teil der Frage höchstens auch nur einen beschränkten Sinn behalten kann. Sie ist eigentlich schon damit gegeben, daß sie das Allgemeine als Abstraktum, d. h. als das »Abgezogene«, das von gewissen Bestimmtheiten Entkleidete, auffaßt. Die Ansicht, von der diese Theorie geleitet ist, ist ungefähr die, daß das Denken aus einer Reihe von Begebenheiten »ähnliche« zusammenfaßt, ihre übereinstimmenden Bestimmtheiten ausscheidet, wegnimmt und somit ein Merkmal-ärmeres schafft, das selbst wiederum allen den ursprünglichen Gegebenheiten gemeinsam und somit für diese »allgemein« ist. Da steht ein Schreibtisch, ein Waschtisch, ein Eßtisch usw., und dadurch, daß man von diesen einzelnen Tischen ihre Sonderkennzeichen fortläßt, erhält man »Tisch« d. h. den Begriff »Tisch überhaupt«. Wie sehr naturwissenschaftlich und wie wenig logisch ist diese Theorie doch gedacht! Sie tut den Dingen des Denkens geradezu Gewalt an, nur um auf eine möglichst anschauliche, aber nicht möglichst richtige Weise Klarheit in die Sache zu bringen; insofern ist sie allerdings nicht wissenschaftlich zu nennen, wenn sie sich auch oft so gebärdet. Sie spielte in den Lehrbüchern der Psychologie – und wohl auch noch heutzutage besonders in der physiologischen Psychologie – eine ziemlich bedeutende, früher geradezu die beherrschende Rolle. Eine wahrhafte Lehre von der Abstraktion muß deshalb allererst von den Tatsachen des Gedachten, von dem rein phänomenologischen Denkbestande ausgehen, und da verändert sich die Lage durchaus. Wir wollen einmal unsere Aufmerksamkeit wieder den verschiedenen Tischen zuwenden – und zugegeben, wir vergleichen die Tische auf das ihnen Gemeinsame hin –, wie in aller Welt können wir damit mit dieser eigenartigen Sicherheit die *verschiedenen Kennzeichen* von den *übereinstimmenden* sondern, wenn wir nicht schon das Übereinstimmende haben! Wie wollen wir dazu berechtigt sein, von unwesentlichen Merkmalen, von Akzidentien zu sprechen, wenn uns das Wesentliche sich nicht schon offenbart hat! Wie könnte es denn möglich sein, zu sagen, dieser Tisch diente zum Schreiben, jener zum Essen, jener dritte zum Waschen, wenn wir nicht von vornherein wissen, daß alle drei eben Tische, d. h. Sonderarten eines Allgemeinen sind. Ja aber, wird man entgegnen, man sieht doch, daß sie alle mit Beinen ausgestattet sind und eine Platte besitzen; es genügt doch, die einfache Anschauung zu Rate zu ziehen, sie gibt doch das Übereinstimmende in sich selbst. Dieses Argument können wir jedoch ohne eine Schwierigkeit als gänzlich fehlerhaft zurückweisen; seinen Fehler begeht es in einer Verkennung der Leistungsmöglichkeit der Anschauung. Was wir anschauen und was wir einzig und allein sehen, sind nur die einzelnen Tische; dann erst vollziehen wir – wie, wird uns gleich nachher beschäftigen – die Verallgemeinerung, das Aussondern des Übereinstimmenden, in diesem Falle also das »Tischhaftsein«, und dann finden wir für dieses Allgemeine die anschauliche Grundlage in dem »Beine und Platte haben«. Denn wie vermöchte wohl die Anschauung etwas zu leisten, was sie nach ihrem eigentümlichen Wesen, sich ganz dem daseienden Gegenstande hinzugeben, gar nicht kann. Dessen müssen wir uns für alle die anschaulichen Objekte, über die die Abstraktion einsetzt, stets und ständig bewußt sein, daß von einer »allgemeinen Anschauung« nie und nimmer die Rede sein kann. Entweder Anschauung – dann hat man (im günstigsten Fall!) das Einzelne, das echt Individuelle, oder Abstraktion – dann hat man das Allgemeine; ein Drittes gibt es einfach nicht. Wir sehen wohl jetzt genau, wie ungemein die anschaulichen Gegenstände zu dieser Abstraktionstheorie des Vergleichens und Wegnehmens verführen konnten; daß es eine Verführung war, haben wir gesehen. Es bleibt also nur übrig, die positive Auseinandersetzung über das wahre Wesen des Allgemeinen zu geben, und es kann das auch hier schon geschehen, nur daß es vielleicht größere Schwierigkeiten bereitet. Besser ist es, von einem Beispiele auszugehen, das in großer Deutlichkeit die Unmöglichkeit der Abstraktion durch Vergleichen und Wegnehmen dartun soll; schärfer gesagt, bei dem die anschauliche Fundierung des erhaltenen Allgemeinen (welches also dem »Beine und Platte haben« in unserem vorigen Beispiele entspricht) völlig versagen muß.

Vor mir stehen verschiedene Häuser, ein Holzhaus und ein Steinhaus z. B., und ich sage, diese beiden sind »Häuser«. Nach der Theorie muß hier abstrahiert worden sein, denn ich bekam ja ein Allgemeines, nämlich »Häuser«. Aber was habe ich da abstrahiert? Einmal das »Hölzerne« und das andere Mal das »Steinerne«, auf diese Art kam ich schließlich zu dem allgemeinen Begriff. In anschaulicher Weise kann ich jedoch dieses wohl niemals vollzogen haben, denn, wenn ich von dem Holzhaus das Holz und von dem Steinhaus den Stein fortnehme, dann nehme ich – sofern ich eben nur in der Anschauung bleiben will, und das muß man ja nach dieser Theorie – jedesmal das ganze Haus mit fort. Ein Haus ohne Material, aus dem es gebaut ist, ist, für die Anschauung gesprochen, ein Unsinn! Dem aber steht doch wohl die Gewißheit entgegen, daß es das Allgemeine »Haus« gibt, gleichgültig, aus welchem Material es gebaut ist. Die Idee Haus steht im Denken enthoben jeder Unsicherheit über das Wissen um den Prozeß, auf dem wir zu ihr gekommen sind. Also sagen wir, nicht äußerlich haben wir

abstrahiert, sondern »innerlich«, wir nahmen nichts weg, sondern erschufen für die vielgestaltigen Einzelheiten ein sie umschließendes neues Allgemeines. Wir erfaßten in den Häusern das Wesen Haus, in den Materialien die sie beherrschende Idee. Mithin keine äußere, sondern innere Abstraktion, oder, um das irreführende, inadäquate Wort zu vermeiden, »Ideation« war am Werk. Diese scharfe Scheidung zum erstenmale getroffen zu haben, bleibt das unbestrittene Verdienst Edmund Husserls.[16]
Wir wollen hier, wenigstens im Grundzug, den umfassenderen Ausbau der Ideation zu geben versuchen, natürlich nur so weit, als im Rahmen der Schrift erlaubt; und so wenig unsere Untersuchung eine logisch eingehende Forschung darbieten will, wird sie jedoch gerade an dieser Stelle für den Phänomenologen gleichzeitig mit dem systematischen Aufbau ein gewisses Detail bringen können, eben allein aus dem Grunde, weil dem Detail eine solche systementwickelnde Kraft innewohnt.

Zuerst ist es unbedingt notwendig, etwas pointierter den Sinn mitzuteilen, welchen wir einzig mit dem Terminus »Allgemein« zum Ausdruck bringen wollen.
Wie schon eingangs in der Bedeutungsanalyse hervorgehoben ward, ist allein das Nichteinzelne darunter verstanden worden, auch jetzt können wir das Gleiche nur mit stärkstem Nachdruck betonen. Alle »Gegenstände«, d. h. gemeinten Komplexe, welche sich nicht auf ein besonderes Einzelnes, sondern auf »Zwischen«-, »Über«-Einzelnes richten, sollen Allgemeinheiten – wir folgen darin Husserl und Rickert – genannt werden. Das Allgemeine ist hier nur *die gehaltlich indifferente Form*, in welcher das Einzelne steht und mit anderem Einzelnen »vereinheitlicht« wird. Insofern ist das Allgemeine nur Raum, nur Rahmen, Struktur, welche dem bestimmten »Individuellen« Platz gewährt. Man halte ja vor allen Dingen fest, daß von irgendwelcher Geltungsbeziehung zwischen

16 Wie so vieles in seinen »Logischen Untersuchungen« wird auch diese Entdekkung leider gar nicht ihrem innewohnenden Wert nach gebührend betont, sondern an den verschiedenen Stellen nur erwähnt.

der Formeinheit und dem »Material« nicht die Rede ist; ganz architektonisch soll es verstanden werden. Denn darin fallen Begriffe wie »Tisch« und »Renaissance« als gemeinte Übereinzelheiten sicherlich zusammen, daß ihre Bedeutung einen Bereich schafft, in dessen Grenzen distinkt Umschriebenes (mit anschaulicher oder nichtanschaulicher Fundierung) eingeordnet werden kann. Es soll z. B., das ist die Absicht der Historie, ein derartiger Begriff wie »die Renaissance« jenen Zusammenhang lebendig werden lassen, kraft dessen alles »Renaissancehafte« als seine natürlichen Konstituenten erscheint. Selbstverständlich betont, daß generalisierend im Begriff anders das Allgemeine intendiert ist als individualisierend (und damit Ganzheit setzend), kommt es uns ja auf das Gemeinsame der Differenzen an. Der wissenschaftliche Akt bestimmt sich als einheitliche Einzelheitsüberwindung durch das Knüpfen jenes geistigen Bandes, an dem die Dinge erst ihr wahres Leben erkennen lassen.[17]

Die innere Abstraktion, die Ideation, bringt das Allgemeine, das Abstraktum oder, wie wir jetzt sagen wollen, das Ideat; und sie bringt es nicht nur in dem begrenzten Gebiete des Nichtanschaulichen, sondern, wie hier in neuer Weise gezeigt werden soll,[18] überall da, wo überhaupt ein Allgemeines erstanden ist. Daß also die Ideation in Wahrheit die einzige Allgemeines schaffende Denkwei-

17 Will man die Angelegenheit in der Sprache Lasks, dem wir ja ausgedehnte Untersuchungen über die Form verdanken, annäherungsweise wiedergeben, so ließe sich sagen, daß in der Sphäre der »Abbildlichkeit« mit dem Material eine derartige Hineinhebung in ein bloßes Form-Areal geschieht. Nur bezweckt eben das wissenschaftliche Verfahren die Abbildlichkeit! Indem die geheime List des Begriffs, die Verwebung des Materials in Form, ihrem ungeheuren Vermögen nach durchschaut ist, wird die Dualität zum Programm, die Form zum Ziel.

18 Nach Beendigung der Schrift konnte ich zu meiner Genugtuung feststellen, daß schon H. Lanz in den Kantstudien (Ergänzungsheft Nr. 26, 1912) die dominierende Stellung der Ideation hervorgehoben hat (vgl. »Das Problem der Gegenständlichkeit in der modernen Logik«, S. 103). Gesehen ist die Eigenart der Ideation überhaupt noch bei Driesch, »Die Biologie als selbständige Grundwissenschaft«, Leipzig ²1911, S. 57 ff. und erwähnt in seiner Schrift »Die Logik als Aufgabe«, Tüb. 1913.

se bedeutet und ihr nicht die echte Abstraktion als gleichwertig entgegengestellt, sondern als Sonderfall unterstellt werden muß, werden wir jetzt unschwer einsehen, wenn wir uns an unser voriges primitiv-anschauliches Beispiel von den Tischen erinnern.
Da verdeutlichte uns die Analyse, daß wir in Wirklichkeit niemals ein Abstraktum selbst hervorbringen, erdenken, sondern immer nur an ein bestehendes Allgemeines denken konnten, d. h. die eigentliche Abstraktion war schon vollzogen, als wir an sie heranzutreten vermeinten. (Lanz: ... »wir schaffen keine Idee, wir erfassen sie bloß.«) Dieser eigenartige, ganz unbestrittene Sachverhalt ist es nun, der die Eigenstellung einer Abstraktion im engeren Sinne unmöglich macht. Selbst diese vermeintliche Tätigkeit des Denkens muß auf ein schon Getanes zurückgreifen, um das Ergebnis möglich erscheinen zu lassen. Das Allgemeine war also in irgendeiner, dem Denken selbst unbewußten Weise gewonnen, in einer Weise, die wir die innerliche zu nennen gezwungen sind. Es war schon dem ganzen bewußten Denkakte die innere, wesenschaffende Abstraktion, die Ideation vorausgegangen. Denn ihr Resultat, das Ideat, lag ja als logischer Kern in dem ganzen Akte bereits vor; stets mußte man auf diesen wieder rekurrieren. Die logische Voraussetzung der Möglichkeiten der Abstraktion ist also die Ideation. Ihr Geltungsbereich ist mithin für das ganze Denken ohne Grenzen, sie ist Alleinherrscherin im Reiche des Allgemeinen. Das Wesen der Ideation wollen wir, wenn auch nur skizzenhaft, mit der Besprechung zweier Angelegenheiten abschließen, bevor wir uns dem Ideat selbst zuwenden.
Die erlebnismäßige Tatsache einmal, daß Ideation ein unbewußter Vorgang des Denkens ist und nicht selbst in seinem Werden beobachtet werden kann, verschafft ihr von vornherein eine eigenartige Stellung. Aus der Eigentümlichkeit heraus, daß wir dem Ideat als einem fertigen Bestandteil uns gegenübergestellt finden, schaffen wir den Kunstbegriff der Ideation, und zwar in Rücksicht auf den Fortgang des Denkens selber; Ideation wird nicht erlebt, sondern nur das Ideat. Widerspräche das aber nicht der so primitiven Erfahrung, daß wir doch für anschauliche Gegenstandsgebiete im echten Sinne »abstrahieren« können? Dieser Einwand gesteht ru-

hig zu, daß das Allgemeine vor aller Denktätigkeit sein muß, betont aber nachdrücklich, daß wir doch von einer Tätigkeit in gewissen Fällen reden.

Der scheinbare Widerspruch klärt sich in folgender Weise: einmal geschieht die Ideation selbst frei von jeder Abstraktionseinkleidung, und zwar in allen denjenigen Fällen, in welchen die von dem »Wegnehmen« betroffenen Bestimmtheiten ohne weiteres die Möglichkeit eines anschaubaren Weiterbestehens des Subjektes vernichten können; erinnert sei dafür nur an das Beispiel mit den beiden Häusern, wo wir vor dem Gedanken einer tatsächlichen bewußten Tätigkeit als einer völligen Absurdität zurückschreckten. Das andere Mal hingegen tritt Ideation in dem Gewande der Abstraktion auf. Da ist ein schwarzes und da ein weißes Pferd, ich lasse die farbigen Kennzeichen weg – und ich habe »Pferde«; kurz, immer dann, wenn an einer sie besitzenden Bestimmtheit (hier »Pferd«) Unselbständigkeiten, wie hier »schwarz« und »weiß«, sich vorfinden, die, allgemein gesprochen, von nebensächlicher äußerlicher Natur sind oder es zu sein scheinen, dann tritt die Täuschung der echten Abstraktion auf. Es kann der gemeinsame Gegenstand auch befreit von diesen äußerlichen Kennzeichen als weiterbestehend durch die Abstraktion hin – vermeintlich anschaulich – vorgestellt werden, eben weil die Fortnahme der besonderen Bestimmtheiten kraft ihrer »unwesentlichen« Art an der Möglichkeit eines anschaubaren Weiterbestehens des Gegenstandes scheinbar nichts zu ändern vermag; die Existenzmöglichkeit wird vor der Anschauung dadurch nicht alteriert: eine Ansicht, die näher verfolgt, natürlich völlig unhaltbar erscheinen muß.

Immerhin, diese Tatsache bedarf als solche gewiß einer Erklärung, und Ideation im Abstraktionsgewande ist Tatsache. Tatsache ist ferner, daß, logisch genommen, Abstraktion ein völlig unwesentliches Moment darstellt. Also werden wir richtig gehen, in ihr ein echt psychologisches Merkmal des Denkens zu erblicken. Ohne daß wir uns näher darauf einlassen können, machen wir doch auf diese Merkwürdigkeit aufmerksam und wollen sie im Gedächtnis behalten.

Abstraktion und abstrahieren sind genau in demselben Maße wie

Ideation und ideieren Kunstbegriffe des Denkens in Ansehung der Tatsache seines Fortgangs. Indem das Denken weiß, daß es in sich das Moment des Fortschreitens birgt, sucht es sich für die eigenartige Tatsächlichkeit des Ideates Rechenschaft zu geben und erreicht eben dadurch seinen Zweck, daß es sich eine ideatschaffende Tätigkeit setzt. Diese Tätigkeit nennt es dann Abstraktion; allerdings reicht es mit der darin ausgesprochenen Erklärung nicht sehr weit, da schon, wie wir es aufgedeckt haben, im Nichtanschaulichen eine derartige Theorie sofort versagen muß. *Jedwelches Allgemeine ist vielmehr Niederschlag der Ideation, ist Ideat.* Damit sind wir also wieder auf den Hauptweg unseres leitenden Gedankens zurückgekommen. Die Untersuchung über das Wesen des Allgemeinen mußte in ihren Grundzügen referierend und ausbauend beendet werden, um in das Wesen der Wissenschaft und Wissenschaften einzudringen.

Das Resultat der Bedeutungsanalyse hieß: »Wissenschaft« bedeutet geordnetes Wissen mit Richtung auf Besonderes einschließendes Allgemeines.

Das Resultat der vergleichenden analytischen Untersuchung des in den Einzelwissenschaften ausgesprochenen Gebarens hieß: eine jede Wissenschaft sucht die in ihrem Sachgebiet gegebenen gegenständlichen Einzelheiten bestimmten einschließenden Allgemeinheiten zu unterstellen.

Das Resultat der Untersuchung vom Wesen des Allgemeinen hieß: jedwedes Allgemeine ist der Niederschlag eines vom Denken nicht erlebten, für das Denken konstruierten Prozesses der inneren Abstraktion, der Ideation, und somit Ideat.

Folglich, müssen wir sagen, unterstellt jegliche Wissenschaft ihre Einzelheiten den Ideaten in besonderer Verbindung. Der Schwerpunkt unserer Untersuchung verlegt sich jetzt in die *Struktur des Ideates* und jenes mit ihm auftretenden Kontinuums selber, denn in ihr muß dasjenige Element gegeben sein, das letzthin verantwortlich ist für die Gesamtgebarung der Wissenschaft.

Ein Ideat kann vollständig nie für sich betrachtet werden, da es mit dem, was es meint, sich hineingestellt findet in eine Stufenreihe. Ein Ideat ist immer ein höheres und ein niederes Ideat; die Ideate zeigen Grade ihres Ideiertseins oder, um mit der gebräuchlichen Sprache zu reden, es gibt Stufen, Gradunterschiede unter den Allgemeinheiten. Soweit also für ein und dieselbe Gegenständlichkeit es höhere und niedere Ideate gibt, müssen diese untereinander verknüpft sein, und zwar lückenlos, in einer bestimmten Richtung vom niederen zum höheren allmählich und ohne Sprünge fortschreitend. Die niedersten und niederen Ideate werden aber von den höheren und höchsten mit eingeschlossen und aufgenommen, so, daß ohne die niederen Ideate die höheren nichts wären und die höheren, obwohl sie die niederen in ihren Stellen der Reihe belassen, aus sich folgern lassen können. Es ist eigentlich überflüssig, an diese Stufenleiter, die Pyramide der Begriffe zu erinnern; eigenartig ist jedoch diese Tatsache, daß die Allgemeinheiten, die Ideate, eine feste, in ihren Verbindungen und ihrer Verknüpfungsrichtung eindeutige Kette bilden, deren jedes Glied – wenn man so sagen darf – eine allgegenwärtige Stellung besitzt: in jedem Glied ist ein jedes als höheres und niederes repräsentiert; nur das tiefste und höchste Ideat stehen asymmetrisch. Über alle möglichen Einzelheiten, z. B. Hunde und Katzen, bilden wir das Allgemeine »Hund« und »Katze« und dann »Raubtier«, »Säugetier« usf. Zugrunde liegt dem überall eine gewisse Verwandtschaft, eine Ähnlichkeit der Dinge, die das Allgemeine besonders meinend zum Ausdruck bringt. In einer solchen kleinen Katze hier und jetzt ist Katzenhaftes, Raubtierhaftes, Säugetierhaftes und so fort »mitgesetzt« (Driesch), es ist in bestimmter Art repräsentiert. Wirbeltier ist mit diesem einen Hund gegeben und mit Wirbeltier wiederum auch dieser andere Hund von ganz besonderem individuellem Gepräge.

Hier ist der Platz, wo wir eine wichtige Unterscheidung machen müssen. Wohl kann das Denken einsehen und verstehen, daß die erste Beziehung statthaben muß; ihm ist klar, daß die höhere Allgemeinheit, wie überhaupt ein Allgemeines, diese und jene Besonderheiten umschließt, wie es von dieser aus gesetzt wurde; aber nicht ist ihm die umgekehrte Beziehung vom Allgemeinen zum Einzelnen verständlich, es fehlt das Einsehen der haecceitas, um mit den Scholastikern zu sprechen. Dem stimmen wir durchaus zu, ein solches Verstehen von höheren und niederen Setzungen, zu Einzeleinzigkeiten gibt es allein im Bereich des Mathematischen; unberührt aber von der Einsicht und ihrer Unzulänglichkeit muß die reine Bezogenheit zwischen Besonderem und Allgemeinem auch in umgekehrter Richtung gedacht werden. So folgt aus der Setzung »Wirbeltier«, daß diese Katze in ihrem einzigartigen Sosein ist, unbekümmert darum, daß wir sie aus der Setzung folgern können. Später wird uns dieser Gegensatz noch eingehender beschäftigen müssen.

In den höheren Ideaten werden die niederen noch einmal als solche und in einem darüberstehenden Zusammenhange gemeint. Jedes Glied der Kette ist in den folgenden und somit in allen Gliedern. Diese sonderbare Angelegenheit des »Mitsetzens« jenes Sachverhaltes, des Miteingeschlossenwerdens eines jeden Gliedes von allen anderen Gliedern der Ideatenkette, verleiht einem jeden Gegenständlichen eben als ideiertem Gegenständlichen dadurch Allgegenwart in einem einzigen letzten Ideat.[19] Oder mit anschaulichen Worten gesprochen, jedes gegenständliche Einzelne aus einem Sachgebiet wird in einem Allgemeinen miteingesetzt und aufbewahrt, und jedes darauf sich bauende Allgemeine setzt nun wieder das ursprüngliche Allgemeine, damit aber gleichzeitig die darin aufbewahrten Einzelheiten mit, und so schreiten die Allgemeinheiten mit ihrer Sachlast die Stufen empor bis zu ihrem Ziele. Das Ziel aber ist jenes Ideat, in dem alle anderen möglichen Ideate, d. h. alle nur vollzogenen und vollziehbar zu denkenden Allgemeinheiten, somit die gesamte Gegebenheit aller Einzelheiten aller Sachgebiete aufgenommen und mit eingesetzt ist. Die Welt als diese Allgesamtheit der Gegenstände überhaupt wie der Sachen, also Natur und Nicht-Natur, Geist und Nicht-Geist, Wert und Unwert, alles ist in dieses letzte Allgemeine eingegossen.

Was soll uns nun solche rein logische Entwicklung dieser im Ideat als einem auf Gegenständliches gerichteten Allgemeinen ruhenden

19 Die Allgegenwart des Einzelnen im Allgemeinen und des Allgemeinen im Einzelnen, die sich trefflich an der Kette der Ideate illustrieren läßt, wird später ihre tiefere Ausdeutung verlangen und erhalten.

Mitgesetztheit bedeuten? Doch wohl noch etwas mehr als nur eine Offenbarmachung logischer Möglichkeiten. Es wird das verständlicher erscheinen, wenn wir einsehen, daß der Kraft des Mitsetzens und Einschließens eine logische Wesenheit im Ideat selbst koordiniert ist, die wir als *Einsicht* bezeichnen und vorläufig in unserer einseitigen »Form«orientiertheit gar nicht berücksichtigt haben. Bis jetzt haben wir allein bei der Untersuchung der Ideatstruktur darauf geachtet, die reinen Formen und ihren Aufbau festzustellen und die ideale Gesetzlichkeit, die in ihnen niedergelegt ist. Wir haben aber noch nichts darüber ausgemacht, wie diese Struktur *selbst erscheint als lebendiger phänomenologischer Bestand* – eine Bestimmung, die unbedingt zum Ideat noch gehört. Wenn also ein Sachverhalt, der sich durchaus unverständlich darstellt, in allen seinen Beziehungen und Bestandteilen in ein Allgemeines aufgenommen ist, dann ist er nicht nur eingeordnet und in sich geordnet, sondern er erscheint als ganzer Sachverhalt mit allen seinen Gliedern, wie wir sagen, einsichtig, verständlich, klar. Gewiß können wir nicht einen irgendein Allgemeines meinenden Begriff uns denken, mit dem nicht zugleich diese rein phänomenologische Situation, jene Einsicht, gegeben wäre. Wichtig ist nur, hervorzuheben, daß Einsicht und Allgemeinheit im Sinne von Vereinigung voneinander trennbare Kennzeichen des Ideats sind;[20] und ebenso wichtig erscheint die Tatsache, daß im Ideat diese beiden stets miteinander verknüpft sind und durch ihre Verschmelzung zu einem Einzigen das Ideat erst selbst entstehen lassen. Will man diese Einheit streng betonen, so kann man sagen, daß sich die reine (logisch aus der Funktion des Ideates zu fordernde) Geordnetheit gegenständlicher Einzelheiten *anzeigt*, überhaupt erst ausprägt in der Einsicht in diese Einzelheiten. Ideat ist nicht das Allgemeine unbestimmter Art, sondern das Denkallgemeine, welches allerdings wiederum die einzig tatsächliche Art des Allgemeinen darstellt, die wir leben.

Was soll das nun heißen, daß ein Allgemeines immer Denkallge-

20 In seiner Ordnungslehre trennte Driesch die Begriffe »Anordnung« und »Ordnung«; wir glauben nicht fehlzugehen, wenn wir den ersten mit unserer – logisch geforderten – »Vereinigung«, den zweiten mit »Einsicht« zur Deckung bringen.

meines sei, aber solches doch nicht notwendigerweise sein müsse? Wird nicht mit der zweiten Aussage eine widerspruchsvolle Verselbständigung der Formseite der Form begangen? Der Einwand lautet ungefähr so: Das Allgemeine ist insofern, als es gemeint wird, in einer Sonderart der Intention. Mithin ist es Bestand des Denkens und verbürgt also – eben da es gedacht wird – Einsichtigkeit; wie könnte da Platz sein für ein nicht Einseitigkeit schaffendes Allgemeines?

Nun, das wollen wir mit unserer Trennung auch nicht sagen, daß dieses Allgemeine in der Tat gedacht werden könnte, ohne Ideat zu sein und sich durch eine Einsicht kundzutun. Erinnern wir uns nur wieder daran, was kurz vorher an dem Beispiele vom »Hund« und »Wirbeltier« anschaulich zu machen versucht wurde. Wir verstehen, daß diese einzelnen individuellen Hunde die Formeinheit »Hund«, den allgemeinen Gegenstand »Wirbeltier« zu setzen erlauben; weiter verstehen wir den intendierten Gegenstand, das Meinungszentrum »Wirbeltier«, in Hinsicht dessen, was es in sich bedeutet. Aber wir verstehen nicht das umgekehrte Setzungsverhältnis von dem allgemeinen Gegenstande zu den Exemplaren, das doch an und für sich bestehen muß! Für diese letzte absteigende Beziehung ist das Wörtchen »noch« sehr am Platze – in Grenzen des »Faktischen« allerdings! – wie sich gleich zeigen wird. Noch verstehen wir beispielsweise nicht, warum es drei große Algenfamilien gibt und warum nicht mehr oder weniger und keine anderen. Wir begreifen wohl den Sinn »Alge«, aber noch nicht ihre gesamte Setzungsfläche, das Allgemeine nur in seiner Zurückgezogenheit in sich selbst, nicht in seinem Anderssein am Einzelgegenständlichen; nur die geballte Faust, aber nicht die flache Hand haben wir, um mit Hegel zu sprechen. Der allgemeine Gegenstand ist natürlich gedacht, insofern er gemeint ist, als Ideat hat er Einsicht in Etwas, nämlich in dasjenige, was dem Sinne »entspricht«. Aber es kann eben eine letzte *Setzungseinsicht* geben, und dann erst ist das Ideat in der Tat »extensiv« vollständig, seine Fugen sind erfüllt. Darum braucht man in keiner Weise die Sätze über Einsicht und Gedachtheit fallen zu lassen, man soll sich allerdings, darin geben wir dem Einwand durchaus recht, einer sorgfältigen Scheidung in zwei immerhin trennbare, leider auch sehr oft getrennte, Einsichtigkeiten bewußt sein. Die Sinneinsichtigkeit muß – und ist es stets – mit dem Gefüge des Vereinens verbunden sein, um als Ganzes das Ideat darzustellen.

Es erscheint diese Feststellung allein schon aus dem Grunde als nicht überflüssig, weil aus der vereinenden Leistung des Allgemeinen nicht seine einsehbarmachende Kraft, seine verständlichkeitsschaffende Fähigkeit ersehen werden kann; damit vertiefen wir auch unsere obige Bemerkung, daß mit bloßer Vereinigung noch nicht Einsicht in die vereinigten Tatsachen von vornherein gegeben sei; diese tritt als ein durchaus in sich selbständiger »Anzeiger« noch hinzu; formal läßt sich das gar nicht fassen. Erst wenn wir zu dem Allgemeinen, dem Vereinigenden, die Bestimmtheit hinzuziehen, daß das Vereinigende gedacht werde, ein Denkvereinigendes darstelle, dann wird die weitere Bestimmtheit Einsicht wirklich gegründet; sie erhält ihren Boden, in dem sie wurzeln kann. »Woher« jedoch diese Tat der Einsicht kommt, können wir natürlich gar nicht aussagen. Wir wissen nur, daß sie dem lebendigen Denkbestand eines Vereinten überhaupt entspringt und damit dem Vereinten den Charakter des Allgemeinen als Ideat verschafft.

Daher verdient es immerhin betont zu werden, daß ein strenger logisch-phänomenologischer Parallelismus zwischen der »Form«, der Außenseite und der dadurch bedingten Funktion des Allgemeinen, der Einsicht, besteht, zwischen denen eine echte Wechsel»wirkung« nicht existieren kann. Kraft dieser Angelegenheit läßt sich der scheinbare Widerspruch, »daß ein Allgemeines immer Denkallgemeines sei, aber solches doch nicht notwendigerweise sein müsse«, durch schärfere Fassung dieses Satzes beseitigen. Ideat ist immer Denkallgemeines, es kann jedoch die Form, ihre eine – logische – Seite davon gesondert für sich betrachtet und, was das wichtigste daran ist, »entwickelt« werden; insofern wird es natürlich gedacht, aber dasjenige Ideat, welches einer auf der reinen Formseite entwickelten Stufe entspricht, besteht damit noch nicht, nur sein »Daß« ist gedacht.

[Eine ähnliche, sich nur prinzipieller gebende Diskussion führt Fichte in der Wissenschaftslehre von 1804 im Vortrag IV, (S. W.

Ed. I. H. Fichte, X, S. 118 f.) hauptsächlich an; das »intelligible« Wissen und der Begriff des »reinen Lichtes« bezeichnen ihre wesentlichen Zentren.] Ideat als einsichtgebendes Allgemeines gibt deshalb in der Entwicklung seines Wesens nicht nur jene Stufenleiter bis zu einem letzten Allgemeinen hin, sondern sie führt damit (wiederum logisch genommen) auch noch eine andere Treppe empor: nämlich von den niederen zu den höheren Einsichten. Damit wird nun die für uns aus der Erfahrung unseres eigenen Denkens wie der Wissenschaften geläufige Angelegenheit vollkommen auf unsere Ausführung zurückgeführt: daß nämlich die Wissenschaften dadurch, daß sie verallgemeinern und in diesem Verallgemeinern unaufhaltsam vorwärtsschreiten, die Tatsachen, die sie »verallgemeinern«, nunmehr erklären, »begründen«. »Erklären« aber besagt, daß eine phänomenologische Situation herbeigeführt wird, die wir eben als »Einsicht« bezeichnen, und welche für uns eine nicht weiter zergliederbare Bewußtheit bedeutet. Wenn uns etwas einsichtig geworden ist, dann ist für uns damit jedes Fremde in diesem Sachverhalt aufgehoben; er ist für uns erledigt, keine Frage an ihn und in ihm ist mehr möglich. Driesch hat in sehr glücklicher Weise hier von Ordnungszeichen gesprochen, die alsdann den Gegenständen anhaften, besonders das Zeichen der Erledigung führt er an, das auch so recht als »Erledigungszeichen« im Sinne einer Ordnung in dem Worte »es ist in Ordnung« zum Ausdruck kommt.

Kurz alles, was wir vorher für das Ideat als logische Struktur folgerten bis zu dem alles schlechthin einsetzenden letzten Allgemeinen, bedeutete für das Denken die Entwicklung der Einsichtigkeiten. In dem das Gesamte ein- und mitsetzenden letzten Allgemeinen wird das All zu einem Ganzen mit seinen Teilen, einsichtig, verständlich, »für den Verstand« selbstverständlich. Es muß diese letzte oberste Einsicht gegeben sein, weil es das Ideat überhaupt gibt, und selbst wenn es nur Ein Ideat jemals gegeben hätte und auch nur jemals geben könnte, so wäre mit ihm in diesem seltenen Augenblicke, wie das in ihm unmittelbar repräsentierte höchste Allgemeine, das oberste letzte Ideat als Einsicht, »das Universum in einem Schlage« mitaufgegeben.

Wir wissen aber, daß die Ideate als verwirklichte Denkallgemeinheiten in den Wissenschaften bald von höherer, bald von niederer Stufe inthronisiert sind, ja, daß überhaupt nach unserer Analyse die Wissenschaften in ihrem Kern gar nichts anderes mehr bedeuten als die verschieden vollständigen Ideat-Ketten verschiedener Sachgebiete.

An diesem Ort läßt sich gut die kurze Diskussion über eine gewisse Schwierigkeit einfügen, die unserer Auffassung der Wissenschaft bedrohlich zu werden scheint (allerdings nur dann überhaupt, wenn irgendeine Absicht, über Formgehalt auszusagen, uns unterlegt wird); man wird nämlich einwenden, daß unser Bedeutungsmerkmal der Ideation wohl an und für sich richtig, aber nicht vollständig sei. Denn es gibt auch Begriffsbildungen, die falsch und deren Einsichten trügerisch sind. Darauf ist folgendes zu entgegnen: durch unsere scharfe Trennung von Bedeutungseinsicht und Setzungseinsicht haben wir auf jeden Fall keinen Fehler begehen können; in jedem Ideat ist Vereinigung und Einsicht in die Bedeutung, in den Sinn ermöglicht; in »Alge« sind mir alle Algen vereinigt, eingeordnet, und mir ist in diesem Allgemeinen auch der eigenartige spezifisch gemeinte Gegenstand klar. Die Setzungseinsicht, die aber gleichzeitig damit gefordert ist, bleibt mir – noch – verhüllt. Nun wird man daraufhin mit vollem Recht hervorheben, daß bestimmte Ideate, Wertbeziehungen, Regeln oder Gesetze in einer Wissenschaft stets auf ihr Vermögen, Setzungseinsicht zu gestatten, geprüft werden; diese Prüfung ergibt sich ganz von selbst im Fortschritte des Stromes der Ideation. Fällt diese Prüfung negativ aus, sind also die gewissen Ideate »fehlerhaft«, dann werden sie eliminiert und durch neue ersetzt, die den Tatsachen gerecht werden; dieser Regenerationsprozeß beherrscht alle Wissenschaftszweige in gleichem Maße. Ein typisches Beispiel für solch eine »falsche« Wissenschaft stellt die Astrologie dar: ihre Voraussetzungen und ihre Schlüsse waren unzutreffend, aber ihr Bau, ihr ideierendes Gebaren war echt wissenschaftlich; sie mußte sterben, weil ihre Ideate keine Setzungseinsicht geben konnten, weil sie eben keine Wahrheit fand.

Ganz deutlich tritt dabei die Rolle der Wahrheit für die Wissenschaft und ihr inneres Wachstum hervor: sie gewinnt als solche lediglich praktische Bedeutung, dort aber auch in entscheidendem Maße. Es mag merkwürdig klingen, wenn wir darin dem Pragmatismus recht geben, daß Wahrheit nur gefunden werden kann in einem (praktischen) Kriterium; denn natürlich an sich bedeutet sie mehr.[21] Das Kennzeichen der Wissenschaftlichkeit wird mithin für ausreichend erklärt werden müssen, da der Wahrheit allein die Stellung einer geforderten Maxime zukommt, und wir wollen bei dieser Gelegenheit daran erinnern, daß die Bedeutungsanalyse ganz von feinem Takt war, als sie uns die Bestimmtheit der Wahrheit »unter der Bedeutungsfläche« mitgab. Auf jeden Fall kann der Ideationszusammenhang eine gewisse Größe erreichen, ohne daß seine wahrheitsabgekehrte Richtung hemmend einzugreifen braucht.

Man wird bemerken, daß wir hier gar nicht mehr so empirisch reden konnten wie am Anfange unserer Untersuchung; vielmehr erlauben wir uns eine vergleichende kritische Betrachtung, da wir ja sagen, daß die Wissenschaften verschieden ausgebildete Ideatketten darstellen. Also mußten wir doch von der ausgebildeten, vollständigen Kette, von dem fertigen Bau ausgehen, an dem wir die Einzelteile zu messen vermochten. Allerdings, um die ideale Kette wußten wir und haben sie logisch in Vollständigkeit aus einer Gegebenheit entwickelt; wir sagten, es gibt Ideate über gewisse Gegenständlichkeiten und zwar so weit, als bis diese gewissen Gegenständlichkeiten alle vereint und damit alle einsichtig geworden sind. Wir entwickelten weiter, daß es somit über alle Objekte Ideate geben müsse, womit dann das Universum ideiert, Kosmos geworden, d. h. in die letzte Einsicht eingegangen sei. Konnten wir am Anfang sagen, daß die Wissenschaften mit ihrer eigentümlichen Ordnung auf das Allgemeine hin dieses letzte Allgemeine mitsetzten, so sagen wir jetzt genau dasselbe, nur in einem tiefer geklärten Sinne.

21 In der großen Besprechung über das Wahrheitsproblem hat sich übrigens der 3. Internationale Kongreß für Philosophie in Heidelberg (1908) in demselben Sinne zur Hauptsache entschieden: das Kriterium der Wahrheit *als Maxime* ist praktischer Natur.

(Wir hätten auch so vorgehen können, zuerst unser gesamtes empirisches Material, die einzelnen Wissenschaften, aufzurollen, an diesem die merkwürdig ungleichmäßig ausentwickelte, wenn auch in sich gleiche Struktur hervorzuheben und dann daraus, ohne Loslösung des einzelnen Strukturbestandteiles, des Ideates, die logischen Folgerungen zu ziehen. Unser Verfahren haben wir deshalb gewählt, weil es allein den großen Vorteil bietet, daß es nicht so lange mit der Aufklärung des Wesens vom Allgemeinen zögert. Sonst stehen sich die beiden durchaus gleich, das Eine ist genau so weit empirisch feststellend und logisch induzierend wie das Andere.)
Das Ideat und seine verschieden ausgebildeten Stufen ist die Wirklichkeit des in den Wissenschaften niedergelegten Denkens; isoliert, können aus ihm induktiv die entwickelbaren Möglichkeiten gefolgert werden. Somit sind diese Folgerungen von vornherein, also auch mit den Wissenschaften als Ideatsfolgerungen, eben gegeben. So wie der Stumpf einer Pyramide die Entwicklung der ganzen Pyramide zuläßt, wo die Höhe und dadurch die Spitze eindeutig festgelegt sind, so ist in ganz genau dem gleichen Sinne durch ein Ideat, noch anschaulicher aber durch den Fortgang und die Stufen der Ideate selber, in dem Werk der Wissenschaften die Spitze festgelegt, das letzte Ideat, dem sie alle zustreben. Dieses letzte Ideat ist das logische Ziel der ganzen Wissenschaften und aus ihm heraus kann ihre Ordnung überhaupt erst in vollem Umfange restlos erkannt werden.

# V

Die Ungeheuerlichkeit dieses logisch gegebenen Zieles sich vor Augen zu führen, übersteigt die Fassungskraft menschlichen Vermögens. Die einzig mögliche Methode ist für diesen Fall allein die, per analogiam die Situation eines beliebigen echten Ideates für das höchste Allgemeine, für die allumfassende Geordnetheit, auszumalen, um sich diese im Umriß verdeutlichen zu können. Nur rein schematisch vermögen wir uns zu denken, daß alles Sein und Geschehen und unser eigen Sein und Geschehen völlig in Klarheit einsichtig wird; daß nichts in der Welt zufällig mehr sein kann, daß alles seinen notwendigen Ort gewinnt, von dem es auch gar nicht mehr hinweggedacht zu werden vermag.
Daß es keine Ursachen und Wirkungen mehr geben kann, sondern nur noch Gründe und Folgen. Daß das gesamte *Weltgeschehen* uns als ein *logischer Prozeß* erscheinen muß, in dem es keine Wandlungen, sondern nur noch die Abwandlung eines einzigen Gedankens gibt; und daß dieser selbst die zureichenden Gründe für seine Abwandlung überhaupt enthält. Das im höchsten Ideat gesetzte Wesen, als das seiende Ganze oder Gott, ist noch über der Abwandlung »werdens«-frei.
Daß es demnach keinen Zufall mehr geben kann, weder im Sein, noch im Handeln. Die Welt als diese Welt wird nicht nur eine mögliche, sondern sie muß dann geradezu die einzig mögliche unter den Welten sein; sie ist die einzig mögliche *Welt.*
Wie wäre es denn auch denkbar, daß in einem Ganzen, dessen Teile untereinander und zu diesem in natürlicher selbsteinsichtiger Bezogenheit stehen, Raum wäre für etwas nicht an dem Ganzen Teilhabendes? Auf diese einfache Formel kann schließlich alles für das im höchsten Ideat Gesetzte gebracht werden. Immer nur wieder sei betont, daß alle Teile nicht allein aus dem Ganzen, sondern als solche, und das Ganze nicht nur aus seinen Teilen, sondern als Ganzes einsichtig gedacht werden müssen. Gerade dieser letzte Gedanke, der Kerngedanke einer konsequenten Rationalität, ist

vielleicht der ungewohnteste in der Idee einer Allordnung; man denkt gewöhnlich an eine Ordnung innerhalb gewisser hinzunehmender Größen, die als solche durchaus uneinsehbar sind. Hierbei dürfen wir ja niemals stehenbleiben; auch diese letzten Fremdkörper des logischen Gefüges müssen in einem Höheren aufgegeben, aufgehoben sein. Mit dieser Überzeugung wird aber noch ein Mehr für die Allordnung gefordert: ein Werden, eine logische Abwandlung, ein Schreiten von Schluß zu Schluß, das den Grund selbst in sich tragen muß – ist das denn noch ein Werden? Ist hier nicht vielmehr die Vollendung, die bewegungsfremde Ruhe ausgeprägt? Hat der Gott überhaupt noch Entwicklung, ist er noch frei oder ist er nicht selbst schon die Freiheit?

Es fragt sich hier vorerst nicht, ob diese logische Tatsache im Denken verlebendigt werden kann; eine Angelegenheit, die von Wichtigkeit für die Metaphysik würde. Aber eins ist klar, daß es gegenüber dieser Einen höchsten, alles einschließenden und alle Grenzen ihres Ideattums kraft ihrer Bedeutung sprengenden Allgemeinheit nur einen Begriff geben kann, der prinzipiell durch diese Gedachtheit aufgehoben ist: der Begriff des Möglichen in seiner weitesten Fassung.

Der Begriff des Möglichen als derjenige, der jedem Nicht-ordnungshaften in der Form des Zufalls, der Willkür und des Irrtums zugrundeliegend gedacht werden muß, wird in dem höchsten Ideat aufgehoben sein. Denn reden wir von einem möglichen Sachverhalt, so meinen wir ihn stets als einen Sachverhalt unter anderen Sachverhalten, als einen, der für ein bestimmtes Gefüge auch anders hätte sein können. Es ist ja aber ohne weiteres klar, daß dieses »hätte sein können« vor der letzten Einsicht, daß es nicht anders sein konnte, verschwinden muß, weil das andere eine Unsinnigkeit wäre. Damit ist auch gegeben, daß keine willkürliche Handlung im letzten Sinne mehr sein kann; nehmen wir z. B. an: wenn ich jetzt und hier gerade diesen Stein »willkürlich« aufhebe, wofür ich beim besten Willen keinen Grund anzugeben weiß, dann muß für jenes höchste Ideat diese meine Tat ihren Grund haben, und ich, als ein diesen Stein an diesem Orte zu dieser Zeit Nicht-aufhebender bin eine logische Unmöglichkeit.

Nichts können wir erdenken, was dann außerhalb unserer notwendigen Einsicht läge, und ein Jedes hätte vor unserem Denken durch das letzte Ideat seinen ewigen Ort erhalten. Das bedeutete aber für den erkennenden und handelnden Menschen die völlige Befreiung von jedem Zwange, der ihm irgendwie wesensfremd ist. Er kennt nur seinen eigenen Zwang noch, sein Gesetz, dem er gehorcht, wie er dem Satze A=A gehorcht. Im höchsten Zwang findet er die höchste Freiheit, der Zwang hebt sich in die freie Gebundenheit des Schicksals, in die gebundene, d. h. die qualitative, die so-seiende Freiheit der individuellen Idee als eines »Gedankens der Gottheit« auf.

Diese vorläufige kurze Perspektive von dem zu Ende gedachten wissenschaftlichen Menschen bleibt aber Perspektive, das letzte Ideat bleibt Ideat.

Für die Unmöglichkeit der inneren Realisation des letzten Ideates, für die prinzipielle Ausgeschlossenheit seines Lebens haben wir einen Grund, der in dem Ideat selbst wurzelt; formuliert sei dieser denkwürdige Sachverhalt in dem Satze von der unerfüllbaren Letztheit der Ideation, der besagt: niemals kann ein Ideat das Letzte sein, da es aus sich heraus mit Notwendigkeit ein höheres Ideat fordert. Der Grund für diese Wesenheit des Ideates ergibt sich aus der Einsicht in die Unendlichkeit des gemeinten und des im Meinen außerdem entstehenden Gegenstandes, während der Umfang des gemeinten allein, will sagen, ohne die Idee eines ihn umfassenden Ideates, lediglich Ursache für die Unmöglichkeit bedeuten könnte; denkbar wäre die Realisation darum doch. Seine Denkbarkeit aber wird zur Undenkbarkeit, wenn eingesehen ist, daß das letzte Ideat im Falle seines Vollzuges damit selbst eine erreichte Höhe repräsentieren, einen festen logischen Ort erhalten haben müßte und selbst durch sich die unendliche Gegenständlichkeit um eins erhöht hätte. Somit wäre ein neues Ideat gefordert, das die erhöhte Gegenständlichkeit wiederum einfaßte, und so treibt ein jedes Ideat mit Notwendigkeit über den Stillstand, den es als Gegenstand schuf, selbst hinaus.

Hier dürfte man wohl mit Recht eine Hauptbedeutung der gegenständlichen Logik unserer Tage für eine Wissenschaftstheorie und eine darauf aufzubauende Metaphysik erblicken. Indem das Begriffsallgemeine unabhängig von seinem in ihm gemeinten Gegenstande selbst als Gegenstand erkannt wurde, unterstellte man es den Gesetzen für jedwede Gegenständlichkeit überhaupt. Das Ideal einer Einsicht, die sich selbst nicht mehr zum Problem werden könnte, ist repräsentiert in dem höchsten Ideat. Aber dieses ist nur, sofern es in der Tat nicht ist, d. h. nicht gesetzt ist. An es zu denken, ist möglich und zerstört niemals seine höchste Natur, es selbst zu denken, ist aber gleichbedeutend mit: es aufheben. Durch das Einbeziehen der Ideate in die unendliche Gegenständlichkeit wird dieses seltsame Phänomen des Erhöhens der Erkenntnisobjekte einleuchtend.[22]

Diese auf das Prinzip der Gegenstandsvermehrung basierte Theorie von der unerfüllt bleibenden Ideation setzt geradezu das letzte Ideat als ein mit Notwendigkeit nicht zu erfüllendes voraus. Es ist nicht nur eine Erfahrungstatsache, daß es eine letzte Ideation nicht geben kann – Erfahrung, im Hinblick auf die Unendlichkeit der intendierten Sachen –, sondern uns ist diese Tatsache bereits zur Einsicht geworden aus der Einsicht in das Wesen des Ideates selbst, somit es allerdings eine letzte Ideation nicht geben kann. Wollen wir diesen höchst paradoxen Gedanken einmal in seiner Paradoxie festhalten, so werden wir sagen müssen: *es gibt das letzte Ideat, aber es wird und es kann es nicht geben.*[23] Dafür bürgt uns die Wissenschaft und das Ideat selber.

Bevor wir unsere rein logische Arbeit der Isolierung des Wesenskernes der Wissenschaften und seiner Entwicklung beenden, soll in gedrängter Form noch einmal der Weg durchmessen werden, damit wir den Zusammenhang klar vor Augen haben, der letzten

22 Hier hätte man aus rein wissenschaftlichen Gründen Anlaß, gegen den Begriff zu kämpfen, weil er, der die letzte Erkenntnis herbeizuführen berufen ist, aus seinem Wesen diese Aufgabe zur Unmöglichkeit macht. Bergson sieht im Begriffe den Zerstörer der unmittelbaren Wesenswirklichkeit, der werdenden Kontinuität, wir erkennen ihn als das für seinen eigentlichsten Zweck restlos nicht taugende Werkzeug.

23 Diese Erkenntnis wird für die Metaphysik von unmittelbarem Wert sein, weil hier zwei nichtordnungsbedeutende Angelegenheiten der Erfahrung Klarheit erhalten: Zufall und Irrtum.

Endes dazu bestimmt ist, den ewigen Trieb, »das unvermeidliche Bedürfnis« nach Einheit, vom bloßen Wunsch der Vernunft, der mit dem Gefühle, es müßte so sein, bisher allein auftrat, zur reinen Forderung mit dem Anspruch auf logische Notwendigkeit zu erheben.

# VI

Unser Ausgang war empirisch, wie wir sagten; durchaus dem eines Natur- oder Geschichtsforschers zu vergleichen. Unser Gebiet, das wir erforschen wollten, war die ganze wissenschaftliche Wirklichkeit; wir trachteten dem Moment auf die Spur zu kommen, das unter allen den verschiedenen Wissenschaftszweigen das Verbindende, eben das Wissenschaftliche darstellt, kraft dessen sie sich doch von Einem Gedanken, von einer sie alle umschließenden Einheit durchdrungen fühlen. Zu dieser Untersuchung sollte uns die Bedeutungsanalyse des Wortes »Wissenschaft« die erste Anleitung an die Hand geben, mit der wir uns in dem großen Gebiete zurechtzufinden vermöchten. Durch eine vorläufige Scheidung der Sachgebiete, mit denen sich die Wissenschaften beschäftigen, trennten wir zwei große Wissenschaftsgruppen voneinander: Naturwissenschaften und Kulturwissenschaften; wir folgten damit der Einteilung von Windelband und Rickert, ihrer Vollständigkeit und Übersichtlichkeit halber. So nahmen wir die Resultate der modernen Methodenlehre ausdrücklich nur empirisch und provisorisch an. Die Naturwissenschaften erwiesen sich dadurch, daß sie Gesetze aufstellten, die Kulturwissenschaften dadurch, daß sie mit Wertbeziehungen ihre Gegenstände in Ganzheiten einfaßten, als auf Allgemeines gerichtete Disziplinen des Denkens. Alle Unterschiede der Wissenschaften mußten sich demnach als Unterschiede der Sachgebiete aufklären, und es blieb als der einzig übereinstimmende Wesenszug an ihnen eben jene Richtung auf das Allgemeine. Damit konnten wir vorläufig einmal die Untersuchung der Wissenschaft beendigen und unser Augenmerk dem Wesen des Allgemeinen zuwenden. Denn in ihm mußte der zureichende Grund für die eigenartige Ordnung einer Wissenschaft überhaupt gefunden werden; in so unbestimmter Fassung erschien das Allgemeine zu einer genügenden Aufklärung notwendigerweise unvermögend. Dadurch mußte eine phänomenologische, selbstbesinnliche Analyse des Allgemeinen vorgenommen werden, und wir konnten hier an neuere Forschungen anknüpfen.

Jedes Allgemeine als die reine Form wird in innerer Abstraktion, der Ideation, gegeben und ist damit Ideat. Gleichzeitig wurde klargestellt, daß jede Abstraktion überhaupt im Wesen Ideation sein müsse und dasjenige, was für ein Ideat gilt, für ein jedes Allgemeine Geltung behalte. Mithin war in den Mittelpunkt der Untersuchung das Ideat gerückt, da ja Ideation einen Begriff bedeutet, den das Denken für einen unbewußten Vorgang in Rücksicht des Fortganges seiner selbst schafft. Im Ideat ruhen zwei Wesenheiten, die Vereinigung und die Einsichtigkeit, oder besser gesagt, die Fähigkeit, Einheit und Einsichtigkeit für irgendein Sachliches zu leisten. Ohne vorerst auf die letzte Fähigkeit Rücksicht zu nehmen, entwickelten wir nach dem Prinzip der notwendigen Folge die in und mit dem Ideat gegebenen Möglichkeiten: ein Ideat setzt notwendig ein höheres und ein tieferes, also eine ganze Kette von Ideaten, mit. Es muß, so schlossen wir aus dieser logischen Tatsache weiterhin, also ein letztes Ideat geben, in dem die gesamte Gegenständlichkeit aufgegangen ist. Es gibt damit logisch die Welt als höchstes Ideat, als Kosmos, als überhaupt nicht mehr weiter Verallgemeinbares.

Nun zogen wir aber die zweite Wesenheit des Ideates, Einsicht, hinzu und gaben so der toten Stufenleiter vom niedersten zum höchsten Allgemeinen das Leben der abgestuften Einsichtigkeiten. Die Stufenleiter der Einsichtigkeiten hebt aber die Stufenleiter der Ideate, also auch sich selber letzten Endes auf, da es dem Denken unmöglich ist, die unendliche Gegenständlichkeit jemals zu bewältigen; dadurch, daß das Ideat selbst Gegenstand ist und auch das letzte Ideat eine bestimmbare Höhe logisch einnehmen müßte, gilt für dieses das Prinzip von der Gegenstandsvermehrung, von der Selbsterhöhung der Anzahl der Gegenständlichkeiten durch das Ideat; also fällt die Möglichkeit eines Endes der Kette von Einsichtigkeiten fort. Es wird und kann ein letztes Ideat nicht geben, obwohl es das letzte Ideat gibt. Dieses ist der paradoxe Kern des Satzes von der unerfüllt bleibenden Ideation.

Zum Abschluß dieses ersten Hauptteiles wird es der Einsicht in das Gefüge des Entwurfes förderlich sein, darauf hinzuweisen, wie weit der letzte Passus über das Wesen des höchsten Ideates in den ganzen Zusammenhang sich einreiht; denn im Nächsten werden auch gewisse Richtungen verfolgt, die nur eine den Hauptweg besonders scharf umgrenzende Wertigkeit besitzen sollen.

Wichtig ist uns, daß das seiende Ganze als Abschluß der Wissenschaftsbewegung in der Gestalt des letzten Ideates auftaucht, in welchem diese selbst ja bereits aufgehoben ist. Die Wissenschaft wächst in Gott hinein, dieser als die umfassendste Form ist ihr Ziel und läßt damit jenes ganze Werden als einen Prozeß seiner selbst erkennen. Warum aber dann überhaupt noch gerichtete Bewegung? Um zu dem Grunde vorzudringen, beginnen wir in der Tiefe der Ursachen, deren Isolierung vorläufig uns allein möglich ist.

# VII

Nur eine Frage bleibt noch ungelöst auf diesem Boden: warum zeigt Wissenschaft eine *solche Ordnung* auf das Allgemeine hin, warum weist sie einen *Begründungszusammenhang*, eine *Kontinuität* der Ideate auf, wenn ihr doch letzte Einsicht versagt ist, wenn ihr Beginnen aus dem Grunde des Beginnens das Ziel des Beginnens selbst unmöglich macht? Kann vielleicht diese Frage dadurch gelöst werden, daß sie den Grund des Beginnens selber erfährt?

Um den Fortgang unseres Gedankens recht klar werden zu lassen, wollen wir an einem Bilde zu veranschaulichen suchen, was wir meinen. Denken wir uns aus irgendeinem Körper, der eine sehr charakteristische Struktur besitzt, sagen wir einem Kristall, an einer beliebigen Stelle einen Teil herausgeschnitten und nehmen wir weiter an, daß unserer Betrachtung allein dieser Teil zugänglich ist, wir von dem Ganzen, dem er angehört, zunächst keine Kenntnis haben, so vermögen wir kraft dieser Struktur – im günstigen Falle – das Ganze zu rekonstruieren und seine ursprüngliche Gestalt wiederzugeben; wir können es dadurch, daß wir die Struktur zu Ende denken, sie völlig »entwickeln«. Wir wissen aber damit immer noch nicht, warum dieser Teil und sein Ganzes, dem er angehört, überhaupt jene Struktur zeigen. Innerhalb der Struktur können wir wohl von einem zum andern weiterschreiten, angedeutete Richtungen zu Ende führen und einen Torso zum Ganzen werden lassen. Aber daß wir damit einzusehen vermöchten, wie überhaupt eine solche Struktur diesem ganzen Körper da eignen müßte, davon ist gar keine Rede. Deshalb müssen wir Gründe ersinnen, die »außerhalb« der Struktur selber liegen und die in zureichender Weise eine solche Struktur notwendig erscheinen lassen. (Vorbedingung ist für diese Betrachtung selbstverständlich, daß Struktur von dem, welchem sie anhaftet, sinnvoll losgelöst werden, man also tatsächlich in echtem Sinne davon sprechen kann.)

Wir wissen also, worauf es ankommt, wenn jetzt das Problem sich erhebt, daß wir unser Gegenstandsgebiet, die Wissenschaft, noch nicht erklärt haben; wir müssen eben jenes logische Urelement aufsuchen, das das gesamte Sosein der Wissenschaft einsichtig machen kann. Bis jetzt haben wir nur das Wesen der Wissenschaft entwickelt, d. h. für diese neue, nach Gründen suchende Betrachtung erst den Boden überhaupt geschaffen; wir haben die Struktur des Bruchstückes ermittelt und diese in das Ganze – auf rekonstruktivem Wege sozusagen – eingefügt; jetzt wollen wir den Grund für die Struktur erfahren, das wissenschaftliche Wesen wollen wir erklären. Das ist nicht etwa ein historisches oder psychologisches, sondern ein sinngenetisches Beginnen, es forscht nicht nach den Ursachen des Daseienden, wie vielmehr nach den Gründen des Seienden. Da fragt sich für uns jetzt, welchen Weg wir zu diesem Ziele einschlagen können.

Als wir das Wesen der Wissenschaft entwickelten, war uns der Weg von vornherein klar vorgezeichnet; und wir wissen jetzt auch, warum es so war. Mit unserem Beispiel zu reden, dachten wir dort nur jene Struktur zu Ende, die unvollkommen gelassenen Linien zogen wir aus, wir führten ein eigentlich schon vorgeschriebenes Ganzes bis an seine Grenzen. Dort war mit der Struktur der Weg gegeben, sie selbst zu entwickeln; rein logisch, rein induktiv schritten wir vor. (Es ist das wichtig, jetzt schon hervorzuheben, daß die Wissenschaftstheorie bis zu dieser Grenze mit höchst einfachen Operationen auskommen kann. Sie selbst weiß das nicht einmal, eben gerade wie der Forscher nicht darum weiß, welche Kategorien er anzuwenden vermag. Daß wir diese methodische Bemerkung aussprechen, geschieht eigens darum, um die Trennung von Wissenschaftslehre und Logik der Wissenschaftslehre hervorzuheben. Hier zuerst kommt unserer Frage nach dem Grunde der Struktur der Wissenschaft die Forderung, den Schlußstein der Wissenschaftslehre zu legen; das vermag natürlich notwendigerweise nicht mehr mit der Struktur geleistet zu werden.) Jetzt heißt es, sich also außerhalb der Struktur zu begeben, um diese selbst zu begreifen und zu entwickeln.

Wir müßten an dieser Stelle völlig verzagen, jemals zu einer Klarheit emporsteigen zu können, wenn nicht die Struktur Struktur meiner selbst, d. h. Gegenstand möglicher Selbstbesinnung wäre; noch anders gesagt, wenn nicht der Zusammenhang der Ideate in seiner Genese irgendwie beobachtet werden könnte. Die Ideatstruktur findet sich ja in unserem lebendigen Denkbestande und kann zu jeder Zeit wiedergefunden werden. Also wird das die Struktur besitzende Denken das eigentliche Gebiet sein müssen, in dem wir die Anzeichen für den Grund finden, der das Gefüge des Ideates überhaupt, also auch der Wissenschaft, erklären könnte. Die ideale Gesetzlichkeit des Ideates gehört einer neutralen Sphäre an und besitzt in gleichem Maße für beide Regionen ihre Geltung. Demnach heißt also das Problem, wieso die Wissenschaft eine solche Gestalt überhaupt zeigen kann, selbstbesinnlich, phänomenologisch für mein Denken gewendet, folgendermaßen: *wie komme ich zu einem Ideatzusammenhang?* Dabei wird sich entscheiden lassen, ob der Grund für die Ideatheit und ihre Verknüpfungsform in mir, d. h. in meinem besonders meinenden Denken, gefunden werden kann, oder ob ein metaphänomenologischer Grund angenommen werden muß.

Wir brauchen uns dafür nur unserer früheren Untersuchung über die Ideation zu erinnern, die selbst als eines ihrer Grundergebnisse, auf denen sie weiterbauen konnte, jenes Kennzeichen des unbewußten Vorfindens des Ideates bemerkte. Das Allgemeine ist im Denken in Ansehung seiner Herkunft durchaus uneinsichtig, weil wir überall da, wo wir das Allgemeine selbst aus irgend Etwas, sei es einer Denktätigkeit oder wie sonst erklären wollen, stets wieder auf ein bereits seiendes Allgemeines rekurrieren müssen;[24] des näheren beabsichtigen wir allerdings an diesem Orte nicht mehr darauf einzugehen.

Dieses Kennzeichen des unbewußten Hinnehmens ist nun von

24 Fichte, Wissenschaftslehre 1804 im vierten Vortrag: »Irgendeinmal muß doch der Begriff, falls er erzeugt wird, schlechthin und durchaus durch selber sich erzeugen, ohne alle Hinzukunft und ohne alles Bedürfnis eines Wir; denn dieses Wir setzt, wie uns gleichfalls einleuchtet, überall schon ein vorhergehendes Wissen« (S. W. Ed. I. H. Fichte, X, S. 120), wobei Fichte in erster Linie die bedeutungsmäßige Seite angreift und so das Verhältnis darstellt, wie es von uns zur Vervollständigung gegen Ende beschrieben werden soll.

allergrößter Wichtigkeit für eine Theorie der Wissenschaft überhaupt; denn es zeigt uns mit unmittelbarer Deutlichkeit, daß wir eine Begründung der Wissenschaft oder ihres Strukturelementes, des Allgemeinen im Zusammenhang, innerhalb des Denkens niemals unternehmen können, wenn anders wir einem regressus ad infinitum entgehen, d. h. Einsichtigkeit wollen. Man wird uns entgegenhalten können, daß doch vielleicht das Allgemeine, das Ideat, in Rücksicht auf seine einsehbarmachende Funktion auf Etwas zurückgeführt werden könne, das noch im Bereich des Denkens selber liegt. Indem man sich nämlich darauf beruft, daß beim eigenen Denken dem Finden eines Allgemeinen doch stets ein »Findenwollen« vorauszugehen habe, ja letzthin eine Einsicht in die »Gesolltheit« dieses Wollens besteht und dieses gesollte Wollen stets auf Einsichtigkeit bezogen wird, so wird nach jener Ansicht das Problem der Herkunft des Allgemeinen zu einem *Problem des Wertes* und der Beziehung auf den Wert.

# VIII

Dieser Einwurf erhält sicherlich durch zahlreiche Äußerungen eine starke Stütze. Denn man würde ja niemals nach dieser Auffassung Wissenschaft treiben, wenn nicht der Wille zur Einsicht, zur Wahrheit, damit das gesollte Ziel dem Forscher vor Augen rückte. Das Gesetz wie der Wert als die beiden Formen des gespaltenen Allgemeinen erscheinen selbst wieder als Werte überhaupt, sie sind dem Forscher »wert«, sie werden herausgeboren aus einem Sollen, dessen gegenständliches Korrelat die Anwendung der einen oder der anderen Form nötig macht. Das bewußte Ordnungswollen, das Herbeiführenwollen der letzten Einsicht um jeden Preis erscheint in dieser heute herrschenden Auffassung als der konsequente Ausdruck eines im höchsten letzten Sinne allein tätigen, wertenden Ichs.

Demgegenüber ist folgendes zu bemerken, und was wir damit zurückweisen, muß gleichzeitig seine tiefere Bedeutung für die Stellung des Wertes als eines logischen Elementes überhaupt erhalten. Selbst wenn der Denkende nur dann Allgemeines denkt, sobald er damit irgend Etwas, besonders aber Einsichtigkeit, will, vermag diese Konstatierung, – der wir übrigens durchaus beistimmen, – das Problem höchstens zu verschieben; denn wie kann der Denkende Einsichtigkeit wollen oder wie kann er dazu gesollt in seinem tätigen Denken bezogen werden, wenn ihm nicht die Einsichtigkeit in ihrem Wesen *bekannt* ist! Wird aber zugegeben, vielleicht sogar betont, daß Einsichtigkeit eben das Primäre darstellt, als gegenständliches Korrelat des Sollens, das von vornherein in einem »Vorwissen«, wie es Driesch nennt, gegeben sei, nun dann tritt unser Problem in ganz gleicher Weise, nur mit veränderter Betonung, auf. Bei uns heißt das Hinzunehmende Ideat, Allgemeines; in dem Einwand heißt es Einsichtigkeit oder Wissen um Einsichtigkeit, um Ordnung (Bestimmtheiten, die übrigens in unserer Bestimmtheit mit eingeschlossen sind).

Weiter aber wäre, wenn man diese Beziehung auf den Wert als das ureigentliche Erste annimmt, noch völlig dunkel gelassen, wieso dann das *Allgemeine gerade* als spezifisches Denkelement auftritt und keine andere Form. Nun betonen auch wir selbstverständlich im Ideat die besondere Art des Meinens, des Einsichtigkeits- und Einheitsmeinens, und so läßt sich sehr gut die scheinbare Wertbegründung der Urform aller Wissenschaft unserer Frage gleichsetzen. Sie kann als unmittelbare Antwort auf unser Problem nicht gelten; wir müssen sie aus dem einfachen logischen Grunde ablehnen, weil sie erstens das Rätsel in anderer Form noch einmal stellt, Einsichtigkeit mit der Gesolltheit von Einsichtigkeit begründet, zweitens an Stelle einer Begründung eine neue Auffassung von der phänomenologischen Präsentation eines logischen Elementes gibt, welches beides mit Beantwortung nicht das geringste zu tun hat. Es ist jedoch gerade diese Argumentation, wenn sie sich auch ungenügend für den vorliegenden Fall erweist, deshalb näher zu untersuchen, weil sie einer gegenwärtig im Philosophieren außerordentlich beliebten Anschauung entspringt. Der Wertgedanke, der in der modernen geistigen Bewegung mit großem Rechte hervorgehoben ist, erscheint uns, wie wir es hier in Kürze auszuführen gedenken, auf jeden Fall nicht die Tragkraft zu besitzen, die man ihm heute stets zumutet. Daß wir mit dieser Untersuchung nicht etwa die Grenzen unserer eigenen Arbeit überschreiten, hat darin seinen Grund, daß uns die Analyse des Wertes und seiner Bewertung über den Wert selbst hinausführt, und daß für unseren eigenen Fall die tatsächliche Wertung an dieser Stelle als bedeutungsvolles Phänomen aufgefaßt werden kann für eine allerdings notwendigerweise metaphänomenale Weiterführung der Wissenschaftstheorie. Darauf muß der Nachdruck gelegt werden, daß in der bildhaften Sphäre der Wert als sinnhafte Gegebenheit mit Beziehung auf das Ideat erscheint; daß diese Beziehung auf die Wissenschaftsstruktur geprüft werden kann, ob sie zureichend oder unzureichend für eine eindeutige Verknüpfung ist. Diese Prüfung des Wertes kann mithin ohne ausgebildete Logik vorgenommen werden.

Wir wollen uns nun bei der kurzen Analyse an das uns speziell interessierende Gebiet selber halten. Wenn man sagt, daß es Werte gibt, so trifft man damit jene Tatsache, daß es für das Denken gewisse Sachverhalte oder Gegenstände im weitesten Sinne gibt, die in einer notwendigen Beziehung zu dem denkenden Ich, zu meinem Denken gesetzt sind. »Wahrheit«, »Richtigkeit«, »Einsicht« z. B. sind solche werthaften Gegenstände, sind Werte, wie man sagt; sie werden bewertet in einem ganz bestimmten Sinne, in welchem, braucht uns hier nicht näher anzugehen. Werten bedeutet, daß ein ganz bestimmtes Meinen über den Wert vom denkenden Ich, von meinem Denken, niedergelegt wird, z. B. in der Form der Werturteile. Diese Seite der ganzen Frage braucht uns aber weniger zu interessieren, als vielmehr die Aufklärung jener *Beziehung* zwischen dem Wert und meinem Denken, als deren Ausdruck ja die Werturteile in hervorragendem Maße auftreten. Diese Beziehung ist es eigentlich, die dem Gegenstande überhaupt den Wertcharakter verleiht, und es ist in der Tat nur diejenige, welche als *gesollt* bezeichnet werden kann. Ausdrücklich sage ich »bezeichnet«, und nicht »eingesehen« oder »erkannt«, weil in dieser Sphäre von Einsicht in die Beziehung noch nicht die Rede ist, wenigstens, wenn man den Standpunkt der reinen Selbstbesinnung und Deskription nicht verleugnen will. Dafür aber liegt vorerst nicht der mindeste Grund vor. Der Charakter des Gesollten in der Beziehung ist also etwas vollständig rein selbstbesinnlich deskriptiv Feststellbares; und das Zeichen der Gesolltheit entspricht durchaus einer bestimmten Verhaltensweise des denkenden Ich, die sich in einer Richtung des Wollens ausprägt. Das Ziel des Wollens wird durch den Wert determiniert, erhält unter anderen möglichen Zielen das Zeichen eben des gesollten Zieles und wird damit Richtungsbestimmer für das Wollen in irgendeinem besonderen Falle. Das Bewußtsein von einem Hin-sollen zu einem Ziele ist die phänomenologische Situation, die Wert und wertanerkennendes und werterfüllendes Verhalten andeutet.

Für unsere besondere Angelegenheit besagt das also folgendes: Wir wissen, was für eine Gegebenheit Einsicht bedeutet und damit wollen wir sie für diese und andere Gegebenheiten. Aber wir wollen sie nicht etwa in willkürlicher Weise, sondern wir können sie gar nicht nichtwollen und eben darum sagen wir, daß sie gesollt, daß sie selbst Wert ist. Wir wollen Wahrheit, weil wir sie sollen, weil wir sie nicht nichtwollen können; darum heiße sie Wert. Es liegt hier kein Zirkel vor, in dem man das eine Phänomen in dem anderen begründete, sondern man beschreibt damit einen einheitlichen Sachverhalt, der, unter verschiedenen Punkten des Benehmens betrachtet, verschiedene Kennzeichen seiner Stellungsbezogenheit aufweist. Aber, wie dem auch sei, nicht ist damit etwa gegeben, *warum* wir gerade *Einsichtigkeit* als Wert haben und warum nicht etwa Uneinsichtigkeit! Dieses Problem des *Wertes* kann *als solches* durch den Wertgedanken natürlich niemals gelöst werden. Die Auffassung gewisser Gegenstände und Sachverhalte als Werte bedeutet im Kern nur eine Klärung der gesamten Gegebenheit, stellt allein eine Heraushebung bestimmter eigenartiger Wesenheiten aus dem Gesamtbestande des Denkens und Gedachten dar, die für eine Reihe von Phänomenen selbst wieder erklärend, unabweisbar begründend sein können. Selbst rein phänomenologisch gefaßt als bloß eigenartige Denkbestände mit Forderungscharakteren schlechthin nicht abzuweisender Natur, können sie für viele Ansichten und Überzeugungen, für die ein logischer Beweis unmöglich ist, den Grund abgeben. Werte sind der Ausdruck unbedingter Gefordertheiten; kraft ihres Wesens können sie Rechtfertigung verleihen, und mit großer Klarheit haben z. B. Fries und seine Anhänger auf dieses Recht der Vernunft, auf ihr »Selbstvertrauen«, hingewiesen. Die Werte sind der Ausdruck dieses Selbstvertrauens; gerade in diesem Gedanken verschmelzen so verschiedene Richtungen der Philosophie unserer Tage. Evidenz bei Meinong und Rickert, Endgültigkeitszeichen bei Driesch, – wie immer man dieses schlichte Hinnehmen gewisser Sätze vom Denken nennen mag, es bleibt nun einmal ein Urphänomen des Denkens selber. Damit erkennen wir auch, daß irgendein Verhalten in einem Werte gerechtfertigt erscheinen, verstanden werden kann, wenn man den Wert als Letztes hinnimmt; als Letztes einsehen kann man ihn so niemals. Das aber »will« doch das Denken schließlich, das setzt es ja geradezu. Und wenn daher gesagt ist,

Einsichtigkeit oder Wahrheit ist ein Wert und also erscheint ein diese Einsichtigkeit erstrebendes Verhalten daraus gerechtfertigt, so geben wir das unbedingt zu. Wir müssen aber bestreiten, daß für jenes Einsichtigkeitswollen als Ganzes genommen Rechtfertigung gegeben ist; das Wollen selbst erscheint durchaus in sich einheitlich verknüpft, das Wollen jedoch, als Sinnkomplex betrachtet, schwebt vollkommen frei, ohne jegliche auch nur angedeutete Beziehung. Damit ist also von vornherein klargelegt, was der Wert nur leisten kann und was er nicht mehr zu leisten vermag; so bestimmen sich die Grenzen seiner Tragkraft. Aber gerade da, wo er versagen muß, wurzelt unser eigentliches Problem.

Wenn wir also zusammenfassend unsere besondere Frage mit Berücksichtigung des Wertgedankens formulieren wollen, so können wir ungefähr sagen: daß wir zu dem Ideat kommen – und zwar auf eine uns ganz unbewußte, dunkle Weise –, ist Tatsache. Daß wir mit dem uns nun einmal geschenkten Ideat Einsichtigkeit gewinnen, Begründung vermögen und diese Einsichtigkeit als einen Grundwert unseres Wollens betrachten, ist ebenfalls Tatsache. Wir fragen aber nicht danach, ob dieser Wert letzthin stichhaltig seiner logischen Natur nach ist, sondern danach, woher das Ideat *als Wertbestimmer* uns kommt, uns geschenkt wird. Die Herkunft dieses Werkzeuges gewissermaßen, mit dem uns unsere Werke gezimmert werden, interessiert uns vorläufig und nichts anderes. Erst wenn wir einen Einblick in den möglichen Zusammenhang des Allgemeinen mit anderen Wesenheiten erhalten haben, kann uns der Wert in seiner wahren Stellung überhaupt klar werden, dann vermögen wir wohl auch seine Kritik in einem tieferen Verstande zu Ende zu führen. Für uns genügt auf jeden Fall, daß die Herkunft des Allgemeinen nicht in einem Wert gesucht werden kann; diese rein logisch bedeutungsbetrachtend dargetane Wahrheit läßt sich nun noch aus dem sehr wesentlichen phänomenologischen Merkmale des unbewußten Findens des Ideates klarmachen, eine Erörterung, die von ganz unmittelbarer Wichtigkeit für unsere auszuarbeitende Theorie selber sein wird.

Wir wissen ja, daß das Ideat gefunden, nicht gemacht, daß es gedacht, nicht erdacht wird; dadurch entstand das Problem. Wenn nun der Grund des Ideates vielleicht doch ein Wert wäre, so müßte nach unseren Erfahrungen über die von einem Wert getragenen Beziehungen und Elemente des Denkens dieser Wert selbst bewußt sein oder auf jeden Fall bewußt werden können, wenn wir diese Beziehungen und Elemente aufmerksam analysieren. Davon ist aber bei dem Ideat gar keine Rede. Man kann so sorgsam, wie nur möglich, die Allgemeines fassenden Urteile oder Wortbedeutungen durchsuchen, es lassen sich stets nur derartige Werte daraus ersehen, die für das Verständnis der spezifischen Ideatheit sich als ganz unzureichend erweisen, ja selbst eher wohl umgekehrt aus dem Ideat eingesehen werden könnten. Die Momente des Denkens aber, die ihrer verschiedensten Einkleidung nach einem in unübersehbarer Mannigfaltigkeit sich äußernden Werte den Ursprung verdanken, lassen den Wert stets bewußt für das denkende Ich durchschimmern. Auch daran zeigt sich ein höchst bedeutender Unterschied, der uns vielleicht veranlassen könnte, die Ideate als Produkte »unbewußten Wertens« aufzufassen. Das gäbe aber ein sehr widersprechendes und höchst schiefes Bild ab, weil ja gerade eine Hauptbestimmung des Wertes in seinem Bewußt-Sein liegt, und außerdem logisch eine so tiefe Kluft zwischen dem Werte und diesen neuen noch nicht bestimmten Wertbestimmern sich auftut, daß die Wahl eines derartigen Wortes (– einen Begriff darf man solche inhaltslose Verlegenheit wohl nicht nennen –), welches den Gedanken an eine übergreifende Einheit geradezu herausfordert, gänzlich zu verwerfen ist.

Wir haben eingesehen, auf den bisher bekannten Wegen können wir zu unserem Ziele nicht gelangen. Nun wäre es vielleicht möglich, daß wir aus den uns vermittelten Momenten der Ideation und des Ideates in gar nicht willkürlicher, aber doch in einer höchst unanschaulichen Weise ein Etwas konstruierten, das als zureichender Grund für den Ideatzusammenhang und seine Struktur aufgefaßt werden könnte; zweifellos ließe sich auch dann ein ganzes System in seinen Grundzügen darauf aufbauen. An dem eigentlichen Wesen der Untersuchung wie ihrer umfassenden Weite würde das nicht das mindeste ändern, ja vielleicht der Mangel der nichtanschaulichen Formulierung doch den Vorzug haben, nicht zu einer falschen Deutung, verleitet durch die Anschaulichkeit, den Anlaß zu geben. Dieser Ideatheitsbestimmer könnte also aus den verschiedenen in der Wissenschaftstheorie ermittelten Daten näher umgrenzt werden, und es wäre durchaus möglich, ihn in präziser Weise als grundabgebende Setzung für bestimmte erklärungsfordernde Gegebenheiten zu verwerten.

Wir sind aber in der glücklichen Lage, dieses Wesen oder diese Beziehung doch konkreter zu erfassen, als es auf die oben angedeutete Art geschehen könnte.

# IX

Eine solche präzisere, eingehendere Erfassung des wissenschaftlichen Wesens und seine Deutung wird ermöglicht durch neuere phänomenologische Untersuchungen über das Denken, die ganz ähnliche – ich betone »ähnliche« – Probleme in ihren besonderen Gegenstandsgebieten gefunden haben wie sie in unserem Wissenschaftskreise aufgetaucht sind. Man hat auch dort Beziehungen entdeckt, die in demselben Bewußt-Sein Schwierigkeiten für ihre Erklärung bereiten; besonders überraschend und bedeutungsvoll erweist sich da ein Sachverhalt, daß gewisse Denkbestände zweifellos vom Denkenden auf eine *Einheit als grundabgebende* bezogen werden, die selbst dem Denkenden nicht bewußt ist; daß ferner diese Denkbestände zu der Einheit – die man ihrem Gehalt nach kennt – im Sinninhalt typisch geknüpft sind, ja noch mehr: in der Bedeutung der Einheit geradezu ihren Boden erst erhalten. Diese sonderbare Parallelität muß immerhin unser Interesse in Anspruch nehmen, da wir um jeden Preis der merkwürdigen Wesenstatsache der Wissenschaft näher kommen wollen. Ausdrücklich sprechen wir von Parallelität und von nichts anderem, nicht von einer tatsächlichen Zurückführung unseres Problems auf das Problem der Denkphänomenologen. Eine solche ist ja, wie leicht einzusehen, aus rein logischen Überlegungen unmöglich; denn wenn auch in beiden Fällen das personhaft abgegrenzte individuelle Denken eine solche Reduktion erlaubte, so muß dagegen doch mit Schärfe die Verschiedenheit der Schlußfolgerungsrichtung geführt werden, wie der Unterschied zwischen den Schauplätzen der sinnmäßigen Beziehungen. Metaphysik zu versuchen – um das einmal an diesem Ort programmatisch zu betonen – heißt hier, von den Gegebenheiten auf ihre Gründe zu schließen, ein Verfahren, das niemals zwingend sein kann: von der Folge aus können wir den Grund in keiner Weise eindeutig fassen. So werden wir nur mit einer sehr großen Wahrscheinlichkeit immer eine metaphysische Setzung zu betrachten haben, von der Fessel des »Als ob« werden wir sie nie befreien wollen. Der Forscher, der Denkphänomenologe, kann aber dadurch, daß er die Gründe setzt, eindeutig zu den Folgen kommen. Für den speziellen Fall begründet sich weiterhin der Ausdruck »Parallelität« auch deshalb, da in beiden Fällen allerdings das Denken den Schauplatz darstellt. Hier wie dort ist es die Sphäre der Verknüpftheit, der Verkettung von Sinn- und Seelenhaftem, ist es das Psychische, in das die Bedeutungen eingebettet liegen. Eben, weil die Gebiete dieselben sind und die Fragen gleicher Art zu sein scheinen, gehen wir daran, unter die eine Fragestellung unser Problem zu bringen, die dann wirklich zu einem bestimmten Ziele führen kann. Man muß sich aber der Differenz, die zwischen dem seelischen Leben des Einzelnen und der Generationen besteht, klar sein; denn diese gegenseitige Irreduzierbarkeit soll ja gerade festgehalten sein!

Bevor wir an die kurze Wiedergabe der für uns wesentlichen Ergebnisse dieser denkwürdigen Forschungen herantreten, betonen wir noch einmal, was schon vorhin gesagt wurde: daß unsere theoretische Ausarbeitung genau in demselben Umfange und mit ganz der gleichen Sicherheit entwickelt werden könnte, auch wenn wir von diesem denkphänomenologischen Resultat gar nichts wüßten; allerdings müßte dann die konkrete Fassung fehlen. Denn uns dient diese Ausführung der Parallelität einzig und allein zur Illustrierung der ihrem reinen Wesen nach schwer faßbaren, un»begreifbaren« Ergebnisse. Deshalb hat es gar keinen Sinn zu sagen, wir bauten etwa eine Metaphysik auf psychologischen oder phänomenologischen Ergebnissen auf; wir gründen sie allein auf rein logische Resultate und Erwägungen, verdeutlichen sie aber mit den Tatsachen des individuell geistigen Lebens. Daß uns das Verdeutlichen selbst nur ein Mittel zum Weiterkommen, zum zentralen Erfassen der innerlichen Bezogenheit von Begriffzusammenhang und Bewußtsein bedeuten soll, sei jetzt nur zur Beseitigung jeglicher naiver Vorstellungen angeführt. Die Ausarbeitung bildet den Schluß der Betrachtung.

Man wird also nur sagen dürfen, daß der Ideationsprozeß und das damit gegebene transpersonale Wissenschafts»geschehen« so beschaffen sei, als ob es unter einer Tendenz stünde, wie sie die

Denkphänomenologen für besondere Denklagen festgestellt haben. Denn was von einem individuell einheitlichen Geiste durch ganz bestimmte Versuche ausgemacht ist, gilt darum noch lange nicht für Denklagen, die denjenigen der Experimente zwar überraschend ähnlich sind, mit ihnen aber absolut nicht identifiziert werden können; erst eine Metaphysik vermöchte an ihrem Ende dieses »Als ob« aufzuheben.

Welche logischen und phänomenologischen Einzelzüge wollen wir also herausgreifen, um eine konkrete Theorie für das Sonderwesen der Wissenschaft zu erhalten? Einzeln haben wir sie schon angeführt, aber gerade der Zusammenhang wird für die Verdeutlichung der Gleichheit der Lage mit derjenigen in den phänomenologischen Untersuchungen von großem Wert sein. Das Ideat, welches gedacht, im Denken vom Denkenden gefunden wird, ist unbewußt gegeben. Bewußt ist uns jedoch gegeben die »Bedeutsamkeit« dieses Ideates für den Fortgang eines Verhaltens, die Einsichtigkeit als Wert des Denkens. In diesem wertgerichteten Denken, in dem Verstehen ist weiterhin uns ein Wissen um die *Zugehörigkeit des Ideates zu einem ganzen Zusammenhang*, zu einer Einheit vermittelt, aber nicht die Einheit selbst. Wenigstens liegt das alles im Begriffe der Einsicht ausgesprochen.

Jeder Wissenschaftler weiß, daß er bei seinen Forschungen ein ganz bestimmtes Wissen, das bisweilen sehr stark betont ist, um das Zugehören seiner Begriffe, Gesetze, Werteinschlüsse zu einem übergreifenden und miteinbegreifenden Ganzheitszusammenhange hat; er weiß, »worauf es bei seiner Arbeit ankommt«, ohne daß er seinen eigentlichen aufs spezifisch Sachliche gerichteten Forschungsgang deshalb zu unterbrechen genötigt ist. Gerade solche Ausdrücke wie wissenschaftliche Phantasie, forscherlicher Instinkt, Einbildungskraft usw. deuten auf diesen ganz allgemein verbreiteten Sachverhalt hin. Die Einstellung von vornherein, dieses Überblickgewinnen über ein Gebiet, bevor man an es selbst näher herantritt, werden sehr oft zu gering eingeschätzt und als für eine bedeutungsgerichtete Theorie nebensächlich vollkommen übergangen. Aber es handelt sich doch dort nicht um bloß psychisches Beiwerk, sondern gerade seine Notwendigkeit für den Forscher erfordert sicherlich aufmerksame Fixierung. Weiterhin muß der Wissenschaftler sich in diesem Zusammenhange, den er ja auch in merkwürdig einheitlicher Weise erfassen kann, geradezu wissen, wenn er nicht jede Orientierung verlieren will, er muß sich klar sein für einen bestimmten Fall, daß diese Forschungen nur vorbereitender Natur, jene von prinzipiellem Ertrage für sein Problem sein werden; so lenkt er seine eigene Tätigkeit, ordnet sie unter gewisse »Gesichtspunkte« ein, unter Werte niederen Grades; nur damit kann er die Fülle des Materiales bewältigen und sich den Boden zum Weiterkommen schaffen. Kurz, jener ganze Apparat, der das wissenschaftliche Forschen im engsten Sinne für den Forscher überhaupt ermöglicht, es für ihn zur zielbewußten Tätigkeit, zur eigentlichen Handlung stempelt, von den primitiven Reflexionen bis zu den Problemstellungen tiefster Art, die einer Arbeit gewöhnlich vorausgehen, – alles das erscheint als ein Zugehörigkeitswissen und -Bewußtwerden in einem umgreifenden Zusammenhang, den man vielleicht ahnt, dessen Fundierung und Verankerungsort auf jeden Fall man sich niemals in Klarheit zum Bewußtsein bringen kann. Das ist der Angriffspunkt für unsere Parallelisierung. Es ist für den Wissenschaftler eine an und für sich unzureichende Orientierung seines Schaffens, nach Wert und Ziel völlig gleichgültig für das Gelingen seines Unterfangens, er braucht nicht sich der ganzen von ihm unbewußt mitgesetzten Einheit bewußt zu werden, um die Einheit selbst erfüllen zu helfen.[25] Was man stets wußte, daß ein logisch denkender Mensch nicht für dieses sein Denken um Logik zu wissen braucht, tritt hier in anderer Form wieder auf. Nur muß man spezieller noch sagen, daß sicherlich ein Wissen um die Zugehörigkeit dieses oder jenes Ideates in eine solche oder überhaupt in eine Ganzheit nicht für die Möglichkeit wissenschaftlichen Vorschreitens nötig ist, daß aber ein Wissen um ein »Hingehören -in« gegeben sein muß und auch stets tatsächlich sich vorfindet. So unverständlich dieser Zug auch erscheinen mag, ge-

25 Um hier den Satz Ehrenbergs zu zitieren: »Die ›Ergebnisse‹ der Wissenschaft sind daher dieser selbst transzendent« (Die Parteiung der Philosophie – Studien wider Hegel und die Kantianer, Leipzig 1911, S. 129).

nügt vollauf dieses bloße Sichgeborgenwissen, ohne daß in Klarheit der Ort, das Ziel des Geborgenseins mitgegeben zu sein braucht; das übergreifende Ganze, zu dem alle Ideate hinzeigen, bleibt dem Auge des Wissenschaftlers selbst verborgen. Solcher Natur ist also jenes Zeichen des Mitwissens: es offenbart sich als das für eine geordnete Denktätigkeit durchaus notwendige richtunggebende Mittel. Aber der Gegenstand des Mitwissens und sein zentraler Gehalt wird dabei nicht bewußt, und, wenn er es wird, *spielt er für den Forschungsgang nicht die geringste Rolle*; der Wissenschaftler arbeitet dann nicht mehr wissenschaftlich, sondern er treibt Philosophie!

Es hieße ja in gröblichster Art die Tatsachen vergewaltigen, wollte man das Gelingen einer wissenschaftlichen Untersuchung, selbst nur das spezifisch wissenschaftliche Denken mit seiner ganz ausgeprägten Einstellung, von einem tatsächlichen Wissen um das letzte Ganze abhängig machen, welches die Wissenschaft immanent als ihr Ziel, als ihren Sinn setzt. Und man fragt sich mit Recht, was einem Forscher denn diese komplizierte Bewußtwerdung helfen könnte, da er doch nie aus den offensichtlichen logischen Gründen jenes letzte Telos erschauen, das So-sein des Ganzen jemals zu erfassen vermöchte. Er müßte von einer eigenwillensbestimmten Ordnung seines Forschens und seiner Ideationen aus dem alles mitsetzenden Ganzen heraus schließlich doch absehen und sie diesem Selbsttätigen überlassen.

Es ist hiermit in strengem Sinne jeder Gründung einer wissenschaftlichen Tätigkeit auf ethische Werte der Boden entzogen worden. Der Gedanke, daß aus einem einzigen Prinzip durch eine universelle Deduktion die Sonderwerte und die Einzelmaximen des Handelns isoliert aufgestellt werden könnten, muß aus der rein logischen Erwägung, die wir oben machten, aus dem Prinzip der unerfüllbaren Letztheit der Ideation fallen. Gewiß, wir geben zu, daß in bestimmten, allmählich erweiterbaren Grenzen eine ethisch-wertmäßige Gesetzgebung möglich ist, aber immer erst für einen selbst nicht bekannten außerindividuellen Strom des Ideierens, dessen Richtung und Ende wohl zu ahnen, welcher selbst in der Tat aber niemals erfaßbar ist; auch die Setzung der Werte

müßte schrittweise provisorisch und empirisch-tastend vollzogen werden.
Auf diese Fragen, die uns die Probleme der menschlichen Eigentätigkeit und ihre Möglichkeit überhaupt erst verdeutlichen sollen, werden wir gegen Ende unserer Untersuchung einzugehen haben. Das Logisch-Letzte, der sich aus sich abwandelnde Gedanke des Kosmos als Maßstab gibt uns eben die Berechtigung, beim Forscher, und selbst beim exaktesten und philosophierenden Wissenschaftler, von unzureichender Orientiertheit zu sprechen; noch deutlicher von einer, mit Notwendigkeit unzureichenden. Es mag, das geben wir zu, und haben wir schon bei unserer Betrachtung über den Wert zugegeben, diese Orientierung für den besonderen Fall ausreichend sein, um ein Handeln dem Forscher als geordnet vorzustellen; aber es fehlt und muß fehlen eine Garantie für die Vollendung oder Erfüllung – wie man es auch nennen mag – der allumfassenden Einheit durch diese seine eigene Spezialuntersuchung. Dies Wissen bleibt ihm stets verschlossen. Die Beziehung des Einzelresultats zum Gesamtresultat, das Wissen um die Notwendigkeit der Diesheit, der haecceitas, seiner Ergebnisse in dem logischen Universum verbirgt sich vor ihm in alle Ewigkeit.
Deshalb sind wir genötigt, ein *Etwas* anzunehmen, welches dieses Zusammenfügen des einzelnen forscherlichen Benehmens zu dem Ganzen hin *besorgt,* das es doch eben »leistet«, als Ruhepunkt der wissenschaftlichen Bewegung setzt; es muß eine solche Selbstregulation im wissenschaftlichen Geschehen präzisiert werden, ein Rücksichtnehmen der Einzelideate auf das letzte Ideat, ein Es, das im Forscher das Gedachte einformt in die letzte Form. Das ist es, was ideiert. Das ist es, was im »Unbewußten« schafft, das ist es, was ein Ideat aus dem anderen gebiert und was das erste Ideat überhaupt schaffen konnte. Es herrscht, ohne jemals vom Forscher gewollt zu sein und gewollt werden zu können, jene schöpferische Tendenz im Besonderen, in den Einzelresultaten, sich einzuordnen in ein übergreifendes, sie alleinbegreifendes Ganzes.
Eine nähere Präzisierung dieses »Es« wird der leitende Gedanke der weiteren Untersuchung sein müssen, und es ist vielleicht günstig, gerade an dieser Stelle einen möglichen Einwand gleich selbst

zu machen, weil durch seine Diskussion die Klarheit über unser Problem nur gefördert werden kann.
Wie leicht einzusehen, ließe sich jenes »Es« auch als »Vernunft« oder als »der Vernunft Angehöriges« bezeichnen, wie es ja Fichte (in seinem schon oben zitierten vierten Vortrage der Wissenschaftslehre 1804) getan hat. Unstreitig bedeutete eine solche Fixierung einen Schritt vorwärts, und man könnte zu ihrer Annahme auch bewogen werden, da das Moment des Unbewußten – welches uns ja das »Es« aufdrängte – die Einspannung jenes »Es« in den individuell-personhaften Eigenbereich der Vernunft andeuten dürfte. Wir haben nichts dawider, nur scheint uns damit für unser Problem kaum mehr als eine Umschreibung geleistet zu sein. Denn ist die Vernunft – meine und die »möglichen« der anderen Forscher – das ideierende Etwas, so muß sie den Grund der Ganzheitsbezogenheit in sich tragen. Schärfer gesagt, in ihr muß jene Verknüpfung beheimatet sein, kraft deren das eigentliche forscherliche Benehmen, eben das zusammenhängende in sich gerichtete Ideieren, »zustande« kommt, welchem jene regulierte Struktur verdankt wird. Es bleibt mithin das Wesen, das »Was« dieser Verknüpfung durchaus undurchsichtig, auch bei dieser Formulierung. Während uns doch die Einsicht in diese, in das Innerliche dieses immanenten Zwanges, den Kern unseres Problems bedeutet! Einerlei also, ob wir mit seiner Abhandlung einen Beitrag zur Vernunftkritik im engeren Sinne leisten oder nicht, seine Lösung erfordert einen neuen Weg.

Dieser höchst eigenartige durch die individuellen Einzelgeister hindurchgehende Zug des Gesamtdenkens, auf eine Einheit sich zu beziehen, um die es selbst nicht weiß, ist nun in ganz überraschender Ähnlichkeit im psychischen Einzelwesen für ganz spezielle scharf umreißbare Bewußtseinsfälle festgestellt worden. Diese Arbeiten der modernen Denkpsychologie – viele ihrer Resultate sind auch rein phänomenologischer Natur, wie wir es oben betonten –, welche an dem psychischen Werden jene an und für sich ganz eigenartige, nur selbstbesinnlich aufzufindende Tönung entdeckten, sind der Gegenstand näherer Untersuchungen geworden. Wir werden allerdings nur insoweit ihnen unsere Aufmerksamkeit zuwenden können, als sie gerade diese Angelegenheit streifen, und auf eine lebendigere Illustrierung an den »Versuchsreihen« selbst, die wohl zu wünschen wäre, müssen wir verzichten. Von vornherein sei das Eine betont, daß es uns im wesentlichen nur darauf ankommt, diese beiden Züge des wissenschaftlichen und des außerwissenschaftlichen Denkverhaltens in diesem einen Punkte als logisch identisch zu erweisen.

Die Forschungen von Külpe, Messer, Ach, Koffka und Bühler[26] in erster Linie bedienten sich zur näheren Aufklärung des Denkens und des Willens der Hauptsache nach einer an sich ausgeführten phänomenologischen Untersuchung, wie auch des Berichtes über Selbstbesinnliches, das ein anderer an sich (die »Versuchsperson«) beobachtet hatte. Der Vorteil der Unvoreingenommenheit in theoretischen Überzeugungen gab zu dieser Versuchsanordnung den Anlaß.

Für ihre besonderen Zwecke stellten die Forscher einzelne, sehr heterogen geartete *Aufgaben*, deren Lösung als das Material zu den phänomenologischen Überlegungen dienen mußte. Was bei den Lösungen in die Fläche des Bewußten emportauchte, sollte lückenlos und so getreu der Reihenfolge nach wie möglich zu Protokoll gegeben werden. Selbstverständlich wurde viel für eine Psychologie Bedeutsames ermittelt, was für unsere Zwecke hier gleichgültig bleiben kann; aber es trat in übereinstimmender Weise an den verschiedensten Lösungen ein merkwürdiger Zug auf, der gleichsam zwischen den Zeilen referiert wurde, ein durchgehendes wesenhaftes Kennzeichen, das demnach zur Aufgabe überhaupt ganz allgemein in Verknüpfung gebracht werden konnte.

Ach und Bühler, auch schon Messer und Watt stellten voneinander unabhängig in verschiedener Form, auch an sehr verschiedenen Etappen der Lösung und Spezialfällen *eine Gerichtetheit der Er-*

26 In seiner letzten Schrift »Die Logik als Aufgabe« (Tüb. 1913), die mir durch die Freundlichkeit des Verfassers noch gerade vor der Abschließung der Arbeit zugesandt wurde, gibt Driesch einen höchst instruktiven Überblick über diese neueren Forschungen und ihre Bedeutung für die gesamte Logik. (Vgl. später unsere Besprechung seiner uns sehr nahe stehenden Auffassung.)

*lebnisse auf den Gegenstand der Aufgabe* fest. Es geht von der ursprünglich bewußt gestellten und gewollten Aufgabe, wie es Ach sehr klar bezeichnet – und diese Feststellung will nichts anderes sein als eine Bezeichnung für jene merkwürdige Erlebnis-Bezogenheit –, eine *»determinierende Tendenz«* aus, die die gegenständlichen Einzelheiten gleichsam zu sich hinordnet. Der die Aufgabe Lösende ist auf sie ungewollt *»latent eingestellt«* (Koffka); denn alle die Sachbruchstücke, die ihm bewußt sich geben, und die scheinbar oft ohne jeden Zusammenhang einander folgen, alle diese zahlreichen Vorstellungen zeigen ihm an dem Zugehören zu irgendeinem Kreise, zu irgendeinem Gebiet überhaupt, eine vollkommen unbewußte Einstellung an. Jenes Mitwissen um die Hineinbezogenheit der Gedanken in die von der Aufgabe beherrschte, gemeinte Fläche, das somit Ausdruck für diese beiden metaphänomenologischen Besonderheiten werden kann, ist eine an allen den betreffenden Aufgaben und ihren Lösungen feststellbare Angelegenheit.

Hören wir uns einmal eine der Aussagen der Versuchsperson an, wie sie Bühler mitgeteilt hat: »Mit all diesen Gedanken war eine Beziehung zu der gestellten Aufgabe bewußt. Das Ganze war vereinheitlicht durch diese Beziehungen; es war eben mein Denken getragen von der einen Idee, gemeinsame Merkmale zu finden, und jene Beziehungen waren der Ausdruck dafür«. Bühler, der daran anschließend über ähnliche Resultate anderer Forscher spricht*, sagt kurz darauf folgendes über die Aufgabe, deren Wesen durch die Untersuchungen eine eigenartige, höchst seltsame Beleuchtung erfahren hat: ». . . Was ist denn die Aufgabe? Watt hat mit diesen Worten einen realen Faktor in den Denkvorgängen bezeichnet, einen Faktor, der neben den Assoziationen zur Erklärung des Vorstellungs- (oder Gedanken-)ablaufes herangezogen werden muß. Ach hat zur Bezeichnung eines ähnlichen Tatbestandes bei den Willenshandlungen den Terminus »determinierende Tendenz« geprägt. In beiden Fällen handelt es sich um ein Geschehen. Unsere

* Vgl. K. Bühler, Tatsachen und Probleme zu einer Psychologie der Denkvorgänge, in: Archiv f. d. gesamte Psychologie Bd. IX (1907), S. 297-365 u. Bd. XII (1908), S. 1-92

Beziehungen sind Inhaltskorrelate zu diesem realen Faktor, in ihnen kommt es zum Bewußtsein, daß die Aufgabe wirksam ist. Die Aufgabe selbst ist dabei im Bewußtsein meist nicht durch besondere Inhalte vertreten. Sie ist inhaltlich nichts als der zweite Beziehungspunkt für jene Beziehungen, ein Punkt in dem Sinne, daß er oft nur durch diese Funktion im Bewußtsein nachzuweisen ist.«
In diesen Worten ist, logisch genommen, das Wesentliche für unsere Absichten geleistet: Zum ersten Male ist der Geist, das sinnseelische Leben, als Ganzes beobachtet; es handelt sich jetzt nur darum, noch einmal die Angelegenheiten uns klar werden zu lassen, welche in unserer Betrachtung der Wissenschaft eine so starke Betonung erfahren sollten: einmal in der Unbewußtheit der Ideation das Selbsttätige des zureichenden Geschehens, und zum andern in dem Mitwissen um das Beheimatetsein des Ideates in einem größeren Zusammenhang die Bezogenheit der sinnhaften Einzelheit in den zusammenhaltenden ganzhaften Komplex.
In dem Prozeß einer Lösung, wie in dem Gange wissenschaftlichen Denkens, ist das eigentlich Tätige, das in zureichendem Sinne lösende Moment, unbewußt. Die determinierende Tendenz der Aufgaben und die latente Einstellung des Denkenden sind die beiden theoretischen Ausprägungen für Wesenszüge eines seiner Natur nach noch ganz undurchsichtigen Aktiven, von dem wir nur eben dies aussagen können, daß es tätig sein muß. In der Wissenschaft äußert sich nach unseren Forschungen dieses Schaffende speziell als das ideierende Moment, als das, was die Ideation geschehen läßt, die durchaus dem Denken unbewußt arbeitet.
Das Mitwissen um die Zugehörigkeit spontan auftretender Gedanken und Gedankenketten zu einem Ganzen, zu einem übergreifenden Zusammenhang, welches eine typische Erscheinung bei der Lösung irgendeiner Aufgabe darstellt, hat sein ganz entsprechendes Gegenstück in dem Mitwissen des Forschers um die »Bedeutung«, um das Hingehören, das Geborgensein seiner Ideate in irgendwelchen umgreifenden Kreisen oder Ganzheiten. So wie hier niemals eine Orientiertheit, eine Problemstellung, überhaupt irgendeine wissenschaftliche Tat ohne dieses Mitwissen möglich wä-

re, sei es als phänomenologische Tönung, sei es als begriffliches Erkennen von Zusammenhängen, so käme in gleichem Maße niemals eine Lösung zustande, wenn nicht ihre gedanklichen Bausteine im Lichte der Aufgabe, in einer tatsächlichen Bezogenheit auf sie als Einheit stünden. Ein Mangel daran zeigte eben nur an, daß jenes Es nicht arbeitet, nicht aktiv ist; die Aufgabe bliebe ungelöst.

Es wird gut sein, noch einmal auf den Unterschied zu achten, der bei dieser Parallelisierung sich für die Wissenschaft ergeben muß. Es ist natürlich ohne weiteres klar, daß ein Forscher, der sich eine besondere Aufgabe gesetzt hat, bei der Lösung als individuell Denkender diesem »psycho«logischen Gesetz, dieser typischen Erscheinung unterstehen muß, und daß mithin alle einzelnen Forschertätigkeiten, eben weil sie Einzeldenken darstellen, jede für sich, abgegrenzt durch die personhafte Einheit des Wissenschaftlers, unter echten determinierenden Tendenzen geordnet sind, die von den selbst gestellten Einzelproblemen ausgehen. (Vgl. hierzu die kurz danach folgende Erörterung der Auffassung Drieschs.)

Etwas ganz anderes aber heißt es, und darauf legen wir ja gerade das einzige Gewicht, daß die über die zeitlich nacheinander folgenden Abschnitte übergebaute Gesamttätigkeit des wissenschaftlichen Prozesses in seinem So-sein und seinen wahren Elementen, den Ideaten, der Lösung einer Aufgabe gleicht. Der eigentliche Gang der Wissenschaft, das sich weiter vervollständigende Kulturgebilde, zieht hindurch durch die individuellen Personen, durch die Forscher, welche lediglich psychische Träger, aber nicht seine logischen Elemente darstellen.

Vielleicht ist noch nicht genug geklärt, was uns als das innere tertium comparationis erscheint, was uns, kurz gesagt, zwingt, eine Analogie mit dem psychischen Einzelleben für das intellektuelle Gesamtverhalten zu bilden. Es ließe sich ja denken, daß man eine andere Beziehung finden könnte, welche den Zweck wesenserhellender Deutung wissenschaftlichen Benehmens gleichzeitig mit einer weniger zum Mißverständnis verleitenden Form verbände; denn immer liegt bei einem derartigen Vergleich, wie wir ihn unternehmen wollen, die Gefahr nahe, dem Vorwurfe des Psychologismus ausgesetzt zu sein.

Nun erblicken wir die Eigenart der Wissenschaft *nicht in dem Ideat als Begriff und seinem idealen Gesetz,* welches ja nur Material, Mittel – wenn freilich auch das elementare letzte – darstellt, sondern in dem *Zusammenhange des Begreifens,* des Ideierens. Demnach ist das weder ein rein logisches, noch ein rein psychologisches Problem, sondern seiner Natur nach beides und mehr noch, ein Neues: beides in Vereinigung. Problematisch ist uns nur, wie jenes Kontinuum der Ideationen erhalten wird, wie der unausrottbare Zwang zum Begreifen im Seelischen des einzelnen Forschers gewahrt werden kann. Daher mußte man in Erkenntnis dieser sonderlichen Lage eben eine Antwort finden, die in gleichem Maße der bedeutungsmäßigen wie der rein psychologischen Seite der Frage genügen konnte. In der Tat bieten hier die denkpsychologischen Forschungen über die »Wirkungen« von Aufgaben das Einzige dar, welches über Sein und Geschehen eines sinnseelischen »Materiales«, d. h. *des Geistes,* Auskunft gibt.
Diese unsere Ansicht von der Wissenschaft als Lösung einer Aufgabe – doch nur ein Mittel für uns, dem tätigen Wesen, dem idealen Gesetze seiner Qualität nach nahe zu kommen, welches Mittel als solches wieder vernichtet werden soll –, die im einzelnen noch zu bestimmen ist, scheint uns in der Tat durch die Heraushebung zweier miteinander identischer Wesenspaare doch ungemein wahrscheinlich gemacht. Wenn ein einschränkendes Als-ob stets zu setzen ist – eins ist uns durch diese neue Betrachtungsweise auf jeden Fall an die Hand gegeben: die Wissenschaft wirklich ihrem Sinne nach nicht nur als eine Denktätigkeit überhaupt, sondern als besondere Kulturform, als Denkgestalt, zu erfassen, in die das Denken sich einfügen muß, um ein ganz Besonderes zu leisten. Nur auf diese Art kann ernstlich die Notwendigkeit des Kulturgebildes dargetan werden, was rein aus der logischen Ansicht des Denkens niemals gelingen könnte.
Diese neue metapsychologische Wendung der Wissenschaftstheorie, wenn man sie einmal so nennen darf, ist uns das ersehnte Mittel, weiter in die Heimat der Ideatsstruktur, in das Reich des für sie zureichenden Grundes hinabzusteigen.

Es trifft sich eigentümlich, daß vor ganz kurzer Zeit in einem ähnlichen Sinne von diesem Mittel des psychologischen Ausdrucks Gebrauch gemacht worden ist, aber, wie uns scheint, doch in anderer Absicht. Und weil gerade die Diskussion über diese innerste Frage der Auffassung vom eigentlichen Werte des psychologischen »Als ob« unsere Stellung ganz klar festlegen wird, so sei sie deshalb an diesem Orte eingeschaltet; sie führt in dem Zusammenhang weiter.

In seinem Buch »Die Logik als Aufgabe« (Tüb., 1913) versucht Driesch, die Logik (als im weitesten Sinne immer »Ordnungslehre«) begreiflich zu machen als die zum Ausdruck gebrachte Lösung der Aufgabe »Ordnungsgefüge« oder »Logisches System«; dieses liefert die determinierende Tendenz, und zwar im engsten Sinne, weil dem Logiker »Ordnungsgefüge« als aufgegebene Idee in der Tat vor seinem Forschen über Logik vorhergeht; darin unterscheidet er sich gerade vom naiven Menschen, der nur auf Ordnung latent eingestellt ist, dem also nicht Ordnung eine – weil nicht bewußt als Aufgabe erlebt vorhergegangen – determinierende Tendenz liefernde Idee sein kann. Der Grund, den Driesch für seine Auffassung anführt, liegt in der Gleichheit der erlebnismäßigen Situation, sowohl beim Nachdenken über gestellte Sonderaufgaben wie beim Nachdenken über Logik. Daher ist es Driesch auch darum zu tun, dieses Objektivieren des Logikers von Endgültigkeits- und Erledigungszeichen, das wie das bekannte psychische Geschehen nach Sonderaufgaben zu denken sei, festzuhalten. Ihm bedeutet also gar nicht das Heranziehen des psychologischen Momentes ein Mittel, sondern selbst Zweck. Darin liegt der erste Unterschied zwischen seiner und unserer Position; womit wir jedoch nicht irgendwie über seine eminent geistreiche Auffassung zu rechten wagen, weil eine innere Kritik den Rahmen unserer Arbeit sprengen würde. Doch scheint uns die Schwere des Problems in ganz anderer Richtung zu wirken. Wir würden Driesch vollständig in seiner Erfassung der Logik recht geben, weil sie ja allein ausspricht, daß es beim Nachdenken über Logik ebenso ist wie beim Nachdenken über eine Aufgabe, wie wir hinzusetzen können, so sein muß, weil beide Male dem Nachdenken eine bewußte Reprä-

sentation der aufgegebenen Idee voranging. Der Logiker setzt sich eben »die Ordnung«, »die kategoriale Geformtheit« oder wie man es nennen will, als Aufgabe und steht deshalb notwendigerweise als Nachdenkender unter ihrer determinierenden Tendenz. Darin, glauben wir, liegt eigentlich keine Schwierigkeit; diese tritt vielmehr sogleich in ganzer Größe in Erscheinung, wenn wir Drieschs Ansicht von der latenten Einstellung des naiven Menschen auf »Ordnung« näher besehen:
». . . auch der Mensch, der im ›Leben‹ steht, will Ordnung und braucht Ordnung . . . Und er denkt genau ebenso wie der Logiker – nur, daß er, gleichsam in ›latenter Einstellung‹ auf Ordnung, lediglich die Ordnungszeichen am Erlebten erlebt, aber nicht, wie es für den Logiker nötig ist, zur vollständigen sparsamen Gewinnung des Ordnungsgefüges, sein Erleben der Ordnungszeichen am Erlebten, . . .« (S. 90).
Hier ist demnach scharf der Unterschied ausgesprochen, den Driesch eigenartigerweise wohl immer sieht, doch nicht zu der wahrhaft zentralen Stellung erhebt. Einmal: der Logiker lebt als solcher unter der determinierenden Tendenz der bewußt gesetzten Aufgabe »Ordnung« im Sinne von »Ordnungsgefüge«. Zum anderen: der überhaupt Denkende lebt »latent eingestellt« auf Ordnung, im Sinne von –? Es zeigt sich mithin, daß der Begriff der Ordnung eine doppelte Bedeutung haben muß; denn auch der Logiker als Denkender überhaupt ist latent eingestellt auf Etwas – nennen wir es mit Driesch einmal *Ordnung* –, was nicht schon selbst die ihm bewußt gewesene Aufgabe »Ordnungsgefüge« sein kann! Diese Aufgabe ist ja nur denkbar kraft der latenten Einstellung auf Etwas! Wie kommt denn ein Mensch überhaupt dazu, sich eine Aufgabe zu stellen, sein Erleben zu erleben in Rücksicht auf ein Moment, d. h. Logik zu treiben; wenn er Logik treibt, dann ist sein Tun geformt durch die determinierende Tendenz; daß er Logik treibt, kann erst sein kraft eines höheren tätigen Prinzips. Die Möglichkeit aber besteht, daß in der Selbstbewußtwerdung des Logikers als eines Wissenschaftlers und demnach Denkenden das ungewußte Ziel der latenten Einstellung sich *darstellt* als bewußte – determinierende Tendenz – bewirkende Aufga-

be, aber nicht in ihrer Totalität, sondern *nur in irgendeiner* ihrer *Gestalten. Das »Ordnungsgefüge« wäre danach eine Form der Ordnung, des »Es«.* Das innerste Problem aber bildete dies, inwiefern der Wissenschaftler, hier also der Logiker, dazu kommt, die Gestalt selbst wirklich zu fassen; und allein hier hat dasjenige seinen Ort, was Driesch in seiner Ordnungslehre als »Vorwissen« bezeichnet hat, aus einem Vorwissen heraus, daß das »Ordnungsgefüge« einer Gestalt des »Es« zum Ausdruck verhilft, hat er gleichsam diese Zeichen am Erleben festgehalten, hat ihn das tätige Es durch die Zeichen festgehalten. Kein anderes Problem ist damit herausgelöst, als das der Mannigfaltigkeitsdeduktion der einzelnen wissenschaftlichen Verhaltensweisen aus der identischen Einen. Ist aber dieses tätige »Es« Gott selbst als das letzte Ganze, dann ist das Objekt der Logik die Form Gottes, wobei Form hier erst andeutungsweise gesetzt sein mag.[27]

27 Vgl. dazu die Polemik und Ansicht Ehrenbergs in seiner Schrift »Die Parteiung der Philosophie« (Leipzig 1911), 1. Kapitel, Punkt 1. Die reine Kategorie wäre mit der obigen Ansicht metaphysisch verankert als das Mittel der Darstellung von Gottes Form oder als Formelement seiner selbst.

# X

Also wollen wir das Wissenschaftsgebilde erfassen als die Lösung einer in ihm als realer Faktor wirkenden Aufgabe, die über dem Gesamtprozeß steht und ihn zu sich hinordnet. Die innere Ordnung des Ideatzusammenhanges soll als das sichtbarliche Zeichen einer emanierenden »determinierenden Tendenz« gedeutet werden, welche durch die »latente Einstellung« des Denkenden und insonderheit des wissenschaftlich Denkenden zur Wirkung gelangt. Das Neue, was wir auch Driesch gegenüber bringen, liegt darin, daß nicht nur die einzelwissenschaftlichen Disziplinen, auch die philosophischen miteinbegriffen, gesondert als Aufgabenlösungen verstanden werden sollen, sondern daß wir das »Ordnenwollen«, aus dem das gesamte theoretische Gebaren, die Wissenschaftlichkeit selbst entspringt, begreifen als latente Eingestelltheit des Lebens des Menschen. Das Hingegebensein an das Unbekannte, welches wir jetzt herauszuarbeiten versuchen, ist seine apriorische, von vornhereinige Existenzform.

Aus der typischen Struktur, die nur bruchstückartig uns vorlag, entwickelten wir, Schritt für Schritt zu dem letzten Ideat weitergehend, das höchste Ganze, außerhalb dessen nichts sein kann und von dem alles, was wir wissen, also auch wir selbst, Teil sein muß. Ein jedes hat in diesem Höchsten seinen wahrhaft ewigen, nicht anders zu denkenden Ort.

Was aber bedeutet dieses letzte Entwickelte, da es aus einem Lösungsgang gewonnen ist? Nichts anderes als die Lösung selbst, aber nicht, wie die ganz besondere Natur dieser Lösung es uns verdeutlichen mußte, in der Totalität ihrer einzelnen Kennzeichen, in dem So-sein der Gesamtheit aller ihrer Teile, sondern allein in ihrem einen Grundzug, dem in ihr gemeinten, repräsentierten Gegenstande. Denn die Lösung in ihrem vollen Umfang darzulegen, ist selbstredend unmögliches Beginnen; nur große Erfahrungsgruppen lassen sich, wie wir das früher versucht haben, in der neuen Gestalt aufzeichnen.

Dieser eine intendierte Gegenstand, der dem gesamten Lösungsgang einer Aufgabe stets zugrunde liegt und den man gemeinhin als den »Gegenstand der Frage« bezeichnet, ist es, von dem wir zweifache Ausprägung kennen.

Insofern also die Wissenschaftsaufgabe dem Gegenstande nach das höchste Eine Ganze, *Gott,* darstellt, wird die Metaphysik es zu veranschaulichen haben, gemäß der logischen Zweigestalt einer »Sache« in einer Aufgabe überhaupt, die Gegebenheiten – hier im ersten Betracht die Wissenschaft selbst – unter dieser Zweiheit des Einen zu begreifen.

Am besten wird man deshalb zunächst so vorgehen, sich die Beziehungen, die in dem Begriff der Aufgabe überhaupt niedergelegt sind, zu vergegenwärtigen; die Anwendung dieses logischen Gerüstes auf das Ergebnis der Wissenschaftstheorie, die Einschmiedung der empirischen Komplexe in den intentionalen Bereich des Gottesbegriffes, bedeutete dann die Entwicklung eines – empirischen – Teiles der Metaphysik. Die Tatsache, daß eine Aufgabe gewöhnlich gestellt ist, hat für uns jetzt – im Gegensatz zu früher – in keiner Weise wesenhafte Bedeutung; denn es kommt nur darauf an, den im Begriff »Aufgabe« gemeinten mannigfaltigen Gegenstand zu isolieren und zu zerlegen: in einer Aufgabe wird ein Sachverhalt gegeben, dem ein anderer Sachverhalt zu seiner »Erfüllung« entsprechen soll. Es läßt sich diese Angelegenheit auch so wenden, daß man sagt: in einer Aufgabe werden zwei Gegenstände niedergelegt, von denen der eine die unentwickelte, der andere die entwickelte Form eines durchgehenden Grundgegenstandes darstellt; hierin ist das Verhältnis der Frage zur Lösung skizziert. Wichtig ist aber noch eine Bestimmtheit, wenn der Begriff »Aufgabe« völlig beschrieben werden soll; dann liegt noch in ihm, daß die Aufgabe »aufgegeben« ist, aber nicht in dem äußerlichen Sinne von »gestellt«, sondern von »in Denken eingegangen«, in »Psychisches aufgenommen«. So bedeutet es logisch noch ein Mehr gegenüber den bloßen Strukturteilen, die in sich ideell verbunden sind, wenn noch eine tatsächliche Verbindung zwischen ihnen implizite gefordert ist, eine Verbindung, die nur durch die Setzung »denkendes Wesen« vollzogen gedacht werden kann. Diese im Begriff

»Aufgabe« ausgesprochene Vollzugsforderung, die sich allerdings auf die rein empirische Tatsache eines vollziehenden Subjektes als denkendes Wesen beruft, gibt den Weg an, auf dem die unentwikkelte Form sich entwickeln kann, sie zeichnet gewissermaßen die Stufen der Lösungen vor. Jene Dreieinheit der Aufgabe, deren Einheit in dem umspannenden Grundgedanken, der Idee des Problems, repräsentiert wird, diese typische Struktur eines jeden Sachverhaltes, sofern er aufgegeben ist, bietet uns das Gefüge dar, an dem eine Metaphysik aufzubauen ist.

Der Eine Gedanke nun, der das Wesen, den Sinn ausmacht, dessen aufeinanderpassende Formen als Frage und Lösung die Bezeichnung einer »Aufgabe« überhaupt erst rechtfertigen, bleibt als solcher durch den ganzen Prozeß unangetastet, in sich beruhend. Wenn irgendeine schwierige mathematische oder geschichtliche Aufgabe ihre Lösung erheischt und sehr komplizierte Etappen dabei durchlaufen werden müssen, um zum Ziel zu gelangen, dann steht – rein logisch genommen – die Idee des Problems, ohne als Lösung oder Frage zu erscheinen, beharrend, fertig, ohne Bewegung über dem ganzen Prozeß. Sie kann weder unentwickelt noch entwickelt, weder intensiv noch extensiv irgendwie gedacht werden, sondern sie ist als der gemeinte Gedanke jenseits von Rätsel und Antwort.

Man darf mithin nun nicht mehr sagen, daß sich der Gedanke weiterdenke, sich entwickle von der Intensität der Frage zu der Extensität der Lösung, sondern er wird erst so gewendet in einer Sphäre des Tätigen, die nichts Starres als solches zu erfassen vermag. Gerade im Erfassen vollzieht sich jene Umgießung, jene Zerlegung des Einen in verschiedene Formzustände, die durch ein Werden zusammengehalten werden. Der Gedanke wird gedacht und muß gedacht, aufgenommen, erfaßt werden, wenn diese Zustandsänderung an ihm auch nur als Erscheinung überhaupt möglich sein soll. Die Idee wird Gedanke. Wenn damit eine Zweiteilung vollzogen wird, die das Reich der gemeinten, beharrenden und der in Frage und Lösung zerspaltenen Idee konstituiert, wie bestimmt sich dann jenes zweite Reich, das letzthin durch die Tätigkeit geschaffen werden soll?

Hier erinnern wir uns unserer eingehenden Untersuchung über das Phänomen der Ideation, die zum Ergebnis hatte, daß das Tätige im erfassenden Subjekt, also in mir als Denkendem, unbewußt angenommen werden müsse, daß es scharf geschieden sei von der bewußten Handlung. Es ideiert in mir, jenes durch mich hindurchströmende Aktive, so konnten wir unser Resultat formulieren; und näher angeschaut offenbarte sich dieses Tätige als das letzte höchste Ganze, als der Kosmos selbst, der einer Aufgabe gleich, »real« wirkend, das Denken zu sich hinordnete. Das höchste Ideat (nichts anderes als der Begriff Gottes) war das Ziel, der Sinn des wissenschaftlichen Strebens als des zusammenhängenden Ideierens. Dieses mußte irgendwie »verursacht«, besorgt sein von einem »Es«, da die Subjektivität als solche bewußt nicht dafür in Betracht kommt. Einen Einblick konnte man nur so gewinnen, daß man den ganzen Wissenschaftsprozeß mit einer Aufgabe und ihrer Wirkung verglich; dann war Gott die Aufgabe und alles daraus erklärbar geworden. War deshalb die Tätigkeit in das höchste Es verlegt, in das Ganze, wie konnte dann diese Überlegung noch zu Recht bestehen, wenn dagegen offensichtlich doch die logische Idee von der absoluten Beharrung des Ganzen sprach?
In einer Aufgabe muß der gemeinte Gegenstand über der Gegensätzlichkeit von Frage und Lösung gedacht werden; die Gegensätzlichkeit entsteht in der Sphäre des Tätigen, diese muß selbst aber wieder in die Aufgabe als das über der Zweiheit stehende Eine hineingestellt werden. Liegt da nicht offenkundiger Widerspruch vor?
Bei einer gewöhnlichen Aufgabe, sagen wir einmal bei einer naturwissenschaftlichen oder ganz alltäglichen Angelegenheit, hebt sich dieser störende Gegensatz sehr einfach durch die Möglichkeit auf, die Tätigkeit in die Sphäre der Subjektivität zu projizieren. Dadurch, daß man eine latente Einstellung des individuellen Geistes auf den ruhenden intendierten Gegenstand der Aufgabe annimmt, erhält man unter dem Ausdruck »determinierende Tendenz« in gleicher Weise Beharrung und Aktivität. Das Ich tut, sich selbst unbewußt, geordnet kraft der Aufgabe, und stellt es, um die Schwierigkeit des Unbewußtseins zu umgehen, so dar, als ob diese

»tue«. Das aktiv denkende Subjekt, welches sich gleichsam in die Ordnung des gemeinten Gegenstandes eingefügt und so seinem Werden Struktur aufgepreßt hat, verlegt zur Verdeutlichung dieses ihm ja unbewußten Geschehens die Aktivität in die Region des ruhenden Gegenstandes. Der ganze Widerspruch läßt sich also durch Setzung eines »Als-ob« beseitigen.

Sehr viel schwieriger, ja unlösbar, scheint das Problem in unserem einzigartigen Falle; einzigartig insoweit, als hier die Sphäre der Tätigkeit, begrenzt durch die erfassende Subjektivität *als Teil in das allumfassende Ganze,* mit in die bewegungslos zu denkende Zone der Idee hineingehört.

Die Aufgabe der Wissenschaft ist Gott; sie ist das Ganze, in dem alles einbegriffen, von dem alles nur Teil ist. Die als nichtwerdend aufzufassende gemeinte Idee, auf die der Wissenschaftler latent eingestellt ist, bedeutet nicht nur einen ihm vorliegenden, von ihm verschiedenen, mit ihm auf gleicher Stufe stehenden Gegenstand, den er zu erfassen hat, sondern sie ist das Welt-Eine, von dem er selbst als Teil lebt und zu dem er gehört, wie irgendeine Linie oder ein Punkt zu einer mathematischen Figur. Die aktive Region des erfassenden Subjektes, die einzig mögliche Stätte der Tätigkeit, ist Bestandstück des unbewegten Einen Ganzen. Sicherlich liegt hier eine sehr schwer aufhebbare Schwierigkeit.

Wir haben eine determinierende Tendenz des obersten Ideates auf den Wissenschaftsgang festgestellt, wir haben mit gutem Rechte der Erfahrung gemäß von einem Prozeß gesprochen, der das Wissenschaftsgebilde darstellt, wir sind zuletzt auf das denkende Subjekt, genauer auf mein Ich in seinem Werden, zurückgegangen – die Gegensätzlichkeit bleibt in vollem Umfange bestehen: das allumfassende Ganze kann kein Werden zeigen, wenn es das höchste überhaupt Setzbare sein soll – und seine Teile haben Geschehen. Wie, so können wir unser metaphysisches Grundproblem formulieren, ist diese Gegensätzlichkeit zu vereinen, worin hebt sie sich auf? Diese letzte Frage leitet kurze Betrachtungen ein, welche das absolute Wesen, die begriffssprengende Bedeutung des letzten Ideates, durch eine Bemessung und Verwertung entscheidender Erfahrungskomplexe begreifend näher umschreiben, gleichzeitig dadurch dem Empirischen den möglichen metaphysischen Hintergrund geben sollen. Für ein solches Ziel müssen wir natürlich in dem Rahmen dieser ganzen Arbeit uns nur mit den Umrißlinien begnügen, und man wird uns keine Oberflächlichkeit vorwerfen können, wenn man sich dessen bewußt bleibt. Daß wir im Gegensatz zu den vorangegangenen eindringlicheren Nachforschungen noch diesen bloß entwurfsmäßigen Abschluß bringen, ist in der Forderung nach vollständiger Abrundung unseres Planes begründet.

Um diese Angelegenheit gewissenhaft und vollständig, soweit es irgendwie geht, zu erledigen, wollen wir genauer die für eine Metaphysik in Betracht kommenden Tatsachen oder Tatsachengruppen herausheben und sie daraufhin prüfen, ob sie dem Gedanken des Allganzen »widersprechen« – dann fiele das Problem ohnehin – oder zum mindesten, ob sie sich nicht in ihn einfügen lassen. Es wäre ja sehr leicht möglich, daß – so richtig an und für sich die Wesenheit des letzten Ideates erkannt sein mag – doch Bestimmtheiten vergessen sind, die ihm erst in der Tat die alles einschließende und aufhebende Gewalt zusprechen.

Man kann sagen, daß zwei Haupteinwürfe von der Erfahrung aus gegen die Idee eines universellen Kosmos möglich sind, die unbezweifelte Tatsache des *Zufalls* im weitesten Sinne und das *Werden.* Wie sehr summarisch wir gerade diese Fragen, die für eine normative Metaphysik von allerhöchstem Werte sind, behandeln, zeigt mit aller Deutlichkeit unsere scharf begrenzte Absicht in dieser Arbeit.

# XI

Der Zufall, der Irrtum, das Böse[28] – kurz alles Nichtordnungshafte, Ganzheitszerstörende, war von jeher das Hauptargument gegen den Gedanken einer Ordnung, das Dasein dieses μὴ ὄν gab den Anlaß zur Mythologie und zur Theodizee: es sollte unter jeden Umständen das Ganze irgendwie gerettet und gerechtfertigt werden. Wie ist in einem harmonischen Weltsystem etwas Disharmonisches, in dem Gotte etwas Gottfeindliches möglich? Es wäre von uns ein Fehler, von vornherein diese nun einmal bestehenden Tatsachen zugunsten einer Ordnung umzudeuten und im Bösen das Gute sehen zu wollen; das geht nicht an. Vielmehr könnten wir uns, ganz abgesehen von der Willkürlichkeit des Verfahrens, das schon aus diesem Grunde abgelehnt werden muß, höchst wertvoller Hinweise zum Weiterkommen für die Entwicklung und Überwindung des Problems berauben! Fruchtbarer wird es sich gestalten, selbst die Begriffe etwas näher zu prüfen, ob sie sich nicht wenigstens auf Einen ordnungswidersprechenden Begriff reduzieren lassen.

Immer dann sprechen wir von Zufall eines Sachverhaltes oder in einem Sachverhalt, wenn uns dieser nicht irgendwie mit anderen Sachverhalten verknüpfbar zu sein scheint; ausdrücklich sondern wir in dieser Formulierung den echten Zufall von dem für den Erkennenden bereits vorläufigen, nur scheinbaren, ab; indem wir ihn als einen nicht verknüpf*baren* definieren, trennen wir von ihm den nicht oder noch nicht verknüpften Sachverhalt. Gewiß ist das keine qualitativ zureichende Scheidung, sondern es soll dadurch allein die typisch verschiedene Haltung des erfassenden Subjektes gekennzeichnet sein. Diese und jene Angelegenheit hätte nicht so und so zu verlaufen brauchen, dies war vielmehr reiner Zufall: sie hätte auch anders ablaufen können. Man sieht aus dieser ganz

28 Das Häßliche lassen wir, weil es einer Ganzheit nicht entgegenzustehen braucht, vielmehr nur in einer engeren Bedeutung überhaupt die Negation verdient, an dieser Stelle beiseite.

alltäglichen Äußerung, daß einem Sachverhalt das Prädikat »zufällig« stets dann zuerkannt wird, wenn seine Konstellation als auch in einem anderen Sinne denkbar, möglich gewesen wäre. Dieses bedeutet hier der Ausdruck »möglich« neben noch anderen, nicht näher zu erörternden Sinnhaftigkeiten. Aus dieser Überzeugung des Möglichen heraus läßt sich weiterhin der Begriff des Irrtums und teilweise auch der des Bösen verstehen.

Von Irrtum ist immer dann die Rede, wenn ein Sachverhalt unzutreffend (im weitesten Sinn) erwartet wurde, weil nicht aufgezeigt werden konnte, ob dieser oder ein anderer unter den möglichen eintreffen würde; möglich waren eine ganze Reihe. Irrtum entsteht also aus der über Zufälliges gefällten Aussage; diese kann zutreffen oder nicht.

Das Böse nimmt insofern eine isolierte Stellung ein, weil irgendeine Tat – also etwas durchaus Neuartiges für uns – beurteilt wird; und nur dann wird ihr dieser Wert oder sein Gegenteil zuerteilt, wenn sie in ihrer eindeutigen Verknüpftheit als uneinsichtig, möglich gilt; in den Wertungen (nicht in den Werten) bestehen – ebenfalls ein metaphysisch bedeutungsvolles Phänomen – Meinungsverschiedenheiten. Aber losgelöst davon läßt sich das Böse selbstverständlich ebenso rein sinngemäß analysieren wie Zufall und Irrtum. Böse ist immer die Tat, welche einen zu erfüllenden Sachverhalt nicht allein nicht erfüllt, sondern ihn stört oder geradezu aufhebt; welche also eine an sie ergangene Forderung nicht allein außer acht läßt, sondern sie in dem gegenteiligen Sinne zur Ausführung bringt. Welcher Art diese Sachverhalte sein müssen, logisch genommen, wird uns später zu beschäftigen haben; vorläufig lassen wir dieses noch beiseite. Auf jeden Fall muß uns eine Tat aber in irgendeiner Beziehung unverknüpft, im Sinne von nicht notwendig erscheinen, wenn sie überhaupt ethisch gewertet werden will; sonst wäre sie eben natürlich, weil notwendig bedingt. Es setzt mithin die Prädizierung Gut – Böse das Bewußtsein von der Möglichkeit mehrerer Taten für diesen Sachverhalt in seiner ganz bestimmten Zeit- und Soseinsbezogenheit voraus. Die eine Wurzel des Bösen als des Ethischen überhaupt liegt also wiederum in dem Gedanken des Möglichen.

Demnach lassen sich die drei hervorgehobenen Ganzheitszerstörer, Irrtum, Zufall und Bosheit, reduzieren auf den einen Begriff des Möglichen, unter dem hier zu verstehen ist das Bewußtsein von der Ersetzbarkeit dieses einen daseienden Sachverhaltes (auch Tun fällt unter diesen Begriff) durch noch andere hier und jetzt denkbare Sachverhalte. Es soll ausdrücklich nicht damit gesagt sein, daß die drei erwähnten Begriffe aus dem Begriff des Möglichen etwa entwickelt werden könnten; von einer Deduktion ist hier gar keine Rede. Sondern diese drei lassen sich alle unter Zurückbeziehung auf diesen einen Begriff verstehen, er ist auf jeden Fall eine ihnen allen gemeinsame Wesenheit und für sie notwendige Bedingung. Damit verlassen wir dieses Gebiet der einer allumfassenden Ordnung widersprechenden Ideen, die insgesamt aus dem Bewußtsein des Möglichen, der Nichtnotwendigkeit entspringen; sie sind ermöglicht durch die mangelnde Einsicht in eine absolute höchste Eindeutigkeit der Beziehungen.[29]
Die andere große Tatsache, die unserem aus der Wissenschaftstheorie gewonnenen Gottesbegriff als dem vollendet bewegungslosen werdensfreien Ganzen direkt zu widersprechen scheint, ist die Tatsache des Werdens. Sie zu leugnen, hieße alle Erfahrung eines jeden Dinges der Welt unmöglich machen; denn im Werden spielt sich unser eigenes Ich, spielt sich Natur und Kultur ab. Alles Daseiende – nicht alles Seiende – ist in einer Form gegeben, die wir die Zeit nennen. Näher auf den Zeitbegriff einzugehen und in ihm

29 Daß wir uns überhaupt etwas näher mit dem alten Problemkreis zu beschäftigen wagen, scheint im Interesse der Erforschung der Wesenheit des tätigen Einen als latente Einstellung erzwingenden höchsten Ganzen – in der Wissenschaft – begründet. Leider befinden wir uns mit unserer Auffassung hierfür nicht ganz im Einklang mit Driesch, der in seinem Aufsatz »Über die Bestimmtheit und Voraussagbarkeit des Naturwerdens« (Logos IV, Heft I, Tüb. 1913) in durchaus konsequenter, doch wohl etwas zu sehr an die Erfahrung sich haltender Weise einem universellen Ordnungsmonismus den Dualismus als durchaus mögliche Anschauung gegenüberstellt; denn es gibt eben Nicht-Ordnungshaftes. Er gesteht zu, daß man das Moment der mangelnden Einsicht zur Rettung der Allordnung heranziehen kann; nur betrachtet er das lediglich als einen Ausweg, während dieser uns gefordert erscheint, *mitgegeben als Lücke* an der Erfahrung, die nur in diesem Sinne ausgefüllt werden soll.

die reine Dauer von der objektiven Naturzeit zu sondern, können wir uns hier ersparen. Auf jeden Fall ist dieses Nacheinander der daseienden Gegenständlichkeit, das bloße Folgen vom Jetzt ins Damals, die ursprünglichste Tatsache, die wir – rein erfahrungsmäßig gesprochen – kennen.
Aber nicht allein dieses bloße Werden und Vergehen besteht, sondern es kompliziert sich außerdem noch in einer bedeutungstragenden Form, in der Form der Entwicklung.
Entwicklung bedeutet mehr als nur bloßes Nacheinander, ist entweder Auseinanderfaltung, so wie wir eine zusammengerollte Fahne entfalten, ent-wickeln, oder echte Evolution von geringerer zu höherer Mannigfaltigkeit, Schöpfung, wie sich beispielsweise die Entwicklung des Organismus vom Ei zum fertigen Individuum darstellt. Es liegt für uns an dieser Stelle, gerade wie beim Zeitproblem, kein Grund vor, tiefer einzudringen, vielmehr ist es vollkommen ausreichend, auf die Tatsachen und Auffassungen hinzuweisen; deshalb unterlassen wir es auch, die eine Form der Evolution mit der anderen enger zu verknüpfen, oder sie auf einen gemeinsamen Typus zurückzuführen. Es kommt uns nur darauf an, gerade an die in ihrer Komplexheit so »wesentlich« erscheinenden Werdensformen zu erinnern, um die Eigenart des metaphysischen Zwiespaltes von Erfahrung und Forderung zu beleuchten; denn es soll diesen Tatsachen ihr Sinn erhalten bleiben.

In der Gegenwart ist der Unterschied von freier Entwicklung als einer sich mit jedem Werdeschritt ganz neuschaffenden Evolution, als unendlicher Schöpfung, und als einer zielstrebigen, ganzheitserfüllenden Entwicklung scharf betont worden; die erste Ansicht vertritt Bergson, die zweite Driesch. Diese beiden prinzipiell verschiedenen Ansichten erhalten metaphysisch noch später ihre mögliche Ausdeutung, und es wird sich bei dieser Gelegenheit wohl auch eine Entscheidung treffen lassen. In der Tat scheint die gesamte Erfahrung vom Dasein und seinem Werden durch diese höchste Ideatsetzung des vollendeten Ganzen in keiner Weise erklärt zu werden, und selbst wenn wir alle Entwicklung auf das eine große Schema des bloßen Nacheinander legen wollen – auf das es

sich einmal sicher reduzieren läßt –, so bleibt doch immerhin dieses Faktum uns durchaus fremd.
Wir hätten demnach die beiden großen Erfahrungskomplexe, das Bewußtsein von der anderen Möglichkeit, um es kurz so zu nennen, als scheinbare Aufhebung der Allordnung, und das Werden als Widerspruch zu der vollendeten ruhenden Ganzheit, dargestellt. Jetzt muß es das Bestreben sein, diese Gegensätzlichkeiten, ohne sie irgendwie zu verzerren und in ihrem Wesen zu trüben, in der höchsten Ideatsetzung aufzuheben. Aber es fehlt uns noch ein großes Tatsachengebiet, das seiner Besonderheit nach weder dem Gottesbegriff – immer natürlich als höchster Ordnung, als Harmonie! – widerspricht, noch ihn geradezu stützt. Dieses erweist sich vielleicht – wir können das nur vermuten – als ein Anzeiger dafür bedeutsam, *wie* die Widersprüche aufgehoben werden möchten und welche Rechtfertigung die *Tat* vor dem Forum einer Wissenschaftstheorie erhalten könnte; immerhin kann es als eine sehr erwünschte Verdeutlichung des Werdeproblems gefaßt werden, wie es ja auch in der Geschichte der Metaphysik und in den christlichen Gedankenkreisen eine große Rolle gespielt hat.
Dabei haben wir jene Verkettung von Sinnhaftem und Sinnfreiem im Auge, von Universalem und Materialem; die Existenz der Begriffe, der Bedeutung, das Sein des »dritten Reiches«, wie es Simmel genannt hat, das Hineinverflochtensein des »Überzeitlichen« ins »Zeitliche« bildet die letzte befremdliche Gegensätzlichkeit für eine umgreifende Einheit.
Von einer Beschreibung muß die Logik wie die Metaphysik ausgehen, und ganz deskriptiv einmal gefaßt, ist das Bedeutungsvolle eine Konstellation an Etwas, eine Getöntheit, welche, rein phänomenologisch gesprochen, ein Empfangen, ein Anklingen in mir auslöst; jenes mein Mitschwingen ist es, das ich auf »Bedeutungen« als sein Korrelat beziehe. Es finden sich nun, darauf liegt besonders der Nachdruck, diese eigenartigen Konstellationen stets an etwas gebunden vor, welches selbst nicht bedeutungshaft ist; dieses ist bloßer Träger, das ὑποκείμενον des Sinnes. Der Sinn aber besteht nur mit ihm als Sinn und offenbart sein wahres selbständiges Wesen als reiner Logos, sobald die Doppelstruktur er-

kannt und die Einsicht in die Notwendigkeit eines πρότερον τῇ φύσει des Sinnes erstanden ist.

*Zwei* Stufen der *Materialisiertheit des Logos* kennen wir, die, jede in sich abgeschlossen, doch untereinander in Verbindung zu bringen sind.

Die erste Stufe der Verkettung ist das Denken des Logos, damit die Geburt des Sinnes, der fortgetragen wird in dem Strome des psychischen Werdens; die Bedeutungen, wie sie aus der seelischen Hülle hervorleuchten, sind in Daseiendes eingebettet, das Phänomenale ist mit dem Psychischen verwachsen, aber es kann als solcher der reine Geist durch das Meinen befreit werden; in der Intention sind die Bedeutungen nicht mehr Konstellationen oder Tönungen, sondern sie werden mehr, sie offenbaren sich als Eigenwesen; ihre Selbständigkeit, ihre Gefügtheit in sich selbst tritt zutage, wenn sie intendierte Gegenstände geworden sind; erst dann bestimmt sich in Wahrheit ihr Vermögen, einem »Reiche« anzugehören. Es sei das aus dem Grunde erwähnt, daß nur durch die Heraushebung von der Möglichkeit des Eigenbestehens des Logos die Eigenart der Verkettungstatsache scharf zum Ausdruck kommt.

Wir übersehen nun nicht die eigentümliche Konsequenz, welche einer derartig orientierten Logik immer gewisse Schwierigkeiten machen muß, daß eigentlich der Sinn ohne die psychische Sphäre und umgekehrt die seelische ohne die phänomenale (Linke)* nicht bestehen kann. Die Intention setzt deshalb nur den dem Sinn entsprechenden Gegenstand.

Schon ganz kurz vorher deuteten wir an, welcher Natur dieser gemeinte Gegenstand ist: er repräsentiert jenen Bestandteil des Sinngebildes, der als das ὑπερκείμενον den Sinn überhaupt erst konstituieren kann, wenn er aus seinem Bestehen »für sich« am Psychischen »anders« wird. Die Psyche wird zur Bühne des Logos. Die Bedeutung, die phänomenale Sphäre, in ihrer Unselbständigkeit wahrhaft verstanden, setzt mit zwingender Notwendigkeit eine Seinsform, die vor aller Verbindung mit dem »fremden« Da-

* P. Linke, Die phänomenale Sphäre und das reale Bewußtsein, Halle 1912

sein besteht, fordert den reinen Logos in seinem Zurückgezogensein in sich selbst. *Der Sinn ist der Logos in seinem ersten Anderssein.* Zu dieser Annahme wird man ohne weiteres getrieben, wenn man von der gegenwärtigen Logik der Sinnstrukturen ausgeht.

Es besteht die Möglichkeit, die zu diskutieren ich hier nicht unternehme, daß das oberste Ideat, das seiende Ganze, als die regulierende »Ordnung«, die im »Vorwissen« arbeitet, als die oberste Kategorie oder Form Gottes diesen absoluten Logos darstellt.

In der zweiten Stufe der Materialisiertheit ist, in seinem zweiten Anderssein, der reine Geist gebunden an das Daseiende der »Natur«. Der gedachte Gedanke bindet sich an Materie oder Materienbezügliches im Raum, er legt sich gleichsam auf die Naturdinge darauf und gibt ihnen spezifische Form; die Gesamtheit dieser materialisierten Formen, und unter ihnen die gedachten Gedanken, stellt die Kultur dar, in dem Sinne, daß auf jeden Fall das Denken Ein Anlaß der Formgebung war, die Kultur zu bilden, wenn selbstredend damit auch für alle Disziplinen, vor allen Dingen für die gar nicht näher untersuchten, nicht behauptet werden soll, daß es der einzige Anlaß sei; das käme bei der Kunst und dem Staatsleben, in denen ganz andere Ideen wirken, zu offenen Ungereimtheiten. Für das Kulturgebilde Wissenschaft läßt sich, wie wir wissen, das Ideierende, letzten Endes das Ganze, als der wahrhafte Formgeber verstehen. Auf dieser zweiten Stufe aber zeigt sich weiterhin die Erscheinung, daß die Kulturelemente selbst sich entwickeln und ein typisches Werden haben, das sich entweder zu einem einzigen Ziele, zu einer einzigen Erfüllung hin ordnet oder aber, seine Ziele gewissermaßen stets in neuer Form erfüllend, nur Umänderung an seinem Werdensgange erkennen läßt. In dieser Zwiegestalt prägt sich die Kulturgeschichte aus als ein besonderer Abschnitt der gesamten Historie überhaupt. Denn die Geschichte ragt – als größtenteils ja unbekannte Phylogenie des Lebendigen und des Anorganischen, also als Naturgeschichte – über das sich allmählich mit ihm verknüpfende Kulturgeschehen zurück: eine Einsicht, die für die Metaphysik von einer ganz bestimmten Bedeutung sein muß.

Dieser Prozeß der Materialisierung von dem Denken des Gedankens, also von seinem echten Sein als Sinn, bis zu seiner Entwicklung in der Geschichte, die allmähliche »Verwirklichung« des Geistes über die beiden Stufen hin, gewährt – rein tatsächlich genommen – einen Ausblick in jenes Reich des Daseienden, welches wir die Natur nennen. Hier ist also unter »Natur« auch das Seelische mit einbegriffen, wohingegen die nur seienden Objekte außerhalb ihrer Grenzen stehen. Das Reich des Daseienden erscheint hier als das Mittel, mit dem der Logos sich entfaltet, als die Fläche, auf der der reine Geist sich als Kultur aufzeichnet, ja überhaupt erst in der Tat solche entstehen lassen kann. Trotzdem müssen wir uns hüten, zu sagen, daß der Logos sich entfalten müsse und dazu eine Natur brauche; ein damit zum Ausdruck gebrachtes metaphysisches Prinzip vermögen wir noch nicht aufzustellen, vielmehr ist jene eigenartige Verbundenheit von Sinn und Dasein und ihre Entfaltung lediglich Tatsache, vorerst weiter nichts.

Über diese Deutung, wenn wir das einmal ohne Emphase so nennen wollen, diese enge Ansicht der Natur als Trägerin von Kultur, von Sinnhaftem, von Logos werden wir aber sofort hinausgetrieben in ein umfassenderes Begreifen dieses Reiches. Es wäre niemals von diesem Standort aus zu verstehen, warum das Gebiet eine so ungeheure Mannigfaltigkeit der Formen und Wesen birgt. Vor allen Dingen spricht mit Schärfe gegen diese bloße Mittlerrolle der Natur ihre offenkundige Kulturfreiheit in großen Epochen ihrer Geschichte, in gewaltigen Gebieten ihrer Gegenwart. Die Tatsache des Belebten und seine Gliederung, des Anorganischen in seiner unübersehbaren Detailliertheit weist gebieterisch der Natur eine zweite selbst-ständige Bedeutung zu. Immerhin ganz zwingend, dem müssen wir zustimmen, ist jenes vorgebrachte Argument noch nicht. Aber eine Angelegenheit spricht in positiv entscheidendem Sinne dafür: die Ähnlichkeit und die Gesetzlichkeit der Naturformen.[30]

30 Es kommt hinzu die Wertbarkeit der »naturhaft« gewordenen Gebilde; eine Bestimmung, die für die reinen Naturformen mit der Prädizierung »Schön-Häßlich« eine Erweiterung zu fordern scheint. Im übrigen, wie auch eine transzendentale Logik sich die Strukturiertheit des Materialen denken mag, es muß eine

Diese über weite Werdensabschnitte hin konstanten Züge, diese auffällige Regelmäßigkeit der Erscheinungen in ihrem Zusammenhang, die nicht irgendwie durch die Richtung der Subjektivität, durch das Erfassen selbst hervorgerufen sein kann, sondern – wir sprechen hier immer feststellend – dem Erfassen geradezu gegenüber gedacht werden muß, das, um es einmal sehr kurz auszudrükken, die geeignete Konstellation für die Ideate darzubieten »berufen« ist – alle diese Momente des für sich Bestehenden, der auf sich nur gestellten Geschlossenheit des Naturreiches, fordern, ihr noch eine Eigenbedeutung zuzusprechen, auf die wir freilich nur am Schluß flüchtig hinzeigen wollen.

Diese sehr eigene Struktur der naturhaften und naturhaft gewordenen Gegenstände führt in einen anderen Tatsachenkreis hinein, welcher der Sinn-Daseinsverknüpftheit durchaus entspricht, nur in dem entgegengesetzt gerichteten Sinne! Dort war es die Materialisierung des Logos, das Naturwerden des Sinnes in der Kultur und ihrer Geschichte, hier ist es der umgekehrte Prozeß der Logisierung der Materie, des Seinwerdens des Daseins.

Die Gesamtheit des Natürlichen (soweit es von Anfang an nur ein solches war, wie auch das Natürlichgewordene, also der materialisierte Sinn selbst) wird durch den Ideationsgang der Wissenschaft allmählich vergeistigt, in das Ganze hineingehoben; ja auch die komplizierten Realisierungen des Sinnes und ihr Widerspiel, die Erfüllung des Wirklichen mit Bedeutung, die an allen Orten des kulturellen Schaffens vollzogen werden müssen, sind im Grunde der wissenschaftlichen Tat wesensverwandt. Ihre Mannigfaltigkeit muß für uns jedoch zurückstehen; uns genügt an diesem Ort die Analyse der Logisierung im engen Sinne.

Die Wissenschaft stellt zuerst Regeln, Begriffe und Wertbeziehungen niederer und höherer Allgemeinheit, dann endlich Gesetze und umfassende Werte auf, und so wird allmählich dieses für sich bestehende Reich des Daseins seiner Einkleidung befreit und dem

Empfänglichkeit und eine typische Verteilung ihrer in ihm vorausgesetzt werden, eine Prästabiliertheit irgendeiner Art, wenn das Gefüge der Dinge in seiner Ordnung verständlich werden soll. Problem der Anwendung der Kategorie!

Logos zurückgegeben. Dieser Gang bietet sich für die rein naturhaften Gebiete (in den Naturwissenschaften) als ein einmaliger Prozeß dar, für die Kulturgebiete hingegen gewinnt dieses Geschehen einen höchst seltsamen Ausdruck. Hier, wie es die Wissenschaft und die anderen Kulturdisziplinen deutlich an sich erfahren[31], ist ein unendliches Werden, in dem die Verwirklichung des Geistes und die Vergeistigung des Wirklichen zwei einander mitsetzende, in ihrem Wesen verknüpfte Prozesse sind, von denen der eine nie ohne den anderen zu denken ist und welche beide, gegensätzlich gerichtet, eigentlich einander in diesem Betrachte aufheben. Eine unendliche Rückkehr des Logos zu sich selbst und seine damit notwendige Entfremdung in die Natur hinein, diese beiden Formen gehören zum Wesen der Wissenschaft als Phänomen. Es muß eben der unendliche Ideationsgang vollzogen werden, da das Ganze sich nur in seinem Durchgehen durch die Subjektivität erfassen läßt.

Einige Unterscheidungen werden die Sinngebung und Daseinswerdung noch etwas deutlicher erscheinen lassen. Alle Kultur stellt sich ohne weiteres dar als materialisierte Idee; (wobei »Idee« einmal alles intensiv Formgebende sein soll). Für das Gebilde »Wissenschaft« ist diese Idee der Logos, das Ideierende; Wissenschaft ist der »Fleisch gewordene Gott.«

Davon unabhängig wird mit der Wissenschaft aber doch wieder ein anderer Prozeß zum Ausdruck gebracht – von den anderen Kulturgebilden sehen wir ganz ab –, indem das Sein wie das Dasein, also »Natur«, »Seele«, »Geschichte«, »Kultur« usf. verarbeitet, vergeistigt werden durch Wert und Gesetz. Mithin stellt also auf jeden Fall einmal die wissenschaftliche Tat zweierlei vor, in dem, was sie »tut«, und in dem, was sie »ist«: in ihrer logischen Bedeutung, ihrem Sinne vollzieht sie die Auferstehung des Fleisches und des Geistes, die Logisierung des Daseins und des Seins; in ihrer metaphysischen Bedeutung realisiert sie den Geist, materialisiert sie den Logos. Diese beiden Prozesse sind natürlich nur

31 Die Komplexion, die in den Kultur-wissenschaften auftreten muß, ist logisch recht reizvoll, bringt aber nichts eigentlich Neues.

metaphysisch entgegengesetzt; nicht etwa daß sie sich irgendwie in ihren gemeinten Gegenständen entgegenstünden. So muß also der Verwirklichung, der Tat, eine geheimnisvolle Bedeutung innewohnen, im Vollzuge muß eine Forderung erfüllt sein.
Sollte uns nicht diese höchst seltsame Angelegenheit einen tieferen Einblick in das Wesen von Natur überhaupt tun lassen; zwingt uns nicht jene entgegengesetzte Werdensrichtung, die beiden Ausdrucksarten von Naturhaftem und Sinnhaftem als Seiten, als verschiedene Ansichten, vielleicht als zwiespältigen Ausdruck einer Beziehung eines übergegensätzlichen Wesens anzunehmen?

# XII

Genug, wir haben die Tatsachen reden lassen und sie in scharfes Licht zu rücken versucht; jetzt wird es das Ziel bedeuten, die Widersprüche und die ganz unerklärten Angelegenheiten unter dem Prinzip des Bildes von der Aufgabe in das höchste Ganze einzuordnen, so daß nicht nur die Gegensätzlichkeiten schwinden, sondern alles in gleichem Maße gegründet erscheint. Dabei »hebt« sich aber das Bild von der Aufgabe gleichermaßen mit weg, weil es nicht mehr fähig ist, die neuen in der Tat jegliche Formen zersprengenden Inhalte zu fassen.

Erinnern wir uns daran, was die letzte Paradoxie besagte, kurz bevor wir uns vor ihrer Revision den Fakten zuwendeten; das letzte Ganze muß ruhend, starr und vollendet gedacht werden, wenn man nicht in den Fehler verfallen will, die Möglichkeit höherer Ideation über ein Werden zu vergessen. Das Ganze war die Aufgabe eines seiner Teile, der erfassenden, personhaften, aktiven Subjektivität; die determinierende Tendenz sollte auf eine latente Einstellung des Teiles zurückgeführt, jede Tätigkeit aus dem Ganzen verbannt werden, – und doch mußte sie einem ihrer Teile eignen.

Nun, die Tatsachen haben uns über dieses Problem nicht eigentlich hinweggeholfen; aber sie lassen sich vorläufig einmal in einer außerordentlich einfachen Weise unter diese beiden gegensätzlichen Beziehungspunkte des tätigen Teiles und des ruhenden Ganzen einschalten und aus deren gegenseitigem Einfluß verstehen.

Stellen wir deshalb einfach an die Spitze der metaphysischen Lösung einmal den seinem Sinn nach auf jeden Fall unbezweifelten Satz: ein Teil erfaßt das Ganze. Dieser Satz selbst wird der Metaphysik später zum Problem, jetzt soll er uns nur dazu dienen, die weiteste Klammer zur Umfassung der Tatsachen abzugeben. Nehmen wir, Schritt vor Schritt, wie unser Weg war, die empirischen Komplexe auf: ihre Auflösung wird alsdann zu folgen haben. Die ersten Tatsachen, die direkt einer höchsten Ordnung geradezu widersprachen, waren Irrtum und Zufall, als beide gegründet in dem Bewußtsein der anderen Möglichkeit. Genauer ausgesprochen, diese beiden ordnungsgegensätzlichen Fakten hatten eine gemeinsame Wurzel, welche in dem Mangel an Einsicht in irgendeinen Sachverhalt genauer gekennzeichnet ist. Irrtum ist der auf das Erfassen gewendete Ausdruck für ein Bewußtsein, daß für diese Tatsache in ihrem »Hier-Jetzt-So« noch andere Tatsachen von anderem So-Sein möglich waren. Zufall hingegen ist – letzthin – für bestimmte Sachverhaltsgruppen (zu Unrecht) objektivierter Irrtum. Es läßt sich eben einmal annehmen, daß von einem Zufall nie für eine vollendete Ordnung gesprochen werden könnte, wenn diese Ordnung auch für die kleinsten und scheinbar nebensächlichsten Angelegenheiten voll zur Einsicht gebracht werden würde, welche Ordnung aus der Idee des letzten Ideates als seiend garantiert ist. Dieses, und nur dieses, aber übersteigt – wir erinnern uns unserer Ausführung über die Unmöglichkeit der letzten Ideation – die Fähigkeit des Erfassens. Schon aus der Definition von Irrtum und Zufall, wie aus der Reduktion des letzteren auf das Erste, ging ganz klar hervor, daß eben immer nur die Rezeptivität in ihrer Unzulänglichkeit, sagen wir hier noch nicht den Grund, wohl aber die Ursache jener Ordnungsverzerrung darstellen muß; und daß es nur einer Besinnung auf die täglichen Erfahrungen und ihrer uns ganz geläufigen Rechtfertigungen bedarf, um jeden ernsten Zweifel an einer tatsächlichen höchsten Ordnung loszuwerden. Das bloße Erfassen als der Ausdruck der Beziehung des Teiles zu seinem Ganzen, ist eben für den Teil nicht ein reiner, direkter Gang, sondern es haften ihm allerlei Täuschungen und Fehler an.

Vielleicht werden wir aus den Ausführungen über das Böse, als der dritten ordnungswidersprechenden Tatsache, etwas Tiefergehendes erfahren können, wie dieser Lückenhaftigkeit des Erfassens, die nun einmal besteht, von dem Ganzen aus begegnet wird, wie der zu fordernde harmonische Zug selbst im Disharmonischen sich offenbart, das Teilhaftsein deutlich wird.

Das Böse, so sagen wir, hat mit dem Irrtum und Zufall die Wurzel im Bewußtsein der anderen Möglichkeit gemeinsam, aber eben doch nur soweit es eine ethische Angelegenheit überhaupt ist. Die Gegensätzlichkeit von Gut und Böse wird dadurch noch nicht aufgeklärt. Hier führt erst ein anderer Gedanke wirklich weiter, der den Sachverhalt näher charakterisiert, auf welchen sich die ethisch prädizierte Handlung richtet. Wir haben ihn oben schon enger umschrieben als einen zu erfüllenden Sachverhalt, der eine Forderung in jeweils ganz bestimmter Art zum Ausdruck bringt; wird diese Forderung in ihr Gegenteil verkehrt, dann ist diese ausführende Handlung »böse«.

Es fragt sich aber doch nun ohne weiteres, warum diese Sachverhalte in der oder jener Richtung erfüllt werden sollen, welchen Sinn endgültig diese Forderungen besitzen, *woher* sie ihre *Geltungskraft und -richtung* beziehen.

Die Antwort darauf muß lauten, daß es – worin wir übrigens mit Formungen übereinstimmen, welche z. B. Driesch (in seiner »Philosophie des Organischen«, 2 Bde., Leipzig 1909, zuerst) und Jellinek (in seiner Allgem. Staatslehre, Berlin 1900) geäußert und kritisiert haben – *ganzhafte überpersönliche Zusammenhänge* sind, die zwischen dem tätigen erfassenden Teil und dem höchsten Ganzen sozusagen eingeschaltet zu denken sind, und deren Forderungserfüllung nur für sie, für andere Zusammenhänge dagegen nicht notwendigerweise zu gelten hat. Diese scheinbare Paradoxie, daß in einem schon fertigen vollendeten und starren höchsten Ganzen eine Handlung, die etwas verwirklichen, etwas verhindern will, die sich bald nach diesen Zielen ordnet, bald sich wieder anderen zuwendet, gar keine Bedeutung haben müßte, löst sich eben durch die von der »Erfahrung« aus zu gebende Strukturierung des Ganzen auf, indem man die Handlung nicht in ein Bezugssystem einordnen darf, für das sie gar nicht gemeint war.[32] Die Be-

32 Damit wird ein Fatalismus zur Unsinnigkeit; die Ansicht, daß eine jede Handlung und ihr Ausgang bestimmt sein muß, kann als praktische Maxime derart nicht angenommen werden: denn warum soll die Handlung doch getan werden? Der Sinn, der im Ziel einer jeden Tat ausgesprochen ist, muß dem einsichts-schwachen Teil, der Subjektivität, als Rechtfertiger genügen: ES besorgt schon das Weitere als überindividueller Regulator.

deutung eines Spazierganges oder einer Reise etwa für das höchste Ganze oder selbst nur in dem zu erreichenden Ziel zu erblicken, ist ein ganz vergebliches Bemühen; erst dann wird die Angelegenheit bedeutungshaft, wenn die Zielbeziehung und das Beziehende mit in einen Zusammenhang aufgenommen werden.

Daher wäre es ganz falsch und völlig sinnlos zu sagen, daß eine Tat getan werden oder unterbleiben könnte, da ja das höchste Ganze doch in keiner Weise durch diese Bewegung seines Teiles verändert werden würde. Das stände in einem solchen Widerspruch mit dem Leben, wie er schärfer gar nicht auszudenken wäre; kennen wir denn das Ganze, steht es etwa außer uns, tun wir etwa nur für Es oder sind wir nicht in allen unseren Regungen Teil und Ausdruck von ihm selbst? Gerade *damit* die guten Taten getan werden und die bösen unterbleiben sollen, gibt es diese ganzhaften einander konzentrisch umschließenden Zusammenhänge, diese verschiedenen Sphären, auf deren Charakter jeweilig sich die Aktivität des Teiles zu beziehen hat. Zugegeben also, daß das Handeln auch in dem höchsten Ganzen – wenn auch nicht *für* dieses – seinen Sinn behält, wenn es nicht direkt auf dieses, sondern auf in diesem eingebettete Zusammenhänge von niederem und höherem ganzhaftem Gepräge bezogen wird, so fragt sich doch immer noch, was diese einander umgreifenden Zusammenhänge bedeuten sollen.

Hier kommen wir wieder auf das Problem zurück von der Lückenhaftigkeit des Erfassens überhaupt, von dem ja das Handeln, die bewußt-zielsetzende Tätigkeit, nur Teil darstellt. Lösen können wir das Problem allerdings hier nicht, davon ist gar keine Rede, aber als fundierende Tatsache gewinnt es, muß es ja auch seiner elementaren Natur nach, höchste erklärende Kraft.

Die Unsicherheit des Erfassens hat in der Form der Handlung eine, wie man sagt, praktische Bedeutung, deren Kriterium letzthin natürlich nur quantitativer Natur sein kann. Je unmittelbarer, je »näher« gewisse Bezirke dem tätigen Teil stehen, desto mehr oder weniger »praktisch« werden sie für ihn, desto größer oder geringer ist ihr Einfluß auf die bewußte zielsetzende Tätigkeit. Die ihm am nächsten liegenden konzentrischen Sphären ganzhafter Natur, wie Familie, Bürgerschaft, Staat, Nation, Rasse und

Menschheit können ihm nicht seine Teilheit an einem höchsten Ganzen überhaupt verdeutlichen, sondern sie vermögen kraft ihrer Nähe ihm seine Teilhaftigkeit nur an diesen ganzhaften Zusammenhängen unmittelbar oder mittelbar ins Bewußtsein zu rufen. Hier weiß er sich also schon als *Teil von Etwas,* das ihn über- und einbegreift. Nun könnte man ja der Ansicht sein, daß eben dann, wenn er seine Teilnatur für irgendeine Sphäre, die für ihn noch in Betracht kommt, begriffen hat, ein Stillstand eintreten könne. Aber dort macht sich alsdann jenes weitertreibende Moment bemerkbar, wie wir es aus dem Ideationsgange her schon kennen, das niemals für die Einsichtigkeit wie demnach im Grunde für ein Erfassen überhaupt, ein Ende, einen Abschluß, einen wirklichen Frieden in irgendeiner bewältigten Höhe duldet, sondern dieses Erfassen vor sich hertreibt von Zusammenhang zu Zusammenhang bis in das nieerreichte unerreichbare Ganze selbst.

Darauf gründend muß für eine Wissenschaftstheorie die Bedeutung der Tat als solcher einmal darin liegen, daß sie den aktiven Teil, in unserem besonderen Fall den personhaften Kreis des an sich Tätigen, über eine Sphäre in die nächste hineinhebt oder, genauer beschrieben, ihm den Abschluß, das Fertiggestelltsein seiner Arbeit für einen Zusammenhang, das Weiterkommen in seiner Lösung des ihm als Aufgabe gegebenen Ganzen offenbaren, in seine Sprache übersetzen soll, dessen er sich am Ende als Teil weiß; gleichzeitig aber setzt die Tat ihm neue Zusammenhänge, die problembergend fremdartig wieder vor ihm stehen. Dieser ganze Gang des Erfassens von Tat zu Tat bedeutet also für den erfassenden Teil ein Näherkommen dem letzten allumfassenden Ganzen. Es muß die Tat getan sein, damit das Erfassen in ihr oder mit ihr sein Ziel finde, damit der Teil das Ganze begreife. Gut ist demnach die Tat, welche die tätige Subjektivität dem Ganzen irgendwie »näher« zu bringen imstande ist, böse die Tat, die ihn von diesem entfernt; das gilt sowohl von der wissenschaftlichen wie von irgendeiner anderen; sofern sie selbst wieder Material der Ideation werden, also Objekte der Wissenschaft, gehören sie zum Reich des Daseins, an sich selbst aber bedeuten sie Vollzug eines Gebotes: denn in jeder Tat wird etwas vollbracht für irgendein Ziel, sei es in der Kunst, im Staatsleben oder irgendwie: dort haben sie ihre eigene metaphysische Bedeutung. In der Wissenschaft erhellt sie aus der Absicht des Erfassens, insonderheit des Begreifens. Die Tat als Mittel hat selbstredend verschiedenen Sinn, für eine Wissenschaftstheorie aber (wie übrigens für alle entsprechenden Disziplinen der Metaphysik) gewinnt sie als Erscheinung noch ihr eigenes Gesicht. (Wir heben hier wieder die logische und ethisch prädizierte Tat heraus, legen auf die ästhetisch beurteilte jedoch noch nicht den Nachdruck.)

An jeder werthaften Tat nun verdeutlicht sich zweierlei Wesenheit, einmal die Tatsache der Materialisierung und Entmaterialisierung und zum andern der Wertgeltungsanspruch als solcher.

Jede Tat ist begleitet, ja noch mehr, wird sie erst selbst, wenn sie dem Geist, der Idee das materialisierte Gepräge gibt, Tat ist die Eingießung des Geistes in den Körper der Natur. Weiter aber bedeutet sie eine Umschöpfung, bedeutet gleichzeitig mit der Materialisierung des Logos die Logisierung der Materie; das wissen wir ja schon aus früheren Betrachtungen. Jede echte Ideation ist imgleichen das Denken des Sinnes, und durch ihn die Sinngebung von Dasein; diese beiden aneinander vorbeiziehenden Prozesse werden in der (wissenschaftlichen) Tat vollzogen.

In Wahrheit wird hier also die Gegensätzlichkeit von Logos und Materie, von Sinn und Dasein als den beiden Ausdrucksformen des neutralen Wesens *überwunden*, aus dessen unerfaßbarem Stoffe der Gott gewebt ist. Darin liegt die tiefste metaphysische Bedeutung der Tat, insonderheit der wissenschaftlichen, nicht allein, daß sie dem erfassenden Teil das Ganze zu geben sucht und ihm dieses Ganze im Geben gewiß macht, nicht allein, daß sie aus diesem ihrem Berufe als nur notwendig für den Erfassenden, als sein »erweitertes Selbst« erkannt wird, sondern daß sie in ihrer einzigartigen geeinten, verschmolzenen Natur, so wie sie gelebt wird, *selbst die Übergegensätzlichkeit, das sinn-materiale Jenseits geradezu repräsentiert.* Noch einmal muß am Schluß an diese letzte Merkwürdigkeit gerührt werden.

Was nur können demnach die Werte in ihrem Geltungsanspruche bedeuten; dieses Problem führt uns hinein in die letzte Region unserer metaphysischen Betrachtung, in dem sie ihre bisherigen Formulierungen fallen lassen muß, weil das Werden fällt.

Unser Beispiel von der ethisch gewerteten Tat muß jetzt schärfer gefaßt werden, damit wir an den eigentlichen Kern des ganzen Wertproblems selbst rühren. Gut nannten wir jede Tat, die uns dem höchsten Ganzen näher bringt, böse diejenige, welche uns von ihm entfernt. Zuzusetzen ist selbstverständlich immer, daß dieses »näher« und »ferner« allein für den Erfassenden und sonst natürlich gar keinen Sinn hat; was aber bedeutet es, hier wieder ganz für die Wissenschaft gesprochen, daß wir weiterkommen? Doch sicherlich noch mehr, als daß Es weiter ideierte, als daß neue Ideate auf uns herabgekommen wären; nun, genauer betrachtet, zeigt sich eben in Klarheit, daß wir bewußt zielsetzend, bewußt nach Werten handeln mußten, damit durch uns weiter der Strom der Ideation hindurchgehen konnte. Es ist gerade ein ganz anderes Bild als dasjenige, das man gewöhnlich vor Augen hat: daß man nur in den Strom zu steigen brauche, um von ihm fortgetragen zu werden. Hier ist es so, daß der Strom der Ideation uns erreicht ohne unser geringstes eigenes Zutun, aber daß *wir genau darauf zu achten* haben, nicht immer wieder aus seinem Treiben ans Ufer zu geraten. Die Einstellung, die Konzentration des Bewußtseins, das forscherliche Bemühen, die gesamte absichtsvolle Tätigkeit des Wissenschaftlers, durch Ziele, die sich auf ihn selbst wie (kraft der aufgetretenen Ideate) auf die Sache beziehen, sein Handeln der Ausgießung des Geistes empfänglich zu gestalten, erscheint als das *einzige* wahrhaft *bloß subjektive* Leben des Gelehrten: *es ist die Demut als die einzige Tugend vor Gott.*

Gewiß, es war ja unsere erste Tatsache, daß die Ideation geschieht und die Allgemeinheitsfindung nicht ein Handeln, sondern ein Geschehen darstellt. Aber es zeugen sich in keiner Weise die Ideate in uns fort ohne unser Zutun, sondern wir müssen diese latente Einstellung, in der sich die wissenschaftlichen Generationen befunden haben und befinden, bewahren, auf daß das Ganze seine determinierende Tendenz ausüben könne und wir uns seiner mehr

und mehr bewußt werden. Damit liegen die Beziehungen offen vor Augen, die zwischen den Werten und der »Aufgabe« bestehen.
Aus der Aufgabe heraus erfährt der Teil seine Ordnung, seine Anweisung, sich überhaupt in einer Form zu bewegen, die Werte müssen ihm dazu dienen, daß er dieser Ordnung selbst folgen, daß er die Aufgabe in der Tat lösen könne; sie sollen ihm dazu verhelfen, daß er bei allen seinen bewußten Handlungen, welche die Aufgabe erfüllen und verwirklichen sollen, diejenige Einstellung bewahre, in welcher er sie selbst überhaupt erst lösen kann.
Sie sind das bewußte Surrogat einerseits, das sich ihm vorstellt und nach dem er handelt, als ob es die zu erfüllende Aufgabe selbst wäre. Er bezieht – wir betonten das ja schon bei früherer Gelegenheit – in diesem Sinne sich falsch. Nicht Wahrheit und nicht Ordnung im Sinne von Maxime und System stellen die Aufgaben des Erkennens dar, sondern allein das höchste alles umschließende Ganze; dieses aber vermag sich dem Teil nicht vor-zu-stellen, sondern es wirkt, es reguliert ihn zu sich hin (– vom Erfassenden aus gesprochen –). Die Werte ersetzen ihm auf diese Weise sein wahres Ziel, indem sie selbst als Ziele funktionieren, indem sie Aufgabe-Stellvertreter bedeuten, deren Sinn darin nur liegt, daß sie – als Handlungsendstadien vom Erfassenden betrachtet und gewollt – kraft determinierender Tendenz ihn zu sich hinzwingen, damit aber noch ein Mehr ihm geben: den Fortschritt im Wege zum Ganzen überhaupt, den er sonst nicht einmal hätte finden können! Er erschafft sich diese Grenzen, damit er nicht dem Grenzenlosen gegenüberstünde, welches niemals ihm bewußt werden könnte – und werden kann. Den Weg zu Gott findet er nur in dem Abfall von Ihm.
*Das Reich der Wirklichkeit als die Herrschaft des Sinnes erschafft er sich in bewußter notwendiger Abtrünnigkeit von dem höchsten Ganzen, welches ihn mit dieser Abkehr gleichsam überlistend zu sich hinzwingt! Der Sinn und die Geltung der Werte bleibt nur erhalten unter der Bedingung der Nichtbezogenheit auf Gott, deren Sendung und Botschaft ja doch nur aus ihm verstanden werden kann! Das Selbst der Ideen trotzt wider Gott aus göttlicher Natur.*

Zum andern erscheinen die Werte als Maximen des Handelns, als diejenigen Bestimmtheiten, gemäß denen nach Möglichkeit verfahren werden soll. Hier sind sie den Markierungen an einem unendlichen, ungewissen Wege zu vergleichen, den der Erfassende nun einmal zu gehen hat. Er braucht die Wegweiser, um nicht vollkommen vor einem Problem in seinem Handeln dem Zufall preisgegeben zu sein; es genügt nicht, daß dieses Mitwissen um das Eingebettetsein seiner Ideate in höherer Ordnung und die Einsicht aus den Ideaten ihm Orientierung in seinem Forschungsgange gewährt; damit er vorher orientiert sei, braucht er die Werte als Wegweiser. Gutheit, Wahrheit sind in diesem Verstande echte Maximen, die, wie es ja auch schon im Worte liegt, Handlungsordner darstellen sollen, soweit es in ihren und des Handelnden Kräften steht.

Direkt daran anschließend können wir in Kürze auf eine Ansicht eingehen, die gegenwärtig Driesch in seiner »Ordnungslehre«, Jena 1912, geäußert hat, und zu der wir, wenigstens in einer Hinsicht, hinneigen. Driesch betont mit Recht, daß sich die Werte in einen obersten Wert fassen lassen, den Urwert oder den Vorwert, wie er ihn nennt, die »Ordnung«. Nach unserer Zweiteilung der Funktion der Werte würde Ordnung als Urwert sowohl verstanden werden können als oberster Ausdruck für alle Markierungen wie für alle Ziele. Ordnung könnte die höchste Maxime und die letzte bewußte Setzung sein, nach der wir uns ordnen. Driesch aber hat noch mehr gesehen, wenn er Ordnung den Vorwert nennt, der in einer ganz mystischen Weise vor allem Setzen, vor allem Werten steht; wir wissen jetzt, daß er hier Ordnung als Aufgabe gemeint hat.[33]

Aus dieser dargelegten Beziehung des erfassenden Teiles zu den Werten und der Aufgabe wird die Aufgabe des πρότερον τῇ φύσει, dasjenige, was in Wahrheit vor allem stehen muß, damit das andere denkbar wird. Die Aufgabe kann für sich sein, als bloßer

33 Zur Vermeidung von Mißverständnissen würden wir allerdings vorschlagen, in der letzten Bedeutung, als Vorwert, den Terminus »Ordnung« fallen zu lassen und an seiner Stelle das noch über »Ordnung« stehende »Ganze« anzunehmen.

Sachverhalt, als Idee oder »Gegenstand« des Problems, aber nicht eigentlich im strengen Sinne als Aufgabe; als solche erst sind mit ihr die Werte gegeben, d. h. für den Erfassenden gibt es keine Aufgabe ohne Werte und keine Werte ohne »Aufgabe«. Die Geltungsrichtung in Wahr und Falsch, in Gut und Böse, wohl auch in Schön und Häßlich, wie ihr eingeborener Geltungsanspruch, kann jedoch niemals frei für sich bestehend, sondern nur als Ausdruck einer »Aufgabe« gedacht werden; die Werte sind von eines Höheren Gnaden, ihre Geltungsheimat ist das Reich mit seinen Provinzen, den »Aufgaben.«

Hat so die Metaphysik die Mannigfaltigkeit der Erfahrung in einem sehr weiten Maße aus ihrem einen empirischen Prinzip der Ganzheitserfassung des Teiles, anfänglich mit Hilfe des Bildes von der Aufgabe, eingeordnet, so stellt sich ihr noch immer ein Problem entgegen, das nicht in den Zusammenhang sich einfügen will, die Tatsache des Werdens.
Überall mußte die Metaphysik auf diese Beweglichkeit im Nacheinander – für das Dasein wie für das Erfassen selbst – stoßen. Muß sie da nicht jenen einen einzigen schon so oft für andere Probleme gewählten Weg beschreiten, der das Problem immerhin außerordentlich vereinfacht: daß die erfassende Subjektivität die einzige Beweglichkeit in dem Ganzen darstelle, aus dem sich das Werden in seinen Formen herleiten lasse? Wir sind der Ansicht, daß sie allerdings, weil es eben der einzige Ausweg überhaupt ist, ihn gehen muß. Doch ist er in diesem fernsten, jede Vorstellungsmöglichkeit weit hinter sich lassenden Sinne mehr noch als nur Ausweg; er offenbart sich letzten Endes als eine Bestätigung.
Setzen wir wieder einmal voraus, daß die personhafte Subjektivität das Ganze erfasse, wird sie dann dieses unendlich in sich beruhende Vollendete jemals als solches wirklich »mit einem Male«, d. h. ohne jede Form, aufnehmen können? Wenn wir vor einem riesigen Panorama, einer umspannenden Aussicht stehen, so müssen wir sukzessive die Augen hin- und hergleiten lassen, wohl auch den Kopf wenden, wenn wir den gesamten Prospekt anschauen wollen. Nur in der Form der Sukzessivität vermögen wir das in

sich Abgeschlossene zu fassen; aber trotzdem wissen wir, daß die Landschaft ruht und daß wir uns bewegen, jedoch nur aus dem Grunde, weil wir *um unsere eigene Bewegung wissen*! Wie sehr wir gerade in solchen Angelegenheiten dem Irrtum unterworfen sind, beweist uns die allbekannte Täuschung im ruhenden Eisenbahnzug: wenn wir einen anderen fahren sehen, beziehen wir dessen Bewegung fälschlicherweise auf uns. In anderer Weise besteht die berühmte astronomische Täuschung, daß wir die Erde für ruhend halten und die Bewegung allein in die Himmelskörper verlegen. Denken wir uns nun einmal, gestützt auf diese Erfahrung, daß wir durch besondere Einrichtungen imstande wären, uns das Panorama sukzessive vor Augen führen zu lassen, ohne daß wir auch nur die geringste Bewegung selbst auszuführen hätten oder irgendwie die mit uns vorgenommenen Aktionen merken könnten: dann würden wir mit großer Wahrscheinlichkeit uns der Täuschung hingeben, daß sich das Panorama – und zwar in einer unserer eigenen Bewegung entgegengesetzten Richtung – drehte; gewiß dauerte diese Täuschung ihrer außerordentlichen Widerspruchshaftigkeit halber nur sehr kurze Zeit, denn wir sind es eben ganz anders gewohnt.

Wenn wir dieses Bild auf das Problem des Werdens anwenden, so wird ganz zweifellos eine außerordentliche Vereinfachung die Folge sein: die erfassende Subjektivität ist vor den unendlichen starren Prospekt des letzten Ganzen gestellt; um sich nun dieses Unendlichen zu bemächtigen, muß sie sich bewegen, muß sie in der Form des sukzessiven Erfassens an dem Ganzen gleichsam entlang gleiten.

Nun wissen wir aber – und hierdurch kommen uns die Tatsachen in ganz überraschender Weise entgegen –, daß ihr eine bestimmte Art, wir sagen der Vorsicht halber nicht die einzige, des eigenen Lebens – das Ideieren – unbewußt ist; in einem ganz ausgesprochenen Sinne aber unbewußt, daß sie nämlich, so sehr sie sich auch darum bemühte, dieses unbewußten Geschehens *niemals* sich bewußt werden könnte. Es gehört das Erfassen zu ihrer Struktur, zu der Daseinsform ihrer selbst; sie kann sich gar nicht nicht erfassen wollen, es sei denn, daß sie sich vernichte; das ist das Entscheidende daran. Um es einmal recht zu verdeutlichen, könnte man sagen, die Subjektivität kann nun einmal aus ihrer Haut nicht heraus, sie kann nicht ihre Form verlieren oder aufgeben, die sie besitzt. Jenes »Erfassen« liegt also ganz im Grunde des Subjektes, fern von dem Spiel bewußten Fassens und »Erkennens«, doch alle seine Tätigkeit tragend und – innerlich – durchdringend. Da die Subjektivität also von ihrer Bewegung – in diesem Sinne – nichts weiß, und sogar nichts wissen kann, sollte sie sich dann nicht täuschen, wenn sie das Werden in das Dasein verlegt?

Ja, noch mehr, weit komplizierter wird die Täuschung, deshalb auch viel leichter zu übersehen, wenn sie das Werden *in sich selbst* als eben doch daseiende Gegenständlichkeit projiziert und auf diese Weise ihr ganzes Erfassen unter die eine große Form des Prozesses selbst bringt; wenn sie also von der Dauer und dem Werden ihres »Ich« spricht!

In der Tat, es bleibt gar keine Wahl zwischen den Möglichkeiten, sondern es ist der Metaphysik aus ihren sicheren Resultaten die absolute Bewegungsfreiheit und Starrheit – im irdischen Sinne – des höchsten vollendeten Ganzen gewiß und eine unumstößliche Forderung, ja logische Gegebenheit, gegen die keine Erfahrung anzustürmen vermöchte. Das ganze Werden des Daseienden und mit ihm das Werden der daseienden Subjektivität selbst, das Erfassen des sich darstellenden Teiles, das in keiner Weise für die Erfahrung geleugnet werden soll, kann keine Absolutheit besitzen, sondern stellt sich als eine Täuschung des Teiles gegenüber der Wesenheit des Ganzen heraus. Da der Teil seine ureigentliche Beweglichkeit niemals selbst beobachten kann – ein höchst wichtiges Anzeichen dafür war uns ja die Ideation –, so projiziert er diese seine eigentliche Leistung heraus in diejenige Sphäre, die sich ihm gemeinhin darstellt, in die Region der daseienden Gegenstände.[34]

Als das wichtigste Resultat aber bei dieser neuartigen Betrachtung darf wohl das gelten, daß der Grund – oder sagen wir besser die Ursache, denn einzusehen vermögen wir es in der Tat nicht – des

34 Nicht in die der seienden Objekte, weil hier von vornherein die Bedeutung einen Riegel vorschiebt.

Werdens nicht das Werden des erfassenden Teiles ist, sondern dieses selbst wieder hervorgerufen ist aus der einzigen unbewußten, ganz und gar verborgenen, irgendwie seienden Beweglichkeit des Teiles, welche mithin als die gemeinsame Eine Quelle verstanden werden muß, aus der die Werdensform und ihre Komplexionen für das Dasein wie für das Subjekt, als »meine Seele«, stammen.

Wir müssen sogar noch einen Schritt weitergehen (welcher vollkommen durch das Frühere vorbereitet ist), um den Ort des Bewegungsursprunges zu bestimmen: es ist das reine, nie setzbare, alles setzende Ich, welches den wahren und einzig lebenden Boden des subjektiven Ich (des »Ich« im täglichen Sinne) und die mit dem »Es« gemeinsame Sphäre darstellt.[35] Das reine Ich, welches niemals in dem »Mich« erfaßt werden kann, da es sich ja überhaupt allein bestimmt als das, welches alles Daseiende, Darstellende trägt, (obwohl es, um überhaupt zum Ausdruck zu gelangen, stets als solches gesetzt werden muß); das Einzige nicht Objektivierbare an mir, der Bestandteil an mir, den ich mit dem Worte »ich« meine, der sich mir aber niemals enthüllen kann, da ich es immer bin, der sich auf mich richtet; jenes im Verborgenen bleibende allein Tätige meiner Subjektivität, die Selbstbeobachtung, Erfahrung und Handlung möglich macht: dieses, sagten wir, wird der Träger der werdensschaffenden Beweglichkeit sein müssen. Wir wissen vom Ich nichts, denn wir können von ihm nie etwas wissen – außer, daß es eben besteht –, ohne es selbst zu zerstören. Der Grund zu unserer Annahme liegt ja klar zutage: einmal haben die unbewußte Beweglichkeit und das reine Ich die einzigartige prinzipielle Verborgenheit als Wesen gemeinsam; da ferner eine alles schaffende Subjektivität außerdem wenigstens als die Stätte des Werdensursprunges – früher sagten wir, des Erfassens – angenommen werden muß – und es bleibt da gar kein Ausweg –, so liegt es nahe, beide in einem einzigen Wesen zu vereinen.

35 Es ist das große Verdienst Hans Drieschs, in seiner »Ordnungslehre« auf dieses bei allem Setzen seiende, nie setzbare Ich mit größter Schärfe hingewiesen zu haben; sicherlich bedeutete es für die Methode der Phänomenologie wie der Metaphysik einen großen Fortschritt, dieser Tatsache zentrale Stellung zuzuweisen.

*Dieses einzige Wesen, das nun auf jeden Fall die Subjektivität, also mein Ich, wie es mir gegenübertritt, von Grund aus tragen muß, ist gebildet aus für uns ursprünglich zwei getrennten Stücken: dem »Es«, welches in mir ideiert, und dem rein subjekttragenden Ich, das im »Mich« sein Spiegelbild nie erhalten kann. Ein »Ich-Es«, wie wir es nennen können, in seiner Verschmolzenheit muß dieser wahrhaft absolute Boden des tätigen Subjektes sein.*

Die Erkenntnis, so selbstverständlich sie scheinen mag, bringt aber wirklich etwas Neues, Abschließendes zu unseren bisherigen Untersuchungen hinzu. Vom »Es« wissen wir seine Natur, sein So durch unser eingehendes Nachforschen über die Wirkungsart, die ihm anhaftet: Gott ist es selbst. Vom reinen Ich kennen wir nur einen Sachverhalt: seine spontane Tätigkeit. Ihre Verschmolzenheit fügt darum ein in sich selbständiges Wesen aus unselbständigen Bruchteilen: *den lebendigen, spontan tätigen Gott.*

*Was in der ersten phänomenologischen Sphäre als »Es«, als Fremder auftrat, in der tieferen Schicht des logisch Geforderten »Ich« genannt werden mußte, enthüllt nunmehr seine Einwesenheit. Was bisher bloß formale Idee war: Teilhaftigkeit des Subjektes an Gottes unendlichem Organismus, findet hier seine Erfüllung in der göttlichen Wirklichkeit des lebenden inneren Ich.*

Damit hebt sich für die Metaphysik die höchste Gegensätzlichkeit in der Idee des vollendeten Ganzen auf. Nun steht keine Schwierigkeit mehr im Wege, den letzten Schritt zu tun, der noch getan werden muß, die in der Wissenschaft sich offenbarende Beziehung des Teils zum Ganzen als eben die Bezogenheit vollendeter, unendlicher und fester Art zu begreifen. Dafür muß man sich nun aber in strengster Weise davor hüten, dem reinen Ich – und sei es auch nur implizite – echtes Werden, d. h. echte Sukzessivität zuzuschreiben. Nichts wäre verhängnisvoller als dieser Rückfall in frühere Erkenntnisstufen. Wir haben beabsichtigterweise nur von »Beweglichkeit« gesprochen und nicht einmal von Dauer oder von irgendeiner sonst bestimmten Form; wir wollten jede mögliche anschauliche Fundierung vermeiden, weil wir über die einmal anzunehmende Motilität auch nicht das geringste näher aussagen können. Also wird man auch nicht dazu gezwungen sein, diese

Beweglichkeit der Starrheit des unendlichen Gefüges entgegenzusetzen. Vielmehr kann in ihr, als einem allerdings durch das Unvermögen der Sprache, solches in Klarheit wiederzugeben, nicht glücklichen Ausdruck, eine Form gemeint sein, die weder Bewegung noch ihr Gegenteil, die Starrheit, ist, sondern ein beide übergreifender, für uns unanschaulicher »Zustand« gleich dem der Flamme.

Für diese aus logischen Gründen zu fordernde Natur des höchsten Ganzen spricht noch einmal die Tatsache des Werdens. Die Homogenität der Zeit – als reiner Dauer wie als Naturzeit – stellt jenes eindimensionale Gefüge dar, auf das jedes Werden sich beziehen muß. Fassen wir nun, wie wir doch dazu gezwungen sind, dieses Werden als das zu Unrecht objektivierte Ich auf, so stellt sich, wenn man es ganz genau sich zur Repräsentation zu bringen sucht, eine Verschmolzenheit zwischen dem Ganzen und seinem Teile heraus; eine Verschmolzenheit, die logisch im Begriff »Teil« geradezu gesetzt ist und die hier fast eine anschauliche Fundierung zu erhalten scheint. Weder das Ganze zieht an dem Teile vorüber, noch der Teil an dem Ganzen; aber der Teil als das reine Ich-Es hat Beweglichkeit, Spontaneität. Und nun ist Teil und Ganzes vereint in einer Art der Bezogenheit, die wir nur – auch der Teil selbst, denn von ihm reden wir ja damit – als Beziehung fassen können. Es ist unmöglich, dieses mit einem Blicke als vollendete Bezogenheit zu umgreifen, weil sie unendlich gedacht werden muß. Die Bezogenheit selbst als Teil und Ganzes ist damit weder reine Starrheit noch echte Bewegung, sondern, kurz gefaßt, Vollendung in Spontaneität.

Achten wir darauf, daß das reine Ich als Teil doch ein »Bestandteil des Ganzen sein muß«, dann wird das Vollendete, das Ruhende, das Starre ebenso, wie es bei der Bezogenheit geschah, noch in einem Höheren aufgehoben: das reine Ich ist das einzig Schöpferische, um das ich – ganz streng genommen – weiß. Dieses Schöpferische gehört zum Ganzen, vielmehr es stellt die einzige Wesenheit dar, die wir von ihm kennen; das einzige Prädikat, das wir der absoluten unendlichen Übergegensätzlichkeit geben können, heißt potentia creandi, Schöpfungs-Fähigkeit. Der Gott muß der – kraft

seiner im Ich auffindbaren Spontaneität – Werdenzeugende Vollendete sein.[36]
Man darf nun nicht uns einen Vorwurf machen, daß wir damit zu einem gänzlich unanschaulichen Ergebnis für diese Bezogenheit gekommen sind; dagegen können wir nicht an, wenn dorthin uns die logische Überlegung treibt. Vielmehr vermögen wir ein Analogon noch anzuführen, das dieses Ergebnis in überraschender Weise vervollständigt.
Wir erinnern uns unserer Ausführungen gelegentlich der Materialisierung des Sinnes und der Sinngebung der Materie in der Tat; in dieser vollzog sich beides mit einem Male. Damals schon deuteten wir kurz an, daß diese Tatsache wohl eine Verschmolzenheit von gegensätzlichen Daseinsformen besagen müsse; in dem höchsten Ganzen würde dieser weder materiale noch geistige Ausdruck dargestellt sein. Wir sind auch hier der Ansicht, daß dieses geradezu Forderung bedeutet, die damit in merkwürdigem Einklang mit unseren letzten Ergebnissen steht. In beiden Fällen sind wir zu einer Übergegensätzlichkeit, zu einer absoluten letzten Jenseitigkeit geführt worden. Wenn man das einmal der Anschaulichkeit zuliebe – allerdings nur in methodischer Absicht – verdeutlichen will, so könnte man sagen: durch die Materialisierung und Logisierung erhalten wir den Einblick in den »Stoff«, aus dem das Ganze gebaut ist, durch Starrheit und Beweglichkeit die Kenntnis über die »Form«, die an dem Stoffe sich ausprägt. Das ist selbstverständlich nur eine sinnliche Konzession, die wir da machen, ihr irgendwie reale Wertigkeit zuzuschreiben, halten wir für völlig unsinnig.
Das höchste Ganze, das letzte Beziehungsgefüge, erscheint somit in seinem Wesen bestimmbar als coincidentia oppositorum, als das Zusammenfallen aller Gegensätze, und damit wird es eben noch

36 Die einzige Metaphysik unserer Tage, die Lehre Bergsons, betont mit Recht das Schöpferische; indem sie aber das Werden selbst schon verabsolutiert – mit Unrecht –, erhält sie den Begriff »des sich machenden Gottes«, der unserer Ansicht nach zu wenig die Vollendung betont, und mit dem »Machen« zu wenig die Grenze zwischen Werden und spontaner Schöpfung, die erst das Werden für die Subjektivität zeugt.

mehr als Harmonie und Ordnung; denn diese sind ja nur für einen Gegensatz sinnhafte Begriffe, der Gott aber ist übergegensätzlich. In dieser Einsicht offenbart sich die letzte Ohnmacht des Begriffs: das höchste Ideat als der reine Logos ist eine Darstellung, ein Hineinzwingen in Form. Gott als das rein Jenseitige kann wohl in ihr gemeint, aber nie gefaßt werden. Die Bedeutung hat ihren eigenen Begriff zersprengt.

Wir wollen unsere metaphysischen Ausführungen mit einer etwas konkreteren Angelegenheit beenden als sie die Ausführung des reinen Begriff-geborenen und gleichzeitig Begriff-aufhebenden Ganzen darstellt. Es soll am Ende nach dem »Sinn« der Wissenschaft gefragt werden, der sich doch nunmehr aus dem Begriff der Ganzheit-Teilbezogenheit ohne weiteres ergeben muß. In manchem Betracht wäre es leichter gewesen, der einfacheren und anschaulicheren Formulierung wegen, an früherer Stelle diese Frage zu beantworten; das war dort durchaus möglich. Wir wollen deshalb auch die früheren Ausdrücke für diesen Zweck verwerten.
Wenn der Teil das letzte Ganze, von dem auch er selbst Teil sein muß, zu erfassen bestrebt ist, dann sucht er nicht nur das Ganze, sondern mit diesem natürlicherweise sich selbst. Wenn er das Ganze begriffen hat, dann hat er damit die Notwendigkeit seiner Teile begriffen; wir wollen nicht sagen, daß sie aus diesem, sondern besser, um das Neben- und Ineinander zu betonen, in diesem mitgesetzt sind. Für den Erfassenden gewinnt das aber eine tiefere Bedeutung: wenn er die Notwendigkeit, die rational logisch zu kennzeichnende Selbstverständlichkeit seines Wesens mit allen Formen und in allen Weisen eingesehen hat aus dem Ganzen heraus, »in reinem Lichte«, dann folgt ihm alles aus seiner eigenen Natur, welche dann selbst Licht ist; nichts ist mehr gebunden, gezwungen, notwendig wie ein ursächliches oder gewertetes Geschehen, sondern selbstverständlich, aus sich klar, frei.
Man mag gegen diese Freiheitsformulierung manches einzuwenden haben, wir glauben, daß sie geeignet ist, scharf gegen die Willkür und ihr entsprechendes Vermögen im rein phänomenologischen Freiheitserlebnis die Grenze zu ziehen; seit Spinoza und

Kant ist diese Ansicht der Freiheit als Wesensgemäßheit – der Zentralbegriff des deutschen Idealismus in der Ausgestaltung seines philosophischen wie seines dichterischen Bewußtseins – fest fundiert. Den Sinn allerdings, daß der Mensch dann absolut frei sein kann, wenn er den Werten in seinem Tun folgt, müssen wir, wenigstens ohne weiteren Zusatz, scharf ablehnen. Die Freiheit ist das Ideal, dem er zustrebt, wie er dem höchsten Ideate zustrebt. Was rein auf den Gegenstand, auf das Ganze gewendet, höchste Einsicht in letzter Ideation bedeutet, das hat, auf den erfassenden Teil bezogen, den Sinn der Freiheit.
Wir geben zu, daß ein Handeln, wenn es Leistungen für diese ganzhaften Zusammenhänge wie Staat, Rasse, Menschheit usw. bedeuten soll und in diesem Sinne gut genannt werden kann, frei vor diesen Werten erscheint, als selbstverständlich, als rational *in dieser ganzheitsartigen Zone* betrachtet zu werden vermag; das ist jedoch nur ein schwacher Ersatz, denn sind einmal die Grenzen dieser Region durchbrochen, dann fühlt sich der erfassende Teil in neuen Banden, und neue von den Werten werden ihm bewußt; auch diese Wertfreiheiten sind den Surrogaten der Aufgabe zu vergleichen, und der Teil muß auch sie, die wertgemäßen Ersatzgebilde des Absoluten, überwinden, um zu dem wahren Ziel zu gelangen; Markierungen sind auch sie, die ihn der letzten Freiheit näher bringen sollen.

Also hätten wir unsere Wissenschaft der wissenschaftlichen Idee in ihren wesentlichen Zügen skizzierend entwickelt; trotzdem wäre es ein großer Fehler, von vornherein anzunehmen, daß man nur auf diesem einzigen Wege zu ihren Gegenständen gelangen könnte. Überall sahen wir ja, wie das metaphysische Resultat über die bloße Wissenschaftsgegebenheit weit hinaus seine Bedeutungen haben wollte für die Gesamtheit der Gebilde überhaupt, die doch alle Teile des Einen Ganzen sind, und wir glauben, daß wir dieses »Hinüberlangenwollen« der Ergebnisse in andere Gebiete, dieses Übergreifen über den speziell wissenschaftlichen Kreis trotz aller notgedrungenen Kürze einigermaßen zum Ausdruck kommen ließen. An diesem Phänomen läßt sich mit Sicherheit ablesen, daß wir, nachdenkend über die wissenschaftliche Idee, selbst von ihr beherrscht waren und Wissenschaft trieben. Rein methodologisch dieses Bedürfnis gewendet, wird damit die Forderung aufgestellt, einer ausgebauten Wissenschaftslehre *eine Kunstlehre, eine Staats-, Wirtschafts- und Rechtslehre, kurz eine Lehre von den Gemeinschaften und ihren Formen, sodann eine Philosophie- und Religionslehre an die* Seite zu stellen. Diese Lehren hätten im Grunde alle dieselbe Methode für ihre einzelnen Sondergebiete anzuwenden; in echt wissenschaftlicher Haltung haben sie aus den mannigfaltigen Verhaltensweisen, die sich in allen Kulturgebilden offenbaren, die ihnen jedesmal gemeinsame, identische herauszulösen, welche somit als das Urbild für die einzelnen menschlichen Tätigkeiten erkannt wird. Daraus sind die letzten idealen Gegebenheiten – wir sagen nicht Forderungen – nach Möglichkeit zu entwikkeln und so die in den Kulturgebilden immanent niedergelegten Gemeintheiten, sei es als Aufgaben oder als andere Beziehungsformen, zu isolieren.

*In dem »Eigentlichen«, in dem inneren unzerstörbaren Wollen, welches das Künstlerische zum Künstlerischen, das Recht zum Rechte macht, welches alle Religionen vereint und alle Denkweisen als Philosophie auszeichnet und sie von Wissenschaft damit trennt, liegt der Kern der Probleme. Und alle diese Urverhaltensweisen würden, wenn sie in Reinheit isoliert sind, schließlich in eine Einzige sich vereinen lassen, welche dann die Struktur der Spontaneität, die Form des seienden Ich und damit Gottes selbst ist. Das universell auf die Kultur angewendete wissenschaftliche Verfahren gibt uns das empirische Prinzip des Gott-teilhaften Menschen; aber nicht mehr.*

*Daß es jedoch ein umfassenderes Prinzip geben muß, das fordert die Natur und die Geschichte. Das Reich des Daseins und mit ihm der Mensch muß eine Bedeutung haben, die durch das universelle wissenschaftliche Verfahren der einzelnen »Kulturlehren« in einen obersten Ausdruck vereinigte Erfahrung muß überempirisch, metaphysisch begründet sein. Gott als das oberste B e z i e h u n g s g e f ü g e muß das letzte B e d e u t u n g s g e f ü g e werden, und diese Aufgabe fällt einer Disziplin zu: der Philosophie. In einem metaphysi-*

*schen Prinzip, in der die potentia dei, Gottes schöpferische Kraft selbst, zum Ausdruck gebracht sein wird, ist der Inbegriff gesetzt, der den Bau und die Art der Dinge als das System zu begreifen gestattet. Die Wesenheit dieses letzten Inbegriffes als der einen Formulierung des Göttlichen bleibt als solche stets außer ihm und muß selbst eingesehen werden als eine zu Unrecht vollzogene Abtrünnigkeit (gemessen an ihrem Sinn), als eine notwendige, mithin absolute Tat, die aber in dem Prinzip, in dem letzten Begriff von Gott wiederum aufgehoben ist. Das Wissen um die Absolutheit ihrer einen Verfehlung, von dem gemäßen Prinzip Gottes eben die Sinngebung der Welt zu versuchen, ermächtigt die Philosophie zu diesem ihrem Beginnen; womit die wahre und strenge Sonderwissenschaftlichkeit des aus dem Prinzip Gottes heraus abgeschlossenen Systems der Philosophie in zwiefachem Verstande gerettet ist: als ewige Bemühung, die Gesamtheit der Gegenstände unter den letzten Begriff einzufügen, und daher abhängig von dem Stande der anderen wissenschaftlichen Disziplinen, mit denen sie das sukzessive Wachstum in der Geschichte ihrer selbst teilen muß. Zum andern: reine Wissenschaft als Geschichte ihrer und der anderen Systeme selbst, deren ewig sich fortzeugende Bewegung durch die Zeit hindurch ein stufenmäßig sich vervollkommnendes Gebilde wie irgendeine Einzelwissenschaft darstellt. Weshalb die Philosophie doppelte Wissenschaftlichkeit (in dem von uns untersuchten Begriffe) besitzt und daher als Sonderform in den Erscheinungen der Kultur eine eigene Studie verlangt. Ihre vereinigende Betrachtung mit der Idee der einzelwissenschaftlichen Disziplinen gibt uns dann die wissenschaftliche Idee in ihrer vollkommenen Gestalt, aus welchem Grunde denn auch eine methodologische Wissenschaftslehre auf der Basis beider für beide die Richtung zu geben hat.* [Darin stimmen wir mit Ehrenberg durchaus überein (Parteiung der Philosophie, Leipzig 1911, S. 36)].[37]

37 Die einzige Philosophie unserer Tage, bei der ich verwandte Ansichten von Aufgabe und Wesen der philosophischen Wissenschaft finde, und die mir erst beim Abschluß meiner Arbeit bekannt wurde, hat Ehrenberg in seinem Buche »Die Parteiung der Philosophie« (Meiner 1911) niedergelegt. Seine trefflichen Ausführungen am Ende des Kapitels über die Stellung der Logik im System wie im Schluß,

*Philosophie ist Universalwissenschaft – denn so charakterisiert sich ihre wissenschaftliche Natur näher – als Wissenschaft des Universalen, d. h. Gottes und als Wissenschaft kraft der Zeit, des durch die Dialektik geschaffenen Universums der Systeme.*

Husserl hatte in dem ersten Band seiner »Logischen Untersuchungen« der Logik die Aufgabe zugewiesen, danach zu forschen, was eine Wissenschaft in Wahrheit zur Wissenschaft, eine Methode in Wahrheit zur Methode mache, inwiefern ein solches Gebilde dem Ziele gemäß sei, dem sie zustrebt. Hierin liegt bereits für das geschärfte Auge die Spaltung der Logik vorgebildet: denn die Einsicht von ihrem rein normativen Beruf setzt ja die Forderung, die Anwendungsmöglichkeit eines bestimmten Maßstabes vorher zu kennen, d. h. sie postuliert Klarheit um das Wesen der »Ziele« vor der Ausübung der normativen Pflicht. In unserer Arbeit ist diese Trennung innerhalb der Logik vollzogen, indem zuerst – in wissenschaftlicher feststellender Weise – das Ziel der Wissenschaften herausgeschält worden ist, dem sie im Geheimen zustreben; die Vorarbeit für eine Wissenschaftslehre als Methodologie ist damit geleistet, jetzt kennen wir die »Zielidee«, den Maßstab. Es versteht sich ohne weiteres, daß die gleiche Zweiteilung für alle Provinzen der Logik durchgeführt werden muß, in denen sie versucht wird. Keine reine Methodologie oder Normierung ohne vorangegangene Feststellung der Maße und Ziele. Die Logik zerfällt in einen rein wissenschaftlichen, »empirisch« aufnehmenden und verarbeiten-

welche den gegenständlich grundlegenden Teil als Theologie fassen, weiterhin manche Bemerkungen über das dialektische Prinzip sagen uns durchaus zu. Der Primat der Theologie charakterisiert in der Tat unser gesamtes systematisches Programm. Das für uns außerordentlich wichtig gewordene Problem des Verhältnisses der Philosophie zu den Wissenschaften dürfte uns jedoch weiter in die ewige Idee der Philosophie hineinführen, als es in den Gedankenkreisen Ehrenbergs bisher hervortrat. Ist es der wahre Beruf aller Wissenschaften, also auch der Philosophie als Einzelwissenschaft vom seienden Ganzen, die Dinge »in Gott hinein wachsen« zu lassen, so kann es nach unserer Meinung allein die Aufgabe der Philosophie als System (dieses wird durch diese Aufgabe zur Notwendigkeit) sein, durch Schöpfung des absoluten Prinzips die Göttlichkeit von diesem selbst, damit von sich und der Gesamtheit, einzusehen.

den, aufsteigenden Teil und einen absteigenden, methodologischen, normativen, richtenden. Daß wir bei der Ausarbeitung des wissenschaftlichen Teiles der Wissenschaftslogik die Absicht hatten, das Ziel metaphysisch zu verankern, ist eine Angelegenheit für sich und braucht sich nicht zwischen die Logik überhaupt und vor eine Methodologie zu schieben.
Die Charakterisierung von der notwendigen Zwiegestalt der Logik, welche in unserem Vorgehen mit eingeschlossen liegt – mußten wir doch für den gesamten Kulturbereich eine wissenschaftliche Theorie zur Analyse der einzelnen Ziele durchführen –, erweist uns mit aller Schärfe die Möglichkeit unseres zurückgelegten Weges. Indem wir eine Logik der Wissenschaft in rein wissenschaftlicher Haltung entworfen haben, wurden wir nach dem ewigen innerlichen Gesetze, dessen Wesensbestimmung uns in dieser Schrift oblag, über die Grenzen der Probleme, an denen wir einsetzten, hinausgehoben. Wir haben jetzt nicht nur die Antwort auf die Frage der Wissenschaftlichkeit, sondern durch ihre alles überbrückende Weite auf das Rätsel des Einheitsuchens überhaupt.
Interessant ist nur, daß wir mit der letzten absoluten Formel unserer Lösung nicht, wie man es doch von vornherein erwarten könnte, die Einsicht in die tatsächliche Gelöstheit unmittelbar zu geben vermögen; denn wir werden – und müssen es, wie gleich gezeigt wird – die Kraft des »Mitsetzens« vermissen, welche wohl sonst ein mathematisches Resultat für alle die ihm vorangegangenen Stufen ausüben kann.

*Unser höchster Begriff des lebendigen Ich-Es, als der letzte, erstmalig aus einer Theorie des tätigen Geistes gewonnene Ausdruck für die in der wissenschaftlichen Haltung ausgesprochene durchgängige Wesenheit des Geistes, ist immer noch eine absolute Tatsache, ein faktisches Moment von Gott. Dieses wirkt erklärend, wenn wir es Schritt für Schritt die Stufen herabführen, über welche wir es vorher gewonnen hatten.*
*In der obersten Schicht steht die reine absolute Jenseitigkeit des übergegensätzlichen Wesens. Um es zu fassen, nannten wir es das Ich-Es, in welchem Begriff das Ineinander von zwei tätigen Prinzi-*

*pien betont war. Das ›Es‹ als eine Erinnerung aus der untersten phänomenologischen Sphäre – hier standen sich das Bewußte und Unbewußte entgegen –, das ›Ich‹ als seine Umschreibung in der mittleren Schicht, in der obersten das im ›Mich‹ erfaßbare und das nie-erfaßte, alles tragende und verborgene Individuum. Aus der innigen Wechselwirkung beider, aus dem Stehen des ›Ich‹ im ›Es‹, welches Gott selbst ist, erklärt sich die Wissenschaft.*

*Diese Wechselwirkung nannten wir auf der untersten Stufe, auf welcher Gott als »Aufgabe« der Subjektivität erschien, »latente Einstellung«; nunmehr kann sie in der mittleren und obersten Schicht, aus welcher jegliches Geschehen von der Idee des absoluten Eingefügtseins in den göttlichen Organismus vertrieben wird, nur noch in einem Begriffe gefaßt werden, der die gegenwärtige Hingabe beider Prinzipe aneinander veranschaulicht und uns so das – immer mittelbare – Verstehen erleichtert. Gott als höchster Begriff, als in die Form des reinen Logos übergegangen, wirkt einer Aufgabe vergleichbar, selbst ruhend und doch tätig: einzig in der Art, wie auf uns ein Ding, ein Mensch, ein Begriff wirkt, den wir lieben.*

*Die seltsame Strebung, welche wir mit »determinierender Tendenz« und »latenter Einstellung« fassen wollten, enthüllt sich jetzt als die Liebe zu Gott. Indem der Teil aber als Glied der lebendigen Gottheit nur mit dem Bande der Liebe in ihr einverwoben ist, offenbart sie selbst sich als ein Gefüge aus Liebe.*

*Die Wissenschaft ist die Inkarnation jenes durch die Demut des Menschen skulpturierten Prozesses, der aus dem* ὡσ ἐρώμενον *Gottes als Logos, aus dem liebenden Beisichsein seiner Selbst als eingeborener Sohn entsprungen ist.* Nicht das Denken als ein adjektivisches Moment einer unmittelbaren Liebe zu Gott wie bei Spinoza, sondern *als die Selbstliebe Gottes zu sich als Logos.*

*Die Liebe Gottes ist es, welche sich uns in der Wissenschaft als einem Einzelgebilde, als einer Inkarnation des »unabweislichen Bedürfnisses« der Vernunft nach Einheit überhaupt offenbart. Vom Erfassenden aus gesprochen:* Gott, ὡς ἐρώμενον *wirkt; dieses ist das Wesen des bewußtlos tätigen immanenten Gesetzes, des Triebes*

*zur Einheit. Gott aber in der besonderen Form der Demut lieben, heißt Wissenschaft treiben. Die Demut als die einzige bewußte Tat verstanden, für die der Gelehrte, das Individuum allein die Verantwortung trägt, und welche sein muß, damit der Zusammenhang der Ideationen gewahrt bleibt, humilitas als das bewußte Wahren derjenigen Haltung, welche als latente Einstellung auf das seiende Ganze sich darstellt. Die Liebe Gottes als sein Leben, um welches wir wissen, erzeugt sich – immer nur mittelbar und Stufe für Stufe verstanden – als die Heimat der monistischen Sehnsucht und ihres einen Gebildes, der Wissenschaft.*
*Der Nachweis der metaphysischen Verankerung eines ewigen Sollens ist gelungen und demnach der Einheitstrieb der Vernunft für eine künftige Philosophie gerettet.*

# Krisis der transzendentalen Wahrheit im Anfang

(1918)

Meinen Eltern
zur Erinnerung an den
30. Oktober 1916

Ich verstehe unter der Analytik der Begriffe nicht die Analysis derselben oder das gewöhnliche Verfahren in philosophischen Untersuchungen, Begriffe, die sich darbieten, ihrem Inhalte nach zu zergliedern und zur Deutlichkeit zu bringen, sondern die noch wenig versuchte Zergliederung des Verstandesvermögens selbst, um die Möglichkeit der Begriffe a priori dadurch zu erforschen, daß wir sie im Verstande allein *als ihrem Geburtsorte* aufsuchen...; denn dieses ist das eigentümliche Geschäft der Transzendental-Philosophie... (B 90/91).
Die Transzendental-Philosophie hat den Vorteil, aber auch die Verbindlichkeit, ihre Begriffe nach einem Prinzip aufzusuchen, weil sie aus dem Verstande als absoluter Einheit rein und unvermischt entspringen und daher selbst nach einem Begriffe oder Idee unter sich zusammenhängen müssen. (B 92)
In dem Ganzen aller möglichen Erfahrung liegen aber alle unsere Erkenntnisse, und in der allgemeinen Beziehung auf dieselbe besteht die transzendentale Wahrheit, die vor aller empirischen vorhergeht und sie möglich macht. (B 185)

Kant, Kritik der reinen Vernunft

Es ist die Autonomie, welche insgemein nur an die Spitze der praktischen Philosophie gestellt wird, und welche zum Prinzip der ganzen Philosophie erweitert, in ihrer Ausführung transcendentaler Idealismus ist. (S. 535)
Denn der Wille, insofern er absolut ist, ist selbst über die *Freyheit* erhaben, und weit entfernt, irgend einem Gesetz unterworfen zu seyn, vielmehr die Quelle alles Gesetzes. (S. 577)
Es ist aber wohl zu denken, daß wenn man von dem Phänomen der Willkühr aus rückwärts auf das ihm zu Grunde liegende hätte schließen wollen, man wohl schwerlich jemals die rechte Erklärung derselben getroffen hätte, ... welches denn ein neuer Beweis von der Vorzüglichkeit der Methode ist, welche kein Phänomen als *gegeben* voraussetzt, sondern jedes, als ob es völlig unbekannt wäre, erst aus seinen Gründen kennen lernt. (S. 578)

Schelling, System des transcendentalen Idealismus
Sämtl. Werke, Ed. K. F. A. Schelling, Bd. III

# Vorwort

Kann es sich nur darum handeln, Voraussetzungen einer Kritik der phänomenologischen im Verhältnis zur transzendentalen Methode gedrängt und ohne jene Anschaulichkeit zu geben, welche ein Verständnis im Hinblick auf den abstrakt-prinzipiellen Charakter des Themas erwarten darf, so muß auf nähere Angabe der Konsequenzen verzichtet werden. Der Anlaß zu diesen Untersuchungen lag in dem Bestreben, den Standpunkt der Phänomenologie, welchen ich (bis in seine metaphysische Konsequenz) öffentlich (1913) vertreten hatte*, als den einzig kritischen zu rechtfertigen; die Sache hat mich zu einem anderen Resultat geführt. Ausdrücklich sei jedoch betont, daß ich diese Schrift nicht als ein Bekenntnis zur kritischen oder wider die kritische Philosophie aufgefaßt haben will. Hier kommt es nur auf die Beantwortung der Frage an: Wie und in welcher Durchführung ist Vernunftkritik überhaupt möglich?

* in diesem Band S. 7-141

# Übersicht

Für das Folgende sei noch bemerkt, daß an denjenigen Stellen, an welchen sich das Wort Reflexion ohne weiteren Zusatz findet, stets die subjektive Bewußtseinsreflexion zum Unterschied von der ausdrücklich als solche bezeichneten transzendentalen Reflexion gemeint ist.



Am Erkenntnisbegriff wird Synthesis erläutert. Die Ursprungseinheit bedeutet ein Problem, welches die Reflexion im analytischen Verfahren zu lösen glaubt. Ihre Leistung, die Abstraktion, erfüllt aber nicht die Bedingungen der Synthesis; trotzdem beharrt die Reflexion unter Berufung auf ihr Prinzip: das Bewußtsein. Indem sie den Standpunkt der Analyse reflektiv verteidigt, verwendet sie den Erkenntnisbegriff der Abbildung des Wesens, widerstreitet also dem ursprünglich gesetzten Erkenntnisbegriff. In Konsequenz dieses Verfahrens wird Ordnung ein Wahrheitskriterium und die Geltung relativiert; Beschreibung tritt an Stelle der Einsicht und der Notwendigkeit, Richtigkeit des Verständnisses an Stelle der Rechtmäßigkeit der Erkenntnis. Nähere Darstellung des Reflexionsprinzips der Analyse. Das Problem der kritischen Möglichkeit bezeichnet die Grenze des (in seiner Durchführung noch konsequent erscheinenden) analytischen Standpunktes.



Das Schema der kritischen Frage nach der Möglichkeit einer Sache ist reine Reflexion als Form der Form; wie jede Synthesis läßt sich das Schema dieses Gegensatzes zur Durchschnittseinheit oder zur Ursprungseinheit durchführen. Die Durchschnittseinheit der Form der Form ist das Selbstbewußtsein, insofern der Gehalt der Einheit als Vollzug eines urteilenden Subjekts gilt. Dadurch gerät der Aussagegehalt in Abhängigkeit vom aktuellen Bewußtsein, die Objektivität scheint von der Realität des reinen Bewußtseins getragen, der Sinn wird zu einer Funktion des Lebens (des Bewußtseins). Folgerichtig stellt sich der Positivismus des Bewußtseins unter den Primat der Gegebenheit. Die Rechtsfrage gewinnt für ihn eine neue Bedeutung: nur Tatsachen haben für ihn den Wert von Rechtsgründen. Dadurch entsteht die Möglichkeit, daß die Geltung – eine Art Sein – durch eine transzendente Begrenzung des Bewußtseins vernichtet wird. Wie der Positivismus des Erlebnisses einerseits zu widersprechenden Konsequenzen führt, wird ihm auch sein eige-

ner Begriff, das Ich, transzendent, d. h. methodisch unfaßbar. Als Standpunkt ist also subjektive Immanenz unmöglich; als Standpunkt hängt die Reflexion in ihrem analytischen Verfahren von einem Prinzip der Synthesis ab. Diese Erkenntnis löst die widersprechende Konsequenz einer Vernichtung des Geltungsgehalts. Das analytische Denken gibt also seine Unselbständigkeit in sich selbst zu, damit es sich nicht in Widersprüche verwickelt. Seinem Verfahren liegt ein Apriori, Identität in der Reflexion (dasjenige, welches es bezweifelt hatte) voraus. Dem analytischen Rechtsbegriff ist jedoch die Reflexionseinheit regulative Idee, nicht konstitutives Prinzip. Für ihn bleibt die regulative Idee nur der Begriff eines faktischen Verfahrens, gewinnt keine objektive Notwendigkeit. Die subjektive Reflexion beweist auf diese Weise, daß sie den Anforderungen kritischer Methode nicht genügt.
Aber die Analysis gibt sich noch nicht verloren: sie beruft sich auf die Gegebenheit der idealen Geltungseinheiten selbst und legt von neuem den Rechtsbegriff auf eine Abbildung von Gegebenem fest. Zu begründen ist diese Theorie des absolut gegebenen Sinnes nur in einer Zweifelsbetrachtung. Ein solcher Zweifel stellt jedoch nichts weiter dar, als das Verfahren der Reflexion nach einem besonderen Prinzip; er bedeutet keinen eigenen Weg, sondern führt den alten. Aus diesem Grunde kann sich die Analysis als selbständiges Erkenntnisprinzip kritischer Methode nicht halten.

### 3. Auflösung des Problems der Synthesis a priori in die transzendentale Methode (Bestimmung der Synthesis) 208

(Genesis als allgemeine Form der Auflösung.) Der Begriff der Synthesis kann selbst nicht analytisch gefunden sein; sonst besäße er keine kritische Gültigkeit. Um seinen methodischen Ursprung zu ermitteln, ist Synthesis selbst vorher zu bestimmen. Die Setzung der Identität Widersprechender erzeugt das Schema der Sukzession (Ursprung der Zeit als Form). Die Auflösungsform der Synthesis ist daher Genesis und kann, *sofern methodische Normierung der Auflösungsform erstrebt und zu besonderem Verfahren erzeugender Anschauung erhoben werden soll,* Prinzip einer sogenannten Dialektik werden. Aber gegen den Standpunkt der empirischen Anschauung und des analytischen Erkenntnisbegriffs überhaupt bleibt das dialektische Verfahren abgegrenzt.
Die Synthesis als transzendentalkritisches Verfahren nach subjektiv-synthetischem Prinzip der Einheit der Apperzeption zeigt die Doppelrichtung zweier einander entgegengesetzter Methoden: einerseits verlangt unmittelbare Anschauung ihre Reduktion auf Prinzipien (regressives Verfahren der Forschung). Andererseits bedarf die Reduktion der Orientierung an dialektischen Begriffen. Die Korrelation beider Wege macht erst die kritische Synthesis der transzendentalen Methode ganz aus. Gemäß der Einheit nach subjektiv-synthetischem Prinzip erhält die Trennung in analytische und synthetische Urteilsarten kritische Bedeutung, eine Trennung, welche für die phänomenologische Analysis gleichwertig bleiben muß. Die Analysis (in kritischer Absicht) führt, wenn isoliert gelassen und ohne Orientierung an der

dialektischen Synthesis, zum Dogmatismus des gegebenen Unterschieds, in welchem ihr das Problem der Synthesis zu analytischer Auflösung im Begriff des Wesens gegeben ist. Die mathematische Naturwissenschaft erläutert das Verhältnis der Orientierung als einer notwendigen Bedingung der Wissenschaftlichkeit empirischer Forschung. Erst die – individuelle Anschauung und allgemeine Konstruktion der Dialektik – umspannende Einheit macht den Begriff der Synthesis a priori nach seinem ganzen Umfang als kritische Methode aus.

4. Begründung der Synthesis a priori 234

Worin begründet sich das a priori der transzendentalen Methode selbst? Wie kommt es überhaupt zur Setzung einer Synthesis, wo liegt ihr Ursprung? Nicht in wertbestimmtem Verhalten der Subjektivität, auch nicht in der logischen Kontinuität als der Bedingung der Relation theoretischen Bestimmens. Denn der regressive Aufweis beider Systeme vermag die Prinzipien nicht als Prinzipien, d. h. in ihrer Grundlosigkeit zu erweisen, sondern macht sie zu unbegründbaren Fakten. Nicht rückwärts vom System der Methode her, sondern allein vorwärts zum System der Methode hin, im Sinne des Ur-Sprungs und der Setzung, begründet man die Synthesis a priori als Bedingung der Geltung.

5. Darstellung des Anfangs als eines Bildungsprinzips transzendentaler Wahrheit 246

Zur Vermeidung des dogmatischen Anfangs und einer rechtlosen Antizipation muß Kritik ihren Anfang neutralisieren, d. h. hypothetisch machen. Die Kriterien der Hypothesis gibt der Kritik allein das transzendentale Verfahren. Einer Kritik der Wissenschaften aber darf Wahrheit oder Vernunft nicht für selbständig und vor dem Verfahren als vorhanden gelten, denn infolge davon könnte kritisches Verfahren nur Bericht, d. h. Analyse sein. Darum muß das gegebene Apriori der Forschung zu Gunsten seiner kritischen Begründung negiert werden. Nur als unbedingter Anfang zu produktiver Gestaltung der theoretischen Norm bewahrt das kritische Prinzip seine Autonomie.

Zusätze. Über das erscheinende Apriori und die Freiheit zur reinen Vernunft 270

## 1. Das Problem der Synthesis kann nach dem analytischen Prinzip subjektiver Reflexion nicht gelöst werden. Trotzdem beharrt die Analysis

Beispiel der Synthesis: Um von Erkennen zu sprechen, hält man es für unbedingt notwendig, daß ein Gegenstand seine transzendente Eigenart dem erkennenden Verhalten ungetrübt zur Geltung bringt, wobei von vornherein bestimmt ist, daß dieser Gegenstand sein faktisches Daß und So nicht bloß aufzwingt, weil alsdann höchstens von einem Wahrnehmen und Empfinden geredet werden dürfte und die brute Selbständigkeit des Objektes nur wieder über sich hinaustreiben und ihre echte Durchdringung in dem Bildungsgesetz ihrer Erzeugung verlangen müßte. Ist in der Transzendenz seine Zufälligkeit zum Ausdruck gebracht, so zeigt sich hier die durch Bezug auf den Zusammenhang möglicher Urteile geschaffene Seite des Erkenntnisgegenstandes, welche wir seine Notwendigkeit nennen. Will man also den Sachverhalt auf einen gemeinsamen Ausdruck gebracht haben, so wird der Selbständigkeit des Gegenstandes Unabhängigkeit, der Notwendigkeit aber Abhängigkeit vom Subjekt zugeordnet sein müssen. Das Objekt des Erkennens oder das Wahre muß daher den Bedingungen beider Momente genügen, indem es sie beide gleichermaßen in sich vereinigt und kurzerhand die Einheit Widersprechender ausmacht.
Eine Einheit der Widersprechenden darf jedoch nicht so gedacht werden, daß beide an einem Dritten, sie beide Einbegreifenden, partizipieren, wie etwa niedere Differenzen an ihrem Klassen- oder Artbegriff. Die formale Allgemeinheit, welcher die kontradiktorischen Gegensätze fraglos schon als Setzungen und Sinneseinheiten genügen, und welche sie also gewissermaßen verbindet, ist vielmehr in diesem Betracht durchaus gleichgültig, weil sie die Widersprechenden nicht in ihren vollständigen Bedeutungen absolut, sondern nur in relativem Sinn miteinander zur Einheit bringt, diese Durchschnittseinheit also wieder ein Neues und von den beiden Gegensätzen ihrerseits abgetrenntes Drittes ausmacht, wo-

durch neue Widersprüche entstehen, anstatt daß der ursprüngliche Widerspruch vernichtet wird. Eine Einheit aber, welche von den Gegensätzen überhaupt auch nur das Moment ihres Entgegengesetztseins unbestimmt läßt, ist nicht die echte und innere Einheit, welche gefordert wird, sondern eine dem eigentlichen Kern des Verhältnisses gegenüber irrelevante Abstraktion. Die innere Vereinigung der Gegensätze muß vielmehr das Auseinandertreten in den Widerspruch selbst begreiflich machen, wodurch allein sie sich als Einheit legitimiert. An ihrem Gesetz nur finden die Gegensätze den Halt, welchen sie brauchen, um erst als gegensätzliche Sinneseinheiten angesprochen werden zu können, ihr Ursprung nur ist die zureichende Bindung, in welcher die wahre Einheit der sich widersprechenden Mannigfaltigkeit begriffen werden kann. Das Bildungsgesetz also ist daher auch die Bedingung der Möglichkeit für das Zustandegekommensein abstraktiver Vereinheitlichung der Gegensätze und aller nur denkbaren Begriffsbildungen, welche Mannigfaltiges unter einem gewissen Gesichtspunkte und nach einem variablen Prinzip relativ miteinander vereinheitlichen, wobei, wie oben bemerkt, diese Einheit nicht vollkommen die Mannigfaltigkeit in sich aufsaugt, sondern, ohne sie restlos zu durchdringen, sie nur äußerlich zusammenfaßt. Obwohl diese äußerliche und relative Zusammenfassung in den Wissenschaften eine große Rolle spielen muß, ist es notwendig, darauf hinzuweisen, daß unmöglich die Bedingung der Wissenschaftlichkeit überhaupt von gleicher Art sein kann. Jedes relative und unvollständige Verhältnis setzt, um als ein solches angesprochen werden zu können, ein absolutes und vollständiges voraus, welches den zu Grunde liegenden Maßstab darstellt. Ohne seine Kenntnis wäre es sinnlos, von Relativem, Äußerlichem und Unvollständigem zu sprechen. So ist ohnehin durch die bloße Tatsächlichkeit abstraktiver Begriffsbildungen, wie sie uns auf Schritt und Tritt im wissenschaftlichen Leben entgegentreten, der Hinweis auf den ideellen Faktor gegeben, der sie ermöglicht. So ist es aber auch nicht mehr verstattet, die radikale Einheit absoluter Widersprüche als das Abstraktum und das formale Wesen zu denken, welches ja seinerseits nur auf Grund einer Übereinstimmung zwischen den Gegensätzen bestehen kann und

diese Übereinstimmung oder Ähnlichkeit besagt, nicht schafft. Insofern erst die bestehende Identität der Unterschiedenen die Bildung allgemeiner Begriffe erlaubt, sind diese an der Identität selbst unschuldig und kommen für die Einheitsstiftung unter den Gegensätzen nicht in Betracht. Auf die Frage nach dem Ursprung dieser Identität hat man damit natürlich keine Antwort erhalten.
Weiterhin ist an dieser Stelle darauf aufmerksam zu machen, daß die Bildung allgemeiner Einheiten nach den *verschiedensten Richtungen* geschehen kann, weil das abstraktive oder ideative Beachten an einer Mannigfaltigkeit je nach seiner Einstellung auf umfassendere Zusammenhänge allgemeine Aussagen ermöglicht. Um also die Restriktion auf diesen und keinen anderen Begriff zu erlangen, ist es nötig, die Aufmerksamkeit dementsprechend anzuleiten, was nur dann durchgesetzt wird, wenn ihr ein *Prinzip* an die Hand gegeben ist. In der naturwissenschaftlichen Praxis z. B. geschieht das nach Maßgabe der einzelnen Disziplinen, deren Sonderabsichten in erster Linie aus praktischen Gesichtspunkten Geltung behalten. Die anorganischen und organischen, die morphologischen und physiologischen, die statischen und dynamischen Einheiten sind nur ebenso viele bestimmte Ausschnitte und Dispositionen, welche die Übersicht erleichtern, und gewisse Grundstellungen, von denen aus operiert werden kann, um die eine umfassende funktionale Gesetzmäßigkeit zur Darstellung zu bringen. Dabei liegt allemal der Wahl einer solchen Operationsbasis eine bestimmte Anschauung zu Grunde (der morphologischen Arbeit z. B. die Umrißlinien der Körper, der physiologischen die Bewegungsänderungen), aber die Konzentration auf solche Anschauungen geht parallel mit einer Auffassung des Gegebenen nach einem Gesichtspunkt; man hat, um die Anschauung überhaupt zu bekommen, gedankliche Vorarbeit zu erledigen. Wie sollte es nun bei der Vereinigung absoluter Widersprüche angefangen werden, einen Gesichtspunkt und ein Prinzip zu wählen, unter dem die Identität gestiftet wird? Es fehlt ja bestimmungsgemäß an jeder Handhabe, die absoluten Gegensätze mit einem Blick zu umgreifen, jede nur denkbare Stellungnahme zu beiden verletzte ja gerade die Bestimmung, sie durch und durch einander widersprechend zu den-

ken; denn indem ein- und dieselbe Stellungnahme und überhaupt schon Stellungnahme allein ihnen gegenüber für möglich gehalten wird, sind sie dadurch wieder zu identischen geworden, identisch darin, daß zu ihnen Stellung genommen werden kann. Hiermit erhellt auch die Unmöglichkeit eines Kompromißvorschlages, den kontradiktorischen Widerspruch zu einem konträren herabzudrücken und auf diese Weise von einer partiellen Identität der Unterschiedenen zu sprechen.

Man unterstützt nämlich diesen Vorschlag durch das Argument, daß überhaupt ein absoluter Widerspruch zwischen Setzungen oder Bedeutungseinheiten schlechterdings unmöglich sei, weil in dem sie beide umspannenden Setzungscharakter, in der ihnen gemeinsamen Begrifflichkeit das unvermeidliche Bindeglied vorhanden sei, welches das Auseinandertreten der unterschiedenen Momente in den absoluten Widerspruch verhinderte. Selbst wenn die Möglichkeit einer Beziehung zugestanden werden müßte, in welcher die Setzung des einen Sinnes die Negation und Aufhebung des anderen bedingte, sei dabei doch niemals der umspannende Setzungscharakter zu vergessen. Auch dürfe dieser Setzungscharakter nicht etwa als Abstraktion aus den Gegensätzen gedeutet werden, weil er nicht erst nachträglich aus ihnen gewonnen sei, sondern ursprünglich in ihnen liege und ganz eigentlich sie selbst als vernünftige Aussagen möglich mache.

Wie oben schon kurz berührt, handelt es sich hier trotzdem um die Aufrichtung einer abstraktiven Einheit, und zwar nach Maßgabe eines besonderen Gesichtspunktes. Wenn auch der Kompromißvorschlag darin Recht hat, daß der Charakter der Denkbarkeit nicht erst nachträglich aus dem Vergleich der Gegensätze entstanden ist, sondern ihm ursprünglich zugehört, – denn ein Vergleichen unvergleichbarer Widersprüche kann nicht ausgeführt werden –, so nimmt er unkonsequenterweise damit doch einen solchen Vergleich auf Grund nachträglicher Reflexion vor. Wo steckt denn in den *Aussagen* selbst (der »Unabhängigkeit« und der »Abhängigkeit« in unserem Beispiel) der Hinweis auf einen solchen ihnen beiden gemeinsamen Setzungscharakter, wo findet sich denn in diesen Gedankeninhalten selbst das Moment von Setzung und

Denkbarkeit? Auf Grund wovon darf man diese Sätze anführen, es sei denn auf Grund dessen, was wirklich gemeint ist. Außer diesen Inhalten aber gibt es für die Entscheidung des Problems hic et nunc schlechterdings nichts, es gibt für die hier aufgeworfene Frage unmittelbar gar nichts anderes als sie selbst und ihre sie konstituierenden Bedingungen, auch nicht den sie jetzt denkenden Menschen und das sie jetzt erlebende Bewußtsein. Wie niemand auf die Idee verfallen würde, bei Aufstellung eines zahlentheoretischen Problems vielleicht die Kurve seines Pulses nachzuprüfen, wenigstens wenn es ihm auf die Lösung seines Problems ankommt, ist es auch selbstverständlich, sich dieser Sachlage in unserem Falle bewußt zu bleiben. Wiewohl es nicht geleugnet werden soll, daß ein mathematisches Problem ungelöst bliebe, behielte nicht das denkende Bewußtsein seine Kontinuität, so gilt eben doch die Selbständigkeit des Begriffes gegenüber dem Leben. Die naturalistischen oder positivistischen Einwürfe sind nur die Kundgebungen einer natürlichen Reflexion, welche unser Leben erhebt, um sich immer wieder an das Leben zu wenden. In ihm, in der klaren Überzeugung von der Tatsächlichkeit des Bewußtseins befangen, kann natürlich im Ernste nicht von seiner Aktualität abstrahiert werden, und ein Problem erscheint deshalb genauso in ganz bestimmter Weise in die Mannigfaltigkeit der vorgefundenen Lebensfülle eingebettet, wie irgendein anderes Element dieser Mannigfaltigkeit. Trotzdem, und das ist vorerst das Entscheidende, *durchsetzt* die mannigfaltige Gegebenheit das Problem nicht in konstitutiver Weise, sondern sie umgibt es nur als der unendliche Horizont, welcher sich beständig vor dem eindringenden Blick der Reflexion belebt. Das zeigt sich immer wieder dadurch, daß in dem echten, nicht von der Richtung des eigentlichen Aussagegehaltes abweichenden, Denken nichts als dieser Gehalt gefunden werden kann; alle vermeintlichen Analysen dieses Inhalts, welche ihn in bestimmtem Zusammenhange mit dem Bewußtsein zu sehen meinen und eben diese Zusammenhänge für wesentlich und notwendig erklären, haben in der Tat primär immer nur wieder das Bewußtsein vor Augen. Fraglos bedeutet es einen Bruch der Disziplin, von dem Denken des Sinnes in irgendeine Reflexion auf dieses Denken abzuschweifen und also sich der eigentlichen Lösung der Aufgabe entziehend vielmehr über die Art der Aufgabe, ihren Erlebnischarakter u. dgl. nachzusinnen. Immer, wenn man ein derartiges Beginnen zu rechtfertigen sucht mit der Begründung, daß doch vor aller Lösung einer Aufgabe die gesetzlichen Grenzen, denen sie unterliegt, ausgemacht werden müßten, immer, wenn man dann von phänomenologischer Seite das Studium des reinen Bewußtseinsbaues, von psychologischer Seite das des Seelenlebens in seiner Entwicklung als für diesen Zweck unerläßlich vorgehalten bekommt, hat man schon den Boden der reinen Problematik verlassen, die Unmittelbarkeit zu einer *Situation* bestimmt und frei einen Gesichtspunkt, wenn auch in wissenschaftlicher Einstellung, eingenommen. Es kann in dem schlichten Denken irgendwelcher Verhältnisse, einerlei ob mathematischer, logischer, psychologischer, biologischer, historischer Art, nicht das Geringste gefunden werden, was außerhalb eines Verhältnisses selbst läge; das besagt, daß jedes Abbrechen des Denkens der Verhältnisse und ein erneuertes Reflektieren auf das Denken (der Verhältnisse) ein durch und durch willkürliches Beginnen ist, weil der Gegenstand des Denkens nicht das Prinzip für die Besinnung über ein ihn betreffendes Denken, nicht den Anweis zur Reflexion auf sein Bedachtwerden enthält. Damit ist noch nicht gesagt, daß darum solche Reflexionen sinnlos sein müßten; sie sind nur grundlos und haben eine eigene Begründung ihrer Möglichkeit nötig. Daß sie verwirklicht werden können, und zwar nach den verschiedensten Richtungen, beweisen die Phänomenologie und jene fortwährenden Streitigkeiten unter den einzelnen Wissenschaften um das Recht, die Grundwissenschaft und das Fundament des Erkennens zu sein. Es ist gar nicht abzusehen, wie dieser vom gleichen Vorurteil hervorgerufene und belebte Streit geschlichtet werden soll, wenn man zugeben muß, daß beispielsweise ein mathematischer Satz als gedachter der Phänomenologie und Psychologie, als gelebter der Physiologie, auch der Anthropologie und Entwicklungsgeschichte, andererseits als Seeleninhalt eines bestimmten Individuums von dem und dem soziologischen Typus der Gesellschaftslehre, Nationalökonomie und Weltgeschichte zugehört. Wird die

Entscheidung dann, wie das gewöhnlich geschieht, unter dem Gesichtspunkte des Minimums an Tatsächlichkeit, welche ein Standpunkt nötig macht, getroffen, und diejenige Wissenschaft zur Erkenntnistheorie und Philosophie erhoben, welche zu ihrer eigenen Stabilierung das kleinste Maß an Faktizität benötigt, welches kleinste Maß als absolut unbezweifelbares Fundament empfohlen zu werden pflegt, so ist das – wir werden es noch ausführlicher zu behandeln haben – durchaus nicht etwa selbstverständlich und gerecht. Denn der Gesichtspunkt des geringsten Maßes von Faktizität ist an und für sich genommen gänzlich zufällig, die Willkürlichkeit seiner Befolgung wird auch nicht dadurch wettgemacht, daß als ihr Effekt größtmögliche Sicherheit, höchste Gewißheit angeführt wird.

Wo nämlich Tatsächlichkeit von vornherein beibehalten werden will, verändert sich auch nicht der Charakter ihrer Gewißheit, und die immer von neuem betonte Überlegenheit des Immanenzstandpunktes des in sich selbst verharrenden Bewußtseins über die gewöhnliche Ansicht des Glaubens an die dingliche Realität der Welt ist nur scheinbar, weil beide Standpunkte mit ungleichartigem Maße gemessen sind. Bewahrte man die natürliche Weltansicht in derselben Weise vor einer ihr fremden Beziehung auf das System des Bewußtseins, wie man es entsprechend gegenüber dem Standpunkt des Bewußtseins für unbedingt angebracht hält, ihn nicht dem System der Wirklichkeit unterzuordnen, und führt man dieses einmal konsequent durch, so wäre die Folge davon ein in sich unangreifbarer Realismus, wie es bisher einseitig genug der Conscientialismus war.

Beliebige Einwürfe irgendwelcher Reflexionen von irgendeinem einnehmbaren Standpunkt aus haben keinen Wert, solange sie bloß Einwürfe sind und Reflexionen entstammen, sich darum ganz offen als Gegebenheitsaussagen darstellen müssen und als den einzigen Bürgen ihrer Richtigkeit lediglich eine gewisse Wahrnehmung oder Schau (Intuition, direkte Erfassung) anführen können; denn es hilft einmal nichts, ob man sich immer wieder von dem Zutreffenden ihrer Angaben zu überzeugen vermag, da diese Nachprüfung allein ihre *Bedeutung* angeht und nur ihrer *Meinung imma-*

*nent* die Legitimation erteilt. Nicht das Geringste ändert sich dadurch, wenn die Bestätigung einer erhobenen Aussage erfolgt, deren Anspruch zur Erfüllung gebracht ist, solange nicht das Recht und die sachliche Notwendigkeit ermittelt werden kann, eine solche Aussage überhaupt zu *erheben*, und zwar an dem Punkte des Problems, welcher in Rede steht. Allein ihr Gegenstand, das fragliche Verhältnis, ist der zwingende Grund, darüber gleichsam hinauszuschreiten, indem man ihn in seine Elemente oder Bedingungen auflöst, welche nicht außerhalb der Sache in den Schichten des Bewußtseins gesucht werden dürfen, sondern allein in ihr selbst. Der Fortschritt über sie hinaus ist Zertrümmerung in konstitutive Teile durch Aufbau und Entwicklung eines Wesensgesetzes; das Hinausgehen über den fraglichen Gegenstand ist nicht das Abbrechen seines Denkens, ist nicht das Beginnen eines neuen Denkens in einer Reflexion, ist nicht das subjektive Sich-auf-sich-besinnen, um durch das Medium eines verflossenen Aktes die aufgegebene Sache zu erblicken, sondern ist der Fortschritt in ihr selbst, welchen nur das Beibehalten der ursprünglichen Richtung auf das Problem möglich macht. Diese Konstanz der Richtung des Denkens hat einzigartige Bedeutung für die Lösung einer Aufgabe und daher für die Darstellung ihres schlichten Sinnes; der ungebrochen bestehende Gedanke an die Sache und *seine* Kontinuität, welche nicht dem Wechsel von Tag und Nacht unterworfen ist oder als eine Funktion phänomenologischer Einstellung angesprochen werden kann, ist der Inbegriff aller Voraussetzungen, welchen er sachlich und notwendig unterliegt. Was ihm äußerlich zugehört, tut nichts zur Sache, was ihm innerlich zugehört, ist er selbst.

Demnach erkennt man die Unsachlichkeit, das Denken eines Sachverhalts von diesem abzulösen, es selbständig werden zu lassen und mit dem Sachverhalt zu konfrontieren, solange nicht das Prinzip für diese Selbständigkeit (das Bewußtsein) gewonnen und gerechtfertigt worden ist. Stellt man sich von vornherein auf psychologischen oder phänomenologischen Boden, dann ist freilich diese Rechtfertigung eine außerhalb davon gelegene Frage, weil für jede Wissenschaft ihr Fundament und ihre Grundeinstellung das einzig Fraglose ist, auf welches sie sich als das ihr Eigentümliche beruft;

dieses Eigentümliche ist deshalb hier durchaus wesensnotwendig, nicht mehr bloß faktisch und entbehrlich, weil es das konstitutive Merkmal der Wissenschaft in ihrem durch die Tat sich bewährenden Dasein ausmacht, ohne welches sie nicht sie selbst wäre. Für sie ist es darum notwendig, wenn es selbst auch an sich zufällig bliebe.

Die konsequente Anwendung dieser Einsicht auf den uns vorliegenden Fall bedeutet die Zurückweisung des oben ausgesprochenen Kompromißvorschlags. Wie dieser den totalen Widerspruch von Abhängigkeit und Unabhängigkeit des Erkenntnisgegenstandes überwinden wollte durch das tertium comparationis der Denkbarkeit, welches beiden widersprechenden Momenten gemeinsam gedacht wurde, sollten sie als Inhalte vernünftiger Aussagen Geltung behalten, so erweist sich klar in dieser scheinbar so kritisch klingenden Rede die Willkürlichkeit des Einwurfs. Nicht daß dieser Gesichtspunkt sehr wohl diskutabel sein könnte, wird in Frage gestellt, sondern daß er ganz ohne irgendwie aufzeigbare Gründe *hier* geltend gemacht wird, verpflichtet, ihn fallen zu lassen. Zugegeben, daß von diesem Prinzip aus und für es die Vermittlung der kontradiktorischen Gegensätze von Transzendenz und Notwendigkeit sinngemäß ist, daß vor allem der in ihnen identische Charakter der Begrifflichkeit nicht das einem Vergleich entnommene Abstraktum, sondern ein ursprünglich konstitutives Merkmal bedeutet, – hier darf nicht vergessen werden, daß die Stabilierung eines solchen Prinzips noch nicht notwendig zu machen ist, und in diesem Betracht die Vermittlung gegen ihren Willen äußerlich bleibt. Daher verliert sie auch nicht die Abstraktionsnatur, sie ist durch ihre Herkunft aus der Selbstbesinnung über die angebliche Situation, in welche der Gegensatz hineinverflochten sei, dazu verurteilt, in unzureichender Weise Einheit zu stiften, eine Einheit, welche die Gegensätze nicht nur nicht liegen läßt, sondern selbst durch ihr Hinzutreten neue Gegensätze schafft. Und nur zu deutlich erkennt man den Anlaß dieses ganz allgemein verbreiteten Einwurfs. Er liegt in unvermeidlichen Redewendungen vom Denken und Erkennen des Gegenstandes und in der üblichen Unbestimmtheit, mit welcher diese Ausdrücke angewandt werden. Sie haben oft nur grammatische, keine metagrammatische Funktion, wie sie die Sprachform des Satzes vortäuscht. Gerade, daß unter ihnen nichts Eigenes gedacht wird, bedingt das Verständnis der vorliegenden Frage. Sobald man aber der Ansicht ist, diese Infinitivformen bezeichneten bestimmte Akte oder Tätigkeiten und Arten des Bewußtseins, so verliert sich die Einstellung auf das schlichte Problem, man befindet sich ohne Begründung auf dem Standpunkt der Reflexion und urteilt nach Maßgabe ihres Prinzips.

Mit dieser Abweisung gibt sich jedoch der Kompromißvorschlag nicht zufrieden, indem er den Stoß folgendermaßen pariert: Worin hat die anfänglich gegebene und zum Anlaß der Betrachtung gemachte Aussage über das Wesen des Erkenntnisgegenstandes ihren eigentlichen Grund, wenn nicht in einer gewissen Einsicht in ursprünglich gegebene Verhältnisse? Wenn Bedeutung eines Wortes besagt, daß Etwas mit ihm bedeutet ist und in dem Hinweis auf ein Solches der jeweilige Sinn eines Urteils besteht, und wenn der Hinweis wiederum nur ein Zum-Sehen-bringen solchen Etwases sein kann, so muß doch das Etwas oder die Sache selbst schon gegeben und gewußt sein, soll der pointierende Hinweis auf die Sache zustandekommen. Wie hat das Urteil über den Gegenstand anders Geltung als vermöge seiner deutlichen Aufzeigbarkeit, welches Urteil nichts anderes darstellt als die Formulierung einer vollzogenen Ablesung, man ist fast versucht, Erfahrung zu sagen. Nur nachdem ein derartiges Einsehen und Klären des Gegebenen erledigt ist, liegt die feste Materie bereit, welche die Aussage beschreibt. Behauptet man also vom Wesen des Gegenstandes der Erkenntnis ein bestimmtes Verhältnis, so liegt das Recht dazu in der objektiven Beschaffenheit des reinen Gegenstandswesens. Diesem selbst muß man immerhin ursprünglich in seiner vollen Inhaltlichkeit begegnen können, wenn die Aussage zurecht bestehen soll. Daß sich die Idee tatsächlich in absoluter Originalität präsentiert, lehrt eben immer nur wieder eine Begegnung. Es mögen Mißverständnisse und fehlerhafte Ablesungen vorkommen, das ändert nichts daran, daß anfänglich grundlegend eine direkte Erfassung des Wesensgehaltes in seinem kernigen Selbst stattfindet, und diese muß schon vorliegen, um als Maßstab für mögliche Abirrungen von ihr dienen zu können. Freilich, ob an dieser zugrunde liegenden quellgebenden Einsicht ein Zweifel gestattet ist, könnte immer nur wieder die nachträgliche Besinnung auf die Einsicht zu entscheiden versuchen. Man muß offenbar zugeben, daß eine solche Besinnung zur Prüfung der ursprünglichen Einsicht nicht berufen ist, weil sie vom Wesensgehalt doch auch auf keinem anderen Wege als dem des ursprünglichen Erfassens etwas zu Gesicht bekommen kann und die Besinnung auf den Akt vielleicht eben denjenigen grundstürzenden Fehler aufweist, welchen man im Zweifel an der Einsicht des originären Wesens selbst für möglich hält; demnach könnte in dem unendlichen Fortgang einer Reflexion auf die andere die Verzerrung niemals herausgebracht werden, weshalb – man sollte glauben der Standpunkt der ganzen Überlegung – bezeichnenderweise aber nur die gegen ihn gerichtete Skepsis für sinnlos gehalten wird. Denn daß der Gesichtspunkt primärer Gegebenheit wesentlicher Inhalte unausweichlich sei – so argumentiert der Kompromißvorschlag – behauptete ja selbst unsere anfängliche Aussage über den Erkenntnisgegenstand mit den Ausdrücken der Abhängigkeit und Unabhängigkeit vom Subjekt; nur unter der Bedingung, daß diese Rede auf Bekanntes rekurriert, als da sind Verhältnisse des Abhängens und Losgelöstseins, könnte sie darauf Anspruch erheben, überhaupt gesagt und verstanden zu werden. Das Bekannte ist aber vorgefunden und einfach gegeben. Es tut nichts dagegen, daß das Bekannte hier nicht raumzeitliche Einheit, sondern sachlich-allgemeines Verhältnis ist, es gilt darum nicht weniger für vorgefunden. Und wenn man sich weiter daran erinnert, daß es heißt: abhängig und unabhängig vom Subjekt, so hilft alle Verwahrung davor, dieses Wort als Bezeichnung für einen bestimmten Inhalt zu nehmen, gar nichts, man beruft sich darauf, daß mit ihm etwas Besonderes gemeint sei, da sonst ebensogut ein anderes Wort dastehen könnte. In allen Teilen – dahin geht die Ansicht des Einwands – müssen vernünftigen Sätzen überhaupt bekannte, d. h. gegebene Inhalte zum Fundament dienen, weshalb gar kein anderer Standpunkt einzunehmen ist als derjenige, von welchem aus in systematischer Weise alle bekannten Inhalte qua gegebene der Entdeckung und Aufklärung unterzogen werden können. Dieser Standpunkt bedeutet nichts anderes als die Ausübung der Reflexion auf das ursprünglich erlebende Bewußtsein und die Bindung an Anschauung. Gegen unseren Willen hätten wir die Unausweichlichkeit des Bewußtseinsgedankens gleichsam am eigenen Leibe erfahren, denn alle Aussagen, welche sich hervorgehobenermaßen auf Bewußtseinsakte und -inhalte beziehen und ausdrücklich keinen anderen Sinn haben wollen, sind nur vom Bewußtsein aus und in der Reflexion auf es selbst zu bilden. Nicht genug damit, daß der Einwand der Immanenz hiermit Absolutheit zuspricht, muß er folgerichtig unseren Satz, den er als Urteil über faktische Wesensverhältnisse eines Wissens zu einem Objekt überhaupt gedeutet hat, in Rücksicht auf sich selbst verneinen. Denn zweifellos will der Einwand doch mit seiner Ansicht eine Erkenntnis ausgesprochen haben. Für ihn gibt es aber nur gegebene Gehalte mit rein ontischer Gesetzlichkeit. Woher das Urteil seine Notwendigkeit also nehmen soll, bleibt unbegreiflich. Ein gegebener Sachverhalt ist, auch wenn er eine Gesetzlichkeit ausdrückt, dem Erleben gegenüber transzendent und zufällig; Erleben wird kein Erkennen. Darüber vermag auch nicht der Hinweis auf die wesentliche Zuordnung von Akten zu Gehalten im aktuellen Bewußtsein hinwegzuhelfen. Gewiß: in diesem Urverhältnis der Gegebenheit ist der Gegenstand unabhängig als Gehalt und innere ( »noematische«) Bestimmtheit, abhängig aber als gewußter und sich zeigender Inhalt nach der Seite seines Erfaßtwerdens, als Noesis. Nicht aber ist er unabhängig und abhängig in demselben identischen Sinn, wodurch die Notwendigkeit in seiner Transzendenz erst gewährleistet wäre und man verstehen könnte, wie der Gehalt Inhalt, wie das für sich bestehende Gesetz erlebt werden muß. Indem man uns vor das fertige Wissensgefüge eines inhaltgebenden Aktes stellt und auf seine Doppelrichtung nach den Polen der Subjektivität und Objektivität als die angebliche Einheit der widersprechenden Momente von Abhängigkeit und Unabhängigkeit hinweist, übersieht man vollständig die Äußerlichkeit dieser Verbindung. Daß der bewußte Gehalt – und er sei dabei allein betrachtet – gegenständlich sein muß, und zwar von vornherein in seiner inneren Bestimmtheit, das läßt sich nur dann behaupten, wenn man die Tatsache seines Bewußtseins schon hinzugezogen hat; alsdann ist die Konstatierung der Notwendigkeit nur ein analytisches Urteil. In ihm war das vom Gehalt aktnehmende Erleben nach seinem ganzen Umfang gedacht und die Abtrennung des gegenständlichen Gehalts konnte deshalb nur in äußerlicher Abstraktion aus dem Ganzen geschehen; daher es nicht verwunderlich ist, wenn der Gehalt selbst als ein unselbständiges Moment auf das ihn tragende selbständige Ganze, das Bewußtsein von ihm, zurückweist. Indem schließlich auf dieses dem Gehalt eignende Zurückweisen aufmerksam gemacht wird, drückt man das notwendige Angewiesensein des gegenständlichen Inhalts auf das Wissen aus. Genau in der gleichen Weise kann man natürlich auch mit der »anderen Seite« der Relation verfahren und ebenso analytisch zeigen, daß das (bestimmte) Erleben immer und wesentlich ein Erleben von Etwas sein muß, woraus dann folgt, daß Bewußtsein unbedingt auf den Gegenstand angewiesen ist, notwendig ohne ihn keinen aktuellen Bestand haben kann. Daß hier eine andere Ansicht vom Verhältnis des Erkennens und des Gegenstandes sich nicht durchführen läßt, wird bestimmt durch den Standpunkt der primären Gegebenheit des Erkenntnisgehalts, welcher das Vorurteil des in sich gebundenen Bewußtseins nach dem Prinzip der analytischen Reflexion begründet. Dementsprechend ist das unweigerlich Erste, woran die Untersuchung ihren Ausgang nimmt, die Versenkung ins sogenannte Wesen des vollinhaltlichen Erlebnisses, von dem man sowohl sagen kann, daß es die Erfassung von Gehalt wie daß es die Erscheinung des Gehalts im Erleben sei; und um Beidem gerecht zu werden und es neutral auszudrücken, spricht man am besten von dem Verhältnis der Transgredienz, worin sowohl die Immanenz des Inhalts wie die Transzendenz des Gehalts berücksichtigt sind. Welche Sonderbestimmungen dieses Verhältnis im einzelnen in den zahllosen analytischen Philosophien gefunden hat, wie vor allem die Relation von Subjekt und Objekt dargestellt worden ist, hat für unseren Zweck keine unmittelbare Bedeutung. Die Transgredienz der subjektiv-objektiven Relation muß auf alle Fälle als das neutrale Element begriffen werden, nicht mehr als ein zur Sphäre des Aktnehmens *oder* des Gehalts allein gehöriger Bestand. Die ihm zugewandte Analyse erhebt deshalb mit Recht den Anspruch, eine eigene von Psychologie und Gegenstandstheorie unabhängige Disziplin zu sein, sie ist die Erforschung des reinen Bewußtseins als noetisch-noematischer Einheit, sie ist die Betrachtung der reinen Vorstellung in sich selbst.

Man kann dem Einwand nur dankbar sein, daß er es rücksichtslos versucht, nicht nur unsere Polemik gegen die Subjektivität als das absolute Prinzip philosophischer Problemstellung zurückzuweisen, sondern positiv darüber hinaus unserem Satz von den Bedingungen, welchen ein Gegenstand der Erkenntnis zu genügen hat, seine besondere Deutung zu geben. Denn damit deckt er seine eigenen Karten auf.

Genügt die von ihm vorgeschlagene Lösung des fraglichen Verhältnisses einer Identität Widersprechender, wie sie von der Idee des Erkenntnisgegenstandes gefordert ist? Sie genügt nicht, weil bloße Korrelation von Erleben und Gegenstand nicht die innerliche Verschmelzung der entgegengesetzt bleibenden Momente von Subjekt und Objekt herbeiführt, so daß das reine Subjekt aus sich selbst allein das Objekt und umgekehrt das Objekt das Subjekt mitsetzte. Die reine Vorstellung ist kein Begriff echter Synthesis, in welcher die widersprechenden Momente Einheit, und Einheit die widersprechenden Momente möglich machen, sondern sie ist ein faktisches Ganzes, dessen unselbständige Teile nur in isolierter Abstraktion überhaupt gedacht werden können und deren gegenseitige Abhängigkeit auf analytischer Notwendigkeit beruht. Weder bildet der Ichpol der reinen Vorstellung das Erzeugungsgesetz für den Gegenstandspol und dadurch für sich selbst, noch gilt auch das gleiche von dem Gegenstandspol. Denn Ich und Gegenstand sind nur die (asymptotisch zu setzenden) Grenzen jenes ungetrennten aktuellen Beziehens, das, im Ganzen genommen, die gegebene Tatsache des Erlebens ausmacht. Als solche ist sie aber nur faktisch und zufällig und Gleiches gilt von ihren Aufbauelementen. In dieser Not (aus welcher die analytische Philosophie ihre Tugend macht), über das faktische Vorhandensein einer angeblich erfüllten Erkenntnis, welche weiter nichts ist als ein konkretes Erlebnis, nicht zu ihrer Notwendigkeit herauskommen zu können, erweist sich der ganze Standpunkt als unfähig, das Erkenntnisproblem auch nur zu denken. Wo weder dem Erkennen noch dem Gegenstand echte Selbständigkeit voneinander zugebilligt sind, da hat die Frage nach Wahrheit einer Erkenntnis jeden Sinn verloren. Es soll freilich nicht geleugnet werden, daß man bei isolierendem Beachten der Noesis eines vollerfüllten Aktes von ihrer immanenten Teleologie wird sprechen dürfen, daß man, denkt man sich das Hinzutreten des erfüllenden Gehaltes zu diesem Streben, von Erfüllung sprechen kann. Aber das Thema solcher Reden ist wesentlich das schon erfüllte »Erkennen« (der schon erlebte »Gegenstand«), und als *Erlebnis* liegt er dem analysierenden Betrachten vor. Darum läßt sich an einem auf den Charakter wahrer Erkenntnis Anspruch erhebenden Erlebnis allein nie sehen, ob es dem Anspruch genügt. Bei sich selbst führt es keine Legitimation, sondern verlangt eine Prüfung von anderswo her: nach Maßgabe heteronomer Bestimmung ein Kriterium. Um seine bloße Vorgeblichkeit zu überwinden, wird man über das singuläre Erlebnis hinaus in einen Prozeß von Bestätigungen getrieben, welcher nur wieder sich zu funktionalen Zusammenhängen fügende Inhaltsreihen ergeben kann. Der analytische Standpunkt der Reflexion stellt das Problem der Wahrheit so dar, daß der im Unendlichen zu Ende gekommene Prozeß der erlebten Bestätigungen sich zur kontinuierlichen Ordnung im System zusammenschließt. In dem Fortschritt von Akt zu Akt verliert sich jedoch prinzipiell nie der Charakter der Vermeintlichkeit, welcher in dem Erlebnis überwunden werden sollte, auch nicht an dem idealen Ende des Prozesses, weshalb das ursprüngliche Wahrheitsproblem auf diese Art nicht gelöst werden kann. Werden natürlich keine weiteren Ansprüche an das Erkennen gestellt, als daß es nur zu einer größtmöglichen Ordnung führen soll, dann genügt allerdings der analytische Standpunkt des Erlebens. Wenn aber die einzige Idee der Wahrheit das Prinzip der Forderungen bildet, welchen die Erkenntnis so gemäß sein soll, daß auf Ordnung verzichtet werden kann, dann reicht der analytische Standpunkt nicht mehr aus.

(Diese Ansicht vom unendlichen Prozeß und offenen System als dem heteronomen Kriterium der Wahrheit[1] darf hier nicht mit der transzendentalen Theorie der Erkenntnis als unendlicher Aufgabe verwechselt werden. Hier ist positivistischer Boden; das tatsächliche Erleben und sein Gegenstand stehen in Frage. Aus Mangel an einem nicht bewußtseinsartigen Kriterium – nur ein solches kommt für das Bewußtsein in Betracht – weist der einzelne Gegenstand, und zwar nicht in der Empirie, sondern wesentlich genommen, gerade weil er an sich selbständig gedacht wird, auf den nächsten usf. Das kontinuierliche Fortschreiten soll dafür bürgen, daß die einzelnen Erlebnisse die sukzessiv sich darstellenden Partien des einen Gegenstandes = x sind. In der transzendentalen Auffassung dagegen muß umgekehrt der Gegenstand zum Inbegriff eines Prozesses werden, weil das Denken über sich hinaus treibende Bewegung und asymptotische Erfüllung eines Sollens ist.)

Man versteht, wie sich die Auffassung vom Zweck der Wissenschaft von der herrschenden analytischen Erkenntnistheorie bestimmen läßt und wie in dieser Situation die pragmatistische Philosophie sich ausbreiten muß. Denn weil es allzusehr am Tage liegt, daß eine nach allen nur verfolgbaren Richtungen hin durchgeführte Begriffsordnung durchaus nicht *wahr* zu sein braucht, anderseits aber ihr kein Weg offen steht, diesen Mangel zu beseitigen, geschweige denn, daß man ihn überhaupt begreifen könnte, so muß deshalb die Ordnung verabsolutiert werden. Bekanntlich geschieht das in gewisser Übereinstimmung mit Ansichten der älteren Skepsis so, daß der Wille zur Macht und zum Glück, das biologische Triebleben zur unbezweifelbaren Realität gemacht wird, für welches größtmögliche Ordnung unbedingt notwendig sei. Daß dabei die Theorie sich selbst übersehen hat, wenn sie die Wahrheit aussprechen will, daß sie zum mindesten die absolute

1 Der Zusammenhang macht für sich deutlich, was hier nochmals erwähnt sei: Erst nachdem sich die Erkenntnis durchgesetzt hat, daß Evidenz und Unmittelbarkeit der Intuition allein keine Kriterien für Erkenntnisse abgeben, bricht der Trieb nach einem heteronomen Rechtsgrunde der Objektivität durch und sucht Befriedigung in dem Gedanken eines *Prozesses* von Bestätigungen, der im System abschließt.

Realität des Lebens nicht begründet, es sei denn, sie bemüht sich um deren objektiven Nachweis, sollte doch ihre innere Unmöglichkeit dartun. Freilich kann sich auch dieser Positivismus – immer der analytischen Erkenntnistheorie zuliebe – zum Fiktionismus und zur reinen Philosophie des Als Ob steigern, für welche es konsequenterweise überhaupt keine Realität in absolutem Sinne mehr geben darf und also auch der Generalnenner des ökonomischen Handelns, auf welchen alles gebracht wird, keinen absoluten Wert besitzen kann. Alles löst sich in ein System von relativen Wertbeziehungen auf, welche insgesamt Gesichtspunkte allein zur Beförderung des praktischen Handelns werden; und dieses, der Reflexion prinzipiell entzogen, bedeutet den Sinn und die absolute Grenze des Erkennens. Obgleich, wie man daran sieht, der Fiktionismus oder Perspektivismus, um den Ausdruck Nietzsches zu gebrauchen, von irgendeiner Art Metaphysik irrationalistischer Art getragen sein muß, um selbst außerhalb aller Fiktion zu bleiben, ist nicht zu bezweifeln, daß die analytische Theorie der Erkenntnis ein wesentliches Motiv dieser Philosophie ausmacht. Sie wird eine solche metaphysische Interpretation der Ordnung und des Systems immer wieder aus sich heraus notwendig machen müssen, weil an bloßer Ordnung das Denken kein Genüge findet; denn für ein und denselben Inhaltszusammenhang bleiben mehrere Ordnungen von gleichem Wert möglich. Der Gegenstand der Erkenntnis aber soll als wahrer nur der eine sein und dem Begreifen sein ganz bestimmtes Gesetz vorschreiben.

Schärfer kann keine Erkenntnistheorie zurückgewiesen werden, als wenn man ihr demonstriert, daß es für sie ein Erkenntnisproblem überhaupt nicht gibt. Das ist aber überall da der Fall, wo das unbezweifelbare Fundament und Thema der Untersuchung ein fix und fertiges Gegenstandserlebnis ist. Hat man es dazu kommen lassen, dann ist es nicht mehr möglich, aufzudecken, ob es gerade zu dieser Konkretion in diesem Gegenstande kommen durfte; dann fällt jede Frage nach dem Recht und der Möglichkeit der Gegenständlichkeit des Erkennens und nach den Bedingungen ihrer Wahrheit von vornherein als sinnlos weg. Alle diese Fragen müssen immanent-analytischen Platz machen, welche – was das

Mißverständliche und Gefährliche ist – eine gewisse Ähnlichkeit mit den erkenntnistheoretischen behalten, insofern die Urformen der Inhaltlichkeit den spezifischen Formen der Gegenständlichkeit zur Grundlage dienen. Für dies immanente Denken auf Grund des bloßen Bewußtseins gibt es jedoch solchen Unterschied in der Wertigkeit nicht, welchen nur eine Reflexion nach transzendentalem Prinzip machen kann. Die immanente Zergliederung des Gegenstandserlebnisses ergibt im Hinblick auf die jeweilig vorliegende Anschauung eine Reihe synthetischer Verhältnisse, ohne daß diese die analytische Qualität ihrer Beurteilung darum aufgeben dürfen. So hängt schließlich alle Philosophie nach dem Prinzip primärer Gegebenheit an einer bloßen Beschreibung von Tatbeständen; sie selbst, ohne im mindesten ihrer eigenen Tatsächlichkeit nach auch nur problematisch werden zu können, geben den Stoff für eine Fülle materialer Gliederungen ab, welche untereinander in dem Verhältnis analytischer Mitsetzung stehen müssen. Es kann nicht weiter überraschen, wenn wir daher Philosophien des Apriori begegnen, welche selbst offenbar synthetische Inhalte zum Gegenstand ihres Nachdenkens machen; nur muß man sich dabei des entscheidenden Umstandes erinnern, daß sie diese synthetischen Funktionen zum Gegenstande haben und in bloß analytischer Weise beschreiben, anstatt sie nach ihrer Möglichkeit d. i. *synthetisch* zu begreifen.

Allgemein ist zu sagen, daß, wo immer zum Primum der Betrachtung ein Zergliedern und Versenken in gegebene Tatbestände, einerlei ob empirischer oder formal-apriorischer Natur, gemacht ist, ein Begreifen dieser Faktizitäten nie stattfinden kann, weil die analytische Identität kein Prinzip des Erkennens von Verhältnissen ist. Und weil Erkennen bedeutet, ein Etwas in Verhältnisse bringen und dieses Etwas als Inbegriff von Funktionen darzustellen, so vermag die Analyse darin überhaupt nichts. An dem Punkte, an welchem sie einsetzt, liegt ihr stets ein Gegebenes vor und, wie es für das Begreifen und innerliche Überwinden der Tatsache notwendig ist, über den Stand ihrer Gegebenheit hinauszukommen, verharrt sie vielmehr in ihm. So zerlegt sie wohl das Gegebene in alle möglichen Elemente und macht es auf diese Weise deutlich, wobei ihr die Elemente genau so faktisch gegeben sind, wie ihr vor ihrer destruktiven Arbeit das Ganze der Elemente gegenwärtig war. Die Leistung des analytischen Denkens erschöpft sich in einer Beschreibung immanent gesetzter Beziehungen, und das bis ins Unendliche fortzusetzende Zerspalten irgendeines Komplexes ergibt dann durch Anwendung einfacher Wiederholung Gesetzlichkeiten analytischer Art, wenn selbstverständlich auch nicht nur formal-analytischen Inhalts. Alle Wissenschaften, welche auf derartige Wesensbeschreibungen ausgehen wollen, finden darum ihre Grenzen an Gegebenheiten und umgekehrt, alle Wissenschaften, welche an Gegebenem ohne ein *eigenes* Prinzip beginnen, bleiben Analysen und haben ihre Grenze an ihrem jeweiligen Ausgangspunkt. So sind gerade die Naturwissenschaften über bloße analytische Beschreibungen, wie sie es vor Galilei waren, herausgewachsen und zu genetischen Erkenntnissen befähigt worden, weil ihnen in der mathematischen Darstellung quantitativer Größen das synthetische Prinzip an die Hand gegeben war.

Der Versuch des Einwands, unter dem Gesichtspunkt der Immanenz die Einheit widersprechender Momente im Gegenstand der Erkenntnis als Transgredienz des reinen Bewußtseins zu deuten, hat sein Ziel vollständig verfehlt, insofern er diese offenbar synthetische Einheit gegeben sein läßt und analytisch darstellt. Von einer Identität der kontradiktorischen Gegensätze wird darum nichts begriffen, weil so weder das Kriterium der Identität noch das des Widerspruchs anzugeben ist. Zwar sieht man einem jeden Erlebnis die Synthesis in seiner Gestalt an, aber unter dem Gesichtspunkt der Immanenz kann sie nur analytisch vorgestellt, nicht als Synthesis begriffen werden.

Trotzdem ist es nicht angängig, sich über den Immanenzeinwand völlig hinwegzusetzen, wenn auch seine positive Leistung in der *Interpretation* der Synthesis mißglücken muß. Er verweist nämlich auf ein Problem, welches tieferer Einsicht wichtig werden kann. Vor allem darf man sich nicht durch die unzureichende Form und die fehlerhafte Absicht, mit der dieses Problem unter dem Gesichtspunkt des absoluten Bewußtseins aufgeworfen wird, von eindringlicher Nachforschung abhalten lassen. – Worin liegt die

Möglichkeit und das Recht, schlechtweg von einer Idee, von dem Gegenstande der Erkenntnis beispielsweise, apodiktisch Bestimmtes auszusagen? Unter dem Prinzip der Selbstbesinnung gesehen, könnte ein Recht zum Gebrauch gewisser Prädikate nur in bestimmten gegebenen Wesensbeständen liegen. Weil es aber für die Betrachtungsart der Gegebenheit nicht möglich ist, eine Identität kontradiktorischer Einheiten [conditio sine qua non eines jeden Urteils] aufzufinden, so ist jetzt für sie die Schwierigkeit da, eine andere Rechtsquelle unseres apodiktischen Urteils namhaft zu machen. Bevor das geschieht, sei zugestanden, daß der Gebrauch der Worte »Abhängigkeit« und »Unabhängigkeit«, Einheit und Widerspruch, Subjekt und Gegenstand gar nicht möglich wäre, griffen wir nicht auf die damit üblicherweise verbundenen Anschauungen zurück. Daß aber ein solches Einspringen der Vorstellungen zum Wortverständnis unbedingt erforderlich ist, besagt noch lange nicht, in welchem *Sinne* es zu geschehen habe, und es bedeutet eine sehr simple Verwechslung von Zweck und Mittel, wenn man aus dieser unabänderlichen Tatsache einer inneren Anschauung überhaupt schließen wollte, alles Recht des Denkens hinge darum an Beständen der Anschauung, welche die Besinnung auf die Erlebnisse gewahr werden läßt. Nur weil das Prinzip der Reflexion schon dominiert, kann die philosophische Frage nach dem Recht eines Urteils, welche seinen Zweck, nicht seinen Zustand angeht, gleich die Methode des Reflektierens auslösen und auf eine phänomenologische Antwort lossteuern. Dem Gesetz der Immanenz ist es vollkommen sinngemäß, dem Moment der fundierenden Vorstellungen, der füllgebenden Anschauungsinhalte rechtsverleihenden Wert zuzusprechen, weil die von der Reflexion zum Sehen gebrachte Aussage ihre Bedeutung allein in sich immanent ausweisen kann. Sie ist, als gegebene einmal betrachtet, nur noch ein isoliertes Moment in Verbindung mit anderen isolierbaren Einheiten. Die Analyse trennt alsdann die eigentliche Aussageschicht, die Seite formulierender Explikation, von der Schicht des Ausgesagten, in deren Bauverhältnissen allein der bildende Grund für die Aussage zu sehen ist. Das Urteil: dieser Stein ist rötlich, hat seine rechtgebende Unterlage in den hyletischen Eigentümlichkeiten

»Stein«, »rötlich« usw. Die Frage nach dem Recht zu Urteilen verwandelt sich unmerklich damit in dic Frage nach dem Recht solcher Aussagen zu *sich selbst,* was weiter nicht verwunderlich sein kann, da es in der Konsequenz analytischer Betrachtungsweise liegt. Der zum Bewußtsein gebrachte Zusammenhang der Sätze bricht gleichsam in dem idealen Augenblick seines Vorgestelltseins in die unendliche Fülle atomischer Bedeutungseinheiten auseinander, zwischen welchen das geistige Band vernichtet ist, weshalb die philosophische Rechtsfrage in ihrem Bestreben, auf das Ganze des Zwecks zu gehen, keinen Gegenstand mehr findet. Der Zusammenhang des Sinns hat sich von den Elementen der Bedeutung abgesondert und ist Glied unter Gliedern geworden. An Stelle der philosophischen Rechtsfrage hat man die immanente Frage der Analysis erhalten. Was deshalb, ohne unter einem besonderen Gesichtswinkel gesehen zu sein, der ursprüngliche Gedanke an Sinnesgehalt in sich trägt, wird mit dem Absterben seiner organischen Einheit vernichtet. Der Analyse werden die Mittel, mit deren Hilfe der Gedanke sich ausdrückte, nach dem Verlust der Bewegung und des Ziels zu Trägern und Repräsentanten des Gedankens selber. Für die vom Gegebenheitsprinzip beherrschte Phänomenologie besteht daher das größte Interesse an den eigentlich unmittelbaren Vorfindlichkeiten des reinen Erlebens in der Statik ihrer Bedeutung, nie in der Dynamik ihres Sinnes.[2]
Es empfiehlt sich auch, eine für den gegenwärtigen Zustand der Erkenntnistheorie und Logik einflußreich gewesene Folge des analytischen Denkprinzips wenigstens zu nennen: die Anwendung des Mengenkalküls auf philosophische Fragen. Kommt es nämlich durch die geschilderte Einstellung auf unmittelbare Inhalte in dem Bereich apriorischer Setzungen zu vereinzelten Bedeutungen, so ist es konsequent, diese letzten Elemente[3] der Zergliederung (»letzte« insofern, als unter Wahrung eines Bedeutungsminimums hinter sie nicht mehr zurückgegangen werden kann) nach allge-

2 Rickerts Unterscheidung im »Gegenstand der Erkenntnis«, Tübingen ³1915, z. B. S. 260/261.
3 Vgl. die Erörterung des Zusammenhangs von analytischem Reflexionsprinzip

meinsten formalen Gesetzen zu behandeln. Man sieht ohne weiteres, wie Einheiten als Einheiten eine oder mehrere sein können, wie sie zu Gruppen zusammengefaßt höhere Ordnungen ergeben müssen, und die oberste Form der Zählbarkeit die Anwendung mengentheoretischer Gesetze ermöglicht. Die Arithmetisierung der Logik ist hierbei nur ein spezieller Fall, weil überall da, wo man axiomatisch vorgeht, d. h. wo man auf irreduzible Letztheiten, welche nur aufzudecken und hinzunehmen sind, zurückgreift, sich Elemente bilden; diese Elemente erlauben, zu bestimmt geordneten Gruppen und Mengen zusammengefaßt zu werden, wobei übrigens die Relationen der Ordnung zwischen Elementen aus einer nichtanalytischen Quelle fließen müssen; selbstverständlich ist auch ihre arithmetische oder geometrische Darstellung möglich. Daß von einem echten Begreifen in diesen Versuchen keine Rede sein kann, folgt aus dem Wesen des analytischen Denkens. Solche Begriffe fördern im Kern nichts als Formalisierung vorgefundener Bestände bzw. Axiome. Warum soll also die *Fries*sche Schule, jenes Trafalgar über den kritischen Ernst, nicht z. B. die Ausdehnung der Mengentheorie über alle Disziplinen der Philosophie empfehlen? Jede reflexiv-analytische Philosophie wird eine solche Darstellung der obersten Gattungseinheiten, eine mathesis universalis, fordern müssen und in sich selbst wie in allen andern Wissenschaften Spezialisierungen auch mengentheoretischer Gesetze erkennen; die jeweilige Materie und der Gehalt der einzelnen Wissenschaften bleibt als ihr principium individuationis selbstredend gegeben und hinzunehmen.

Man darf sich von dem Schein einer groß sich auftuenden Einheit aller Wissenschaften nicht blenden lassen, denn diese Einheit ist die bloße ihrem jeweiligen Gehalt unwesentliche Form der Subsumtion, welche außer einer praktischen Übersicht nichts gewährt; ihr Wert ist der Systematisierung eines Kataloges gleichzustellen. Unbedingt gilt nur, daß dieser Gesichtspunkt der Subsumtion unter letzte Allgemeinheiten den vorgefundenen Beständen gegenüber

und Bildung des Element- bzw. Inhaltsbegriffs bei Brunstäd »Beitr. z. krit. Erkenntnisbegriff«, Habilitationsschrift, Erlangen 1911, S. 56-58, 71 ff., 80 ff.

durchaus gleichgültig ist und zu seiner Anwendung eines Prinzips bedarf, welches ihm die Möglichkeit dazu gibt, wie ein jedes analytisches Verhältnis zu seiner Begründung ein synthetisches Verhalten nötig hat.

Der Gedanke, eine Menge zu sein, mag für die *Fries*sche Schule wesentliche Bedeutung haben; wir finden sogar, daß er sie erschöpfend charakterisiert. Wo es sich aber um Qualitäten handelt, hat Menge kein Existenzrecht.

Diese wissenschaftstheoretischen Dinge weiter zu verfolgen, führt aber von dem Zentrum des Problems weg, welches sich in dem Immanenzeinwand auftat. Letzte Intuition, wie sie nach seiner Ansicht das Recht von Urteilen ausmacht, kann nicht in Frage kommen, weil sie nur das immanente Recht von Urteilen zu sich selbst betrifft, wobei aber die eigentliche Frage nach dem Grund und Recht zu Urteilen offen bleibt. Die Möglichkeit eines Satzes kann deshalb vom analytischen Gesichtspunkt des reflektierenden Bewußtseins aus weder dargetan noch überhaupt problematisch werden; und bevor es zu dem Verständnis dieses Mangels nicht gekommen ist, wird auch der analytische Standpunkt nicht vernichtet sein. Die Errichtung eines anderen systematischen Prinzips *neben* ihm soll durch diejenige Leistung vereitelt werden, welche dem analytischen Denken seinen Grundsatz zeigt. Zu diesem Zweck schieben wir hier eine besondere Untersuchung ein, welche sich selbst auf analytischen Boden stellt; denn um die Erkenntnis der Unselbständigkeit der subjektiven Reflexion zu bewirken, muß in der Ausübung ihres Denkens die Notwendigkeit eines Prinzips begriffen sein; ohne das Bewußtsein des objektiven Motivs, das zu einem Satze führt, kann das Recht dieses Satzes nicht dargetan werden, und sein Prinzip hat, zugleich das Bildungsgesetz seiner selbst bedeutend, den Weg anzugeben, auf welchem man zu ihm gelangt.

## 2. Überwindung des analytischen Rechtsbegriffs

Ist einmal die Überlegung dahin durchgedrungen, daß der Grund des Mannigfaltigen in möglicher äußerer und innerer Anschauung sich nur dadurch legitimieren kann, daß er das Prinzip seiner Bildung mit sich führt, dann liegt philosophische Besinnung vor. Ausdrücklich hebt sich über das wissenschaftliche Suchen hinaus eine besondere Problematik, welche, weil sie mit wissenschaftlicher Fragestellung den Charakter vernünftiger Forschung gemeinsam haben will, auf diesen notwendigerweise sich bezieht.
Während die wissenschaftliche Frage sich purer Anschauung bedienen muß, um bestimmten Gehalt zu gewinnen, das theoretische Moment an ihr dem atheoretischen der materialgebenden Fülle zugeordnet ist, steht philosophische Frage (im Sinne des Problems der Berechtigung wissenschaftlicher Begriffe) unmittelbar nur in Verbindung mit theoretischem Moment. Form bezieht sich auf Form, die ihrerseits Form für mögliche Materie der Anschauung ist. Konkreter gesprochen: der Gesichtspunkt eines wissenschaftlichen Problems weist für sich selbst auf keinen Grund zurück und ist den aufgezwungenen Inhalten der Anschauung gegenüber willkürlich gewählt. Dieser Sachverhalt bedeutet zwar dem wissenschaftlichen Bewußtsein nichts, weil ihm umgekehrt die natürliche Gegebenheit durch ihren Aufbau vielmehr die wissenschaftliche Problemstellung zu bedingen scheint. Allein für den Gedanken, die Forschung nach dem Recht ihrer Begriffe zu fragen, sind diese selbst (vorläufig) zufällig. Darin liegt, daß philosophische Untersuchung durch ihren eigentümlichen unmittelbaren Bezug auf das Formmoment den Grund für das Form-Materialgefüge geben muß. Dieses Quale der Notwendigkeit führt kein abgeschiedenes Leben für sich in einem substantiellen Beharren, aus welchem es durch den Eingriff der philosophischen Reflexion zu befreien wäre, sondern es besteht ausschließlich kraft dieses Eingriffs selbst. Es bedeutet nichts als das Legen des Grundes, das ὑποτίθεσθαι, und insofern gewinnt die Form die Bedeutung des Grundes. Wa-

ren der spezielle Begriff, die besondere Theorie an sich zufällig zu ihrem eigentümlichen Sinngehalt bestimmt, so vermag die Besinnung der Form auf sich selbst die Zufälligkeit wieder aufzuheben. Man darf hier diese eigentümliche Konstruktion nicht weiter zu verdeutlichen suchen, weil sich sonst der Charakter eines konstruktiven Schemas verliert. Soll nämlich »Form« gleichbedeutend mit Gesichtspunkt und gedanklicher Fassung sein, »Form der Form« mithin Gesichtspunkt des Gesichtspunktes besagen und diese innere Rückbezüglichkeit die philosophische Rechtfertigung vollbringen, dann wäre es ein Verstoß gegen den Sinn, dem sogenannten natürlichen Denken zuliebe nach seiner Weise interpretieren zu wollen. Ob die Wissenschaften überhaupt eine solche Forderung ihrer Legitimation zulassen, oder ob gerade die Wahl eines derartigen Untersuchungsprinzips notwendig grundlos erfolgen muß, darf man nicht am Anfang entscheiden wollen. Allein das Resultat kann darüber Auskunft geben; denn die natürliche Anschauung von Wissenschaft und Begriffsbildung soll – nicht will – kritisiert werden, wie also könnte sie da die Prinzipien der Interpretation des Schemas einer auf sich selbst bezogenen Form liefern!

Stellen wir nochmals fest: hält man die Forschung in ihrem ganzen Umfang einer Kritik und Begründung ihres Rechts für bedürftig, so muß sie an sich selbst vorläufig für willkürlich gelten. Als vernünftige Arbeit enthält sie das gedankliche Moment (Form); und ihre vernünftige Arbeit soll Objekt der Kritik werden; wir erhalten das Verhältnis »Form der Form«. Dieses Verhältnis muß zum Resultat die Legitimation der wissenschaftlichen Geltung haben. In Rede stehen also das Wesen und die Grenzen des theoretischen Verhaltens; auf welche Weise kann das Thema behandelt werden? Die Methode läßt sich allgemein darnach bestimmen, wie die Reflexionsbeziehung einer Form der Form gedacht wird. Schematisch sind zwei Möglichkeiten zu entwickeln: die Form wird zu sich in das relative Verhältnis des aktuellen Selbstbewußtseins gesetzt, und die absolute Synthesis, welche in der Identität von Form und Form, des vernünftigen Denkens mit sich selbst gefordert ist, wird in dem Subjekt der Selbstbesinnung verankert. Oder der

Selbstbezug des theoretischen Moments wird als die Einheit der Entzweiung unvermittelt aufgefaßt, als ursprüngliches Trennen und Verbinden, als Entspringen und reines Setzen. Form der Form bedeutet dann das Bilden der Form, ihre Konstruktion und ihren unvermittelten Anfang.

Folgen wir der ersten Ansicht, dann haben wir anstatt der einen sich wissenden Vernunft mit der ihr innerlichen Rückbezüglichkeit, wie sie der Sinn fordert, zwei Formen, welche miteinander identisch sein sollen. Diese beiden sind durchaus voneinander getrennt und haben insofern also keine Identität, außer daß jede mit sich selbst identisch bleibt. Um die geforderte Ein-und-dieselbigkeit beider Formen herzustellen, wird die zwischen ihnen bestehende Leere angeschaut als das Verhältnis des im Akte lebenden Wissens, welches auf sich, d. h. einen vergangenen Akt, gerichtet ist. Diese Umdeutung der geforderten echten Reflexivität in eine sich nur behauptende des Bewußtseins verstößt vor allem gegen die Forderung, daß das Sichwissen der Form immanent-konstitutiv zu denken ist und nicht aus der Form herausgerückt werden darf. Form und Form sind sonst verknüpft durch eine hinzugekommene Reflexion, welche für sich Identität zwischen ihrem gegenwärtigen Aktleben und dem von ihr ergriffenen, zuvor gegenwärtig gewesenen, Akte behauptet; wobei diese Identität nur durch Teilhabe an einem unbekannten Dritten, dem mit sich identischen Ich, gewährleistet werden kann. Zum Unterschied von dieser einfachen analytischen Identität ist die in Frage stehende Selbigkeit, wie sie sich für jede Setzung in der Funktion der Verknüpfung, nicht in bloßer Wiederholung manifestiert, als *synthetische* ausgezeichnet, weil die beiden Momente der erkennenden und der zu erkennenden Vernunft, des Subjekts und Objekts, getrennt und unterschieden und doch dieselben sein sollen, wie es dem philosophischen Begriff gemäß ist. Wir werden an dieser Stelle demnach an unser ursprüngliches Problem von der Einheit des Widersprechenden erinnert, nur daß hier scheinbar der viel einfachere Fall vorliegt, als ja nur die Einheit Identischer verlangt ist. Trotzdem gibt diese Frage der anderen in nichts nach. Damit Einheit sein soll, muß ursprüngliche Entzweiung bestehen. Wie aber kann von

Getrennten gesprochen werden, wenn diese Getrennten ihrem vollen Wesen nach identisch sein sollen, wie ist das zwischen ihnen zu denkende Verhältnis der Einheit in der Mannigfaltigkeit aufrechtzuerhalten? In welcher Weise können überhaupt zwei Inhalte identisch sein,[4] ohne weder als gleiche angesprochen zu werden noch in Eins zusammenzufallen? Obgleich dieses Verhältnis keine Relativierung verträgt, weil es doch nur wieder als Bedingung der Möglichkeit einer relativen Beziehung auftreten müßte, sind solche Versuche immer von neuem gemacht worden, und das Prinzip dieser Versuche ist, ebenso wie wir es oben bei der allgemeinen Diskussion einer Synthesis überhaupt schon antrafen, das subjektive Bewußtsein. Es liegt sehr nahe, der inneren Rückbezüglichkeit und Selbstergriffenheit, welche die Struktur des philosophischen Begriffs bedingt, das vermeintliche Sichselbstergreifen des Selbstbewußtseins unterzuschieben.

Die wiederholt nach den Vorbildern Augustins und Descartes' zum Grund und Anfang der Erkenntnistheorie gemachte Gewißheit, daß ich selbst und mein Erleben der Wirklichkeit nach über jeden Zweifel erhaben sei, gilt im allgemeinen als sicherer Grundsatz. Deshalb scheinen die bisher entwickelten Konsequenzen, welche sich schon aus der philosophischen Fragestellung allein ergaben, nur umschreibende Formulierungen dieses Grundsatzes zu sein. Zwar zeigt es sich, daß die geforderte synthetische Reflexivität zwischen der erkennenden und erkannten Vernunft nur dann stattfinden kann, wenn sie nicht als die vorgebliche identische Einheit des Selbstbewußtseins aufgefaßt wird. Auf jeden Fall gilt diese Einschränkung, und der in sich synthetisch reflektierte Begriff soll als das Schema zu einer philosophischen Methode, nicht aber als das *Abbild* und der Ausdruck irgendeines Inhalts gedacht werden. Zugegeben einmal, daß damit keine unmögliche Anforderung an das lebendige und die Anschauung liebende Denken gestellt ist – was sich ja durch Experiment gewissermaßen entscheiden ließe –,

4 Vgl. Brunstäd loc. cit. S. 78: » Der Unterschied bei völliger inhaltlicher Identität ist das Paradoxon, vor das sich schließlich das Prinzip der inhaltlichen Identität ... gestellt sieht. Die Auflösung desselben ist die Theorie der Größe, und diese ... der Anfang des Kritizismus.«

kann denn überhaupt die Beziehung auf aktuelles Bewußtsein aus dieser Idee eines mit sich identischen Denkens fortgelassen werden? Trotz aller Verwahrungen dagegen, Worte wie »Begriff«, »Form«, »Vernunft« als Bezeichnungen von Erlebniszusammenhängen zu nehmen, trotzdem daß in ihnen also kein Hinweis auf unmittelbare Erlebnisse ausgesprochen werden soll und eine phänomenologische Bedeutungsanalyse durchaus nicht am Platze ist, wird man einwenden: bleibt auch der ganze Komplex dieser als Schemata einer Methode zu denkenden Worte innerlich unangetastet, so hängt doch seine Beurteilung an dem unaufhebbaren Faktum, daß nur ich, der Verstehende und das Urteil Behauptende es bin, für den es Geltung hat. Die Ambition des Urteils nach Unbedingtheit wird doch nur von mir als einem Bewußtsein festgestellt und gilt auf jeden Fall doch nur von mir aus. Freilich, insofern die Beurteilung ihren bestimmten Sinn aufrechthält, trägt sie den Charakter der Zeitlosigkeit und der Apodiktizität, und eine ausdrückliche Beziehung auf die urteilende Person, wie sie beispielsweise in Geschmacksurteilen vorkommt, kann nicht an ihr gefunden werden. Aber, geht der Einwand weiter, das Urteil gilt auf jeden Fall nur in Richtung auf mich, als es ja ganz ungewiß ist, ob dieser Anspruch des Urteils auf unumschränkte Geltung nicht vielleicht nur leerer Wille ist. Darum scheint kritische Vorsicht geboten, an den ganzen Komplex des Urteils (über die schematische Struktur philosophischer Methode) den Index anzubringen: hat Geltung unter der ausdrücklichen Bedingung des behauptenden Bewußtseins.

Vor einer Diskussion ist dem Einwand seine Feststellung zuzugeben, daß beim Denken, Formulieren und Niederschreiben des in Rede stehenden Urteilsgehalts ich beständig dabei bin. Die ganze Fülle der Akte des Sicheinstellens, Vorstellens, Wollens, Ausführens, die Summe der Gefühle und Wahrnehmungen, welche meinen Leib, die mich umgebenden Objekte in Raum und Zeit konstituieren, in welchen ich bald hingegeben lebe, auf welche ich dann wieder reflektiere, macht tatsächlich den wirklichen Strom des Lebens aus, in welchem das aktive Denken nur geringen Raum einnimmt. Wenn ich einsehe, daß alle verschiedenen Konstitutionsformen der dinglichen Leiblichkeit, der seelischen Innerlichkeit, der sachlichen Inhaltlichkeit nur Formen für Ein identisches Bezugssystem sind: das Bezugssystem auf » mich« oder »Ich«, wie man den absoluten Punkt aller lebendigen Orientierung nennt, so wird klar, daß notwendigerweise auch jeder beliebige Urteilsinhalt dem Bewußtsein zugeordnet ist. Innerhalb des Erlebens gehören alle die es ausmachenden Glieder wesensmäßig zueinander, weil der Ausfall irgendeines von ihnen das Aufhören des Bewußtseins bedingen müßte; insofern aber das Bewußtsein jene neutrale Sphäre bedeutet, für welche alles bestimmt sich konstituiert und zur Gegebenheit gebracht wird, ist es als Realität (der Idee nach) unaufhebbar. Wann immer irgendein Inhalt mir gegeben wird, ist er nicht nur meiner individuellen Person gegenwärtig und ihrem einzigartigen Erleben vorgestellt, sondern er ist dem Erleben überhaupt präsent, weil das subjektive Erleben in seinen persönlichen Grenzen ebenfalls wieder zur Gegebenheit gebracht werden kann. Damit soll nicht gesagt sein, daß der vorgestellte Inhalt auf metaphysische Weise in einem höheren und in solchem Sinne überindividuellen Wissen ist, wie etwa bei Berkeley die ideas im göttlichen Bewußtsein leben, vielmehr nimmt er an dem reinen Bewußtsein[5] teil, weil mein einzelnes Seelenleben nicht in sich selbst zur Konstitution, zur Bekundung seiner Einzelheit kommen kann. Zur Bestimmung des reinen Bewußtseins als des gleichsam geometrischen Orts der Gegebenheit für alle Aktinhalte gehört nach der Definition, daß es selbst nicht wiedergegeben sein, also nicht Bewußtseinsinhalt in irgendeinem Sinne bedeuten darf. Dieser neutrale Boden ist seiner Existenz nach durch die bloße Gegenwart der Aktinhalte gesichert, weil er nur das sein will, für welches Präsenz überhaupt möglich ist. Jedoch das faktisch abfließende, in gewisser Weise vom Leibe umschlossene Innenleben des einzelnen kann nicht für das reine Bewußtsein genommen werden, weil es

5 Den Begriff des »reinen Bewußtseins«,auch des »transzendental gereinigten Bewußtseins«, hat Husserl in den »Ideen« (1913) mit größter Schärfe beschrieben; sein Sinn deckt sich absolut mit Rickerts Begriff des »vorstellenden Bewußtseins überhaupt«, wohlgemerkt auch im Hinblick auf seine erkenntniskritische Wertigkeit.

selbst nach seinem ganzen Umfang erlebt wird. Nur das mit sich identisch bleibende Ich ist in strengstem Sinne nie erlebbar, weil es allein die Bedingung wirklichen Erlebens ausdrückt. Für das Bewußtsein überhaupt als der lebendigen Sphäre aller präsenten und präsentwerdenden Inhalte gilt selbstverständlich, daß es in strenger Funktion zu diesen Inhalten zu denken ist und sich demnach in seiner Aktualität nach der Aktualität der Inhalte richten muß. Trotzdem ist das Bewußtsein schlechtweg, welches von Husserl merkwürdigerweise auch transzendentales Bewußtsein genannt worden ist, nicht das subjektive Innenleben einer Person, welches sich seinerseits vielmehr erst in ihm bekundet. Dieses hat Schranken an seinem Leib, an anderen Ichen, ist in Raum und Zeit bestimmt lokalisiert, und diese Schranken bekunden sich wiederum selbst; also muß alles, von welchem ich Kunde habe, da sein für das Bewußtsein und Erleben schlechtweg. *Seine* Sphäre erstreckt sich demnach so weit, als Inhalte Konstitution gewinnen. Daran wird deutlich, daß das Bewußtsein überhaupt kein Begriff und Abstraktum des empirischen Seelenlebens darstellen kann, weil sonst in seinem Inhalt nicht alle, sondern bloß die allgemeinsten subjektiven Bestimmungen des tatsächlichen Bewußtseins ausgedrückt sein müßten. Das reine Bewußtsein wird nur in der Absicht überindividuell genannt, daß es gleichsam unter und vor aller subjektiven Individualität liegt und als bloße Innerlichkeit in Frage kommt. Insofern es also in gar keinem Sinne eine irgendwo an übersinnlichem Ort aufgehangene Sphäre besagt, sondern sich durch und durch um mich als den archimedischen Punkt jeder möglichen aktuellen Orientierung zentriert, zeigt sich die notwendige funktionale Abhängigkeit des reinen Bewußtseins schlechtweg von einer empirischen Person. Die neutrale Dimension, in welcher alle Vorstellungsinhalte die Stätte ihrer Bekundung oder Konstitution haben, bedeutet darum auch nicht ein abstraktes Moment des Bewußtseins, wie etwa die Bewußtheit, die Form des innerlichen Zentriertseins. Ichheit ist nicht reines Ich oder Ich schlechtweg (überhaupt), Bewußtheit ist nicht aktuell Inhalte präsentierendes Bewußtsein, und dieses ist nicht die psychophysiologische Einheit des Individuums. Das absolute Bewußtsein deckt

sich seiner Wirklichkeit nach mit dem empirischen, denn es ist der Betrachter; wenn es wirklich ist in der phänomenologischen Besinnung, erschöpft es sich aber nicht in dem empirischen Charakter einer sie zufällig ausübenden Person.
Mehr will nun der Einwand gegen die unbedingte Geltung eines Urteils nicht sagen: jeder apodiktische Satz steht zu einem ihn denkenden Bewußtsein überhaupt und dadurch indirekt – trotz phänomenologischer ἐποχή –, doch ebenso notwendig zu einer empirischen Individualexistenz, meiner Person, in unaufhebbarer Beziehung. Nur zieht der Einwand aus dieser Tatsache den Gedanken einer möglichen Phänomenalität des Urteilsgehalts, indem die von ihm verlangte unumschränkte Geltung ebensosehr nur Schein sein kann, wie alles, was zur aktmäßigen Abgeschiedenheit einen anderen Gehalt haben mag.[6] Trotzdem kann dem Einwand unter keinen Umständen stattgegeben werden. Wenn er einmal einen bestimmten Sinneszusammenhang nach seinen Konsequenzen auffaßt, so gilt er als verstandener unumschränkt, und die ganze Reflexion, welche dann nachträglich dagegen ins Feld geführt wird, kann dem Sinn des Urteils nichts anhaben. Der Zusatz des »Für mich« ist ebenso selbstverständlich als in dieser Beziehung überflüssig, weil die Geltung eines Satzes nicht mit dem Bewußtsein von ihr zusammenfällt. Gewiß sollen an der tatsächlichen Verbundenheit von Bewußtsein und Sache keine Zweifel geäußert werden, obwohl das in einem tieferen Sinne sein Recht hat. Behauptet der Einwand aber das Zusammenfallen der Dimension innerer Sachlichkeit mit der Dimension des Wissens von ihr, so kann er das nur, wenn er keine Grenze des Erlebens gegen den

6 Die phänomenologische Forschung zieht aus dieser Diallele die einzig wirklich radikale Konsequenz, indem sie sich ihrem Programm nach auf die bloße Beschreibung des den Inhalten immanenten Was-Charakters, ihres Wesens, beschränkt. Es ist eine für sie gleichgültige Reflexion, ob sie damit nicht nur den Anschein wesensmäßig erfaßt; daß das All der Inhalte eine Konfiguration haben könnte, welche sich prinzipiell ihrem Bewußtsein verbirgt, diese Frage steht ganz außerhalb der Phänomenologie; eine solche Erwägung ist für sie geradezu sinnlos. Dagegen hat sich bei Driesch und einigen anderen Lehrern einer subjektiven Erkenntnistheorie der Gedanke von der Grenze des Wissens gegen ein unberührtes Ansich der Inhalte lebendig erhalten.

Sinn für denkbar hält. Gehören dem Ich in sich geltende und an sich Genüge findende Sätze, so ändert das an dem Sinn der Sätze gar nichts; denn die Architektur der Urteile wird nicht von einem Verständnis oder Unverständnis modifiziert. Mehr darf allerdings die Geltung von Sätzen auch nicht besagen wollen, und von metaphysischer Stringenz ist nicht die Rede. Jede überschwengliche Behauptung wäre abzulehnen, welche die Geltung eines Urteils anders deutet und welche ihr eine andere *Wirklichkeit* zubilligt als in demjenigen Bewußtsein, welches durch Kundgabe des Verständnisses selbst für das Urteil eingetreten ist. Im ganzen handelt es sich dabei nur um die quaestio facti der Geltung, nicht aber um die quaestio juris, welche es als Frage nach innerem Ursprung auf die Gründe ihrer Maßgeblichkeit abgesehen hat. Weil jedoch der Einwand Rechtsgründe nur als Tatsachen kennt, und nur den Zwang des Faktums gelten läßt, so verliert für ihn die Trennung einer quaestio facti und juris ihren Wert. Letzten Endes müssen ihm eben diese beiden Fragen dasselbe bedeuten, ohne daß dann der Nachweis noch möglich wäre, welche von beiden er übersehen hätte. Das Eigentümliche bei diesem Verfahren liegt eigentlich darin, daß ohne viel Umschweife die dogmatische Überzeugung vorherrscht, daß wie jedes Sein auch dessen Grund möglicherweise gegeben sei. Der begründende Rückgang des Denkens von der unmittelbaren Erfahrung zur wissenschaftlichen Einheitsknüpfung bedeutet ihm deshalb nicht eine innere Abkehr von der ursprünglichen Einstellung, sondern vollzieht sich in Kontinuität mit Wahrnehmung und Erfahrung, indem die Eine Haltung auf das Gegebene hin durchaus gewahrt bleibt. Darin liegt weiterhin das Vorurteil bereit, daß, um den Sprung vom unmittelbaren, gedankenlosen Erleben zur echten Bestimmung der Gesetze machen zu können, ohne doch etwa die gemeinsame Einstellung aufzugeben, dieser Sprung den Übergang von einem Akt des Bewußtseins zum Akte der Reflexion bedeute. Auf diese Weise kommt man beiden Forderungen: die Grundeinstellung identisch zu lassen und anderseits eine Inhaltsreihe zugunsten einer ganz andersartigen zu beginnen, gleichermaßen entgegen. Dabei wird dann auch der Boden der Tatsächlichkeit nirgends verlassen, weil das Bewußtsein überhaupt als der Ort der Konstitution aller Inhalte selbst für positive Tatsache gilt. Während im Bewußtsein alle Vorstellungen ihre wesentliche Zentrierung haben, erhält sich das absolute Sein dieser Zentrierung selbst in allen Vorstellungen substant. Man erkennt, wie auch ohne einen besonderen Nachweis in einer Zweifelsbetrachtung, deren Methode wir noch später behandeln, daß das Bewußtsein der allgemeinen Grundüberzeugung gemäß absolute Realität gewinnen muß, welche zugleich unbedingten Grund vorstellt. Das Bewußtsein ist dann auch als jene Sphäre angesehen, in welcher der Gegensatz von *quaestio facti* und *quaestio juris* indifferent geworden ist: die unmittelbare Vorfindlichkeit besitzt die Funktion, dem Anspruch der Urteile ihr Recht zu verleihen, und sie enthält die Richtlinien, in welchen die Entscheidung über Recht und Unrecht sich vollziehen muß. In diesem Glauben stellt sich das Denken unter den Gesichtspunkt, daß in irgendeiner Art der pragmatische Anfang wissenschaftlicher Objektivierung *existieren* müsse. Zwar will man nicht die wissenschaftliche Begriffsbildung nach ihrem Ursprung in der Zeit – historisch in der Entwicklung der Völker oder des einzelnen Menschen – untersuchen, sondern kritisch an ihren sachlichen und immanent notwendigen Motiven. Trotzdem gerät diese der Absicht nach sinnkritische Analyse in die sinngenetische Psychologie hinein. Weil angeblich aller Inhalt dem Einen Sein zugehört, mag man ihn auch als Wert ansprechen, so kann er doch nur aus dem einen Sein des sich selbst immanenten Bewußtseins heraus verstanden werden. Für dieses Prinzip, welches nicht mehr die einfache Verwechslung von genetischer und kritischer Methode zuläßt, sondern in kritischer Methode (ganz mit Recht) ein Forschen nach Ursprüngen sieht, gibt es von vornherein nur einen positiven Zusammenhang der Gesetzlichkeit, welcher in dem Einen Sein beschlossen ist. Dieses, in die Sphären extensiver Natur und intensiven Denkens zerspalten, deutet die Möglichkeiten für die einzelnen Wissenschaften vor, indem die Natur ihre kritische Begründung allein in dem ihr gegenüber liegenden Sein der Vorstellung erhalten will.

Gewöhnlich wird mit dem Wort Positivismus ein kurzsichtigeres Denken verstanden, welchem das Bewußtsein die bloße Innenseite der in Raum und Zeit gedehnten Natur bedeutet; hier ist auch die Variationsbreite vom atomistischen Materialismus bis zum panpsychistischen Weltbild groß. Die nächste Stufe über dieser wird erreicht, wenn man die Entdeckung einer vom Natürlichen prinzipiell verschiedenen Inhaltsart apriorischer Gesetzmäßigkeiten gemacht hat. Ist diese neue Schicht zum Sehen gebracht, dann könnte die positivistische Einstellung aufhören, weil sich ihr die Möglichkeit eröffnet hat, über die Alternative zwischen Natur und Bewußtsein, res extensa und res cogitans hinaus beide Dimensionen in der Sphäre des Apriori wurzeln zu lassen. Wenn immer von neuem die verfeinerte Argumentation moderner Denker erklärt, ein solcher Versuch vermöchte nicht im geringsten die Position des Positivismus zu ändern, insofern selbst dann nicht die Grenze des vorstellenden Bewußtseins überschritten sei, so bezeugt sie nur um so entschiedener das erkenntnistheoretische Vorurteil, daß alles, was Grund sei – einerlei ob Grund der Wirklichkeit oder der Geltung –, an sich selbst bestehen und vorzufinden sein müßte. Einerlei, wie dieser Standpunkt vom unbeschränkten Primat der Gegebenheit sich maskiert, Differenzen sind deshalb hier nicht ausschlaggebend, weil auf jeden Fall der die letzte Begründung gewährleistende Sachverhalt den Charakter abgeschlossenen Bestandes besitzen soll. Dem positivistischen Denken kann sehr wohl der Unterschied zwischen Realität in der Art dinglich-substantiellen Beharrens und unwirklicher Geltung in der Art normativen Forderns aufgegangen sein, das Entscheidende liegt nur darin, daß für ihn diese Trennung keine methodische Maßgeblichkeit besitzt und er das Sein nicht im Forderungsmäßigen begründen will, vielmehr den ganzen Globus der Inhalte der Realität und der Normalität auf den Generalnenner des Vorgestelltseins bringt. Selbst unter den für kantisch und transzendental geltenden Richtungen in Vergangenheit und Gegenwart dominiert dieser allgemeine Positivismus und nicht nur nach der Seite physiologischer oder psychologischer Interpretation. Das vorstellende Bewußtsein erscheint trotz allem als der nicht zu erschütternde Boden und das absolute Fundament, auf dem die sichere Grundlegung von natürlicher und geistiger Welt vorzunehmen sei. Über jede engere

Schulmeinung hinausgreifend läßt sich das Festhalten an einem vorfindlichen Substrat von dem Ziel ableiten, welches sich diese Art Philosophie überhaupt gesteckt hat. Nach ihrer Idee soll der Wille gezwungen werden, sich bei unzweifelhaft reellem Vorkommen und unbedingter Wirklichkeit zu bescheiden, an welcher die Orientierung der gesamten Erfahrung eindeutig und endgültig geschieht. Für eine positive Philosophie ist in einem Hinweis auf Vorhandenheit des gewissen Wesens aller Wahrheitsdrang und ebenso alle letzte Not des Lebens und der Wissenschaft zu Ende gebracht, und die Frage, woher dieses letzte Wahre zu Recht bestehe und zu welchem Zwecke es sei, gilt ihr für sinnlos; denn das absolut Gegebene hebt als eine unbedingt anzuerkennende Realität die Frage nach seiner bloßen Möglichkeit schon auf. Wenn Driesch zu Beginn seiner Ordnungslehre sagt (S. 1): »Philosophie also ist die Lehre davon, daß jenes bewußte mir gegenüber Haben, jenes Erleben von bestimmten Geordneten da sei und was es sei und bedeute«, so wird es keine Philosophie der positiven Gegebenheit fertig bringen, diese klassische Definition nicht auch für ihr eigenes Vorhaben als bindend anzuerkennen.

In der Einsicht, daß der Immanenzeinwand gegen die objektive Gültigkeit (einer synthetischen Reflexivität in Sachen des philosophischen Begriffs) schließlich weltanschaulicher Überzeugung entspringt und in diesem Sinne unmöglich ein Fehler genannt werden kann, muß es unser Bemühen sein, diese Einstellung auf unbedingte Vorfindlichkeiten nach ihrer Möglichkeit und den Voraussetzungen ihres Sinnes zu prüfen; wir müssen nachsehen, ob es tatsächlich das radikal begründende Verfahren genannt zu werden verdient. Damit entscheidet es sich auch, ob die nur auf seinem Boden verständliche Auffassung vom Wesen der Form der Form als Selbstbewußtsein aufrechtzuerhalten ist.

Eins ist von aller Erörterung sichergestellt: der Immanenzeinwand kann der objektiven Gültigkeit eines Urteils überhaupt, also insoweit auch dem speziellen Urteil über die synthetische Struktur des philosophischen Begriffs, nichts anhaben; aber er pocht darauf, daß nun einmal diese Aussage, wie eine jede, Feststellung eines Bewußtseins sei, welche wohl *ihrem* Sinne nach unmittelbar mit

diesem nichts zu tun habe und von ihm losgelöst zu denken sei, daß man aber prinzipiell nicht wisse, ob dadurch nicht doch das Urteil seiner fundamentalen Bedeutung und Objektivität verlustig ginge. Diese Behauptung wird ausdrücklich (im günstigsten Fall) nur eine Eventualität berühren und noch keine bestimmte Möglichkeit namhaft machen, geschweige denn ein apodiktisches Urteil fällen, weil sie sonst selbst ihrem eigenen Einwand zum Opfer fiele. Sie spricht lediglich von dieser Eventualität als einer Grenze des Bewußtseins, welche vielleicht alles echte Wissen und alles unbedingte Urteilen unbewußt einschränkt. Daß in der Tat eine solche transzendente Begrenzung des Geltens stattfindet, könnte nur von einem Bewußtsein festgestellt werden, welches notwendigerweise in dieser Feststellung die metaphysische Täuschung an sich selbst wiederum erfahren hätte.[7]
Die Argumentation von der möglichen Begrenzung des vorstellenden Bewußtseins hat nicht die Freiheit, gegen sich selbst inkonsequent zu sein und einen Widerspruch zu begehen, da sie sich mit ihrer Erwägung ein höher liegendes Gesichtsfeld anmaßt, als sie es selbst darstellt. Denn spricht sie das Erleben als den letzten Boden an, auf welchem man notwendigerweise verharren muß, und ist ihr das Ich schlechtweg der archimedische Punkt, von welchem aus die einzig gemäße und nicht relative Orientierung gelingt, so hat jede Argumentation, welche sich über dieses absolute Fundament ausspricht, auf ihm zu bleiben; für sie ist es damit das Unbeschränkte ihrer Begründung. Soll es das aber nicht mehr sein, gibt man sich vermeintlichen Reflexionen über das Bewußtsein hin, welche seiner Begrenzung das Wort reden, so steht die Argumentation damit nicht mehr auf dem Boden des Bewußtseins, hat sich über ihn erhoben und sieht nach ihrer Meinung von einem Punkte, der zwischen dem Ich und einer transzendenten Sphäre angenommen werden müßte, für welche die Realität des Bewußtseins ne-

7 Man darf nicht vergessen: Solche Reden von den Grenzen menschlichen Erkennens und überhaupt allen Bewußtseins entspringen dem urwüchsigen Trieb nach Realität, welche er vergeblich bei den Gegenständen des Erkennens sucht. Nicht das Übersehen der Normalität, sondern ihre *Lokalisation* in den Umkreis des Lebens kennzeichnet den metaphysischen Relativismus.

giert ist, das Verhältnis ihres möglichen Aneinandergrenzens. Die Annahme einer solchen Situation ist aber der vollendete Widerspruch gegen sich selbst, weil für den Fall, daß das Bewußtsein metaphysisch unbeschränkt ist, ebensowenig noch Raum für einen Punkt außerhalb seiner gelassen werden darf, als wenn das Bewußtsein ein unendliches Jenseits einschränkt. Die so bescheiden anmutende Erwägung von der Eventualität metaphysischer Begrenzung der Objektivität eines Urteils ist sinnlos, wenn man das Bewußtsein für den einzig einnehmbaren Standort denkender Betrachtung gelten läßt. Jede Erwägung ist dann Erwägung des Bewußtseins und bleibt in ihm. Gerade dem Prinzip der Vorgestelltheit aller Inhalte, auf welche die Objektivität von Urteilen sich gründet, ist es nicht möglich, an ihren Geltungsansprüchen irgendwie zu zweifeln und von einer Grenze des Bewußtseins in seinem übersinnlichen Zustand zu sprechen. Die Wahrheit des ursprünglichen Standpunktes hebt sonst dieser Einwand selbst auf, weil für die Ichimmanenz (welche sich noch nicht zu rechtfertigen versucht hat – denn die innere Vollzugsmöglichkeit und die Tatsache ihrer Verständlichkeit kann nicht ihre Berechtigung sein –) jeder Bestand nur beurteilt werden darf nach den Maßen seiner Evidenz, in dem skeptischen Einwurf aber von einer metaphysischen Grenze der Evidenz die Rede ist; so hebt sich als Prinzip die Reflexion mit dem Einwurf selbst auf. Jeder Bestand, also auch jede absolute Grenze des Bewußtseins, müßte dem Bewußtsein zur Vorstellung gebracht werden können, denn ein vernünftiger Gehalt hat selbst gewußt zu sein im Selbstbewußtsein.[8] Jeder mögliche Gehalt soll totale Beziehung auf das Ich seiner Vorstellung aufweisen und zwar aufweisen in dem Wissen selbst. Dieses lebendige Für, wie es Fichte von 1801 ungefähr an nennt, darf nun aber nicht als ein beständiges sich Überholen und Übertürmen auf sich reflektierender Bewußtseinsakte vorgestellt werden, weil diese Anschauung die Identität des reflektierenden Aktes mit dem ihm objektiv gewordenen, an den Gegenstand sich hingebenden Akt vergißt, son-

8 So will es das Prinzip möglicher Gegebenheit als eines Leitfadens zur Rechtfertigung objektiver Gültigkeit in Urteilen, an dessen methodischer Idee der Einwurf des metaphysischen Relativismus orientiert ist.

dern jetzt hat die innerliche synthetische Reflektiertheit für das Selbstbewußtsein, in dem *Ganzen* seines Wesens betrachtet, Leben gewonnen. *Es ist jedoch sehr darauf zu achten, daß die Bildung des Begriffs eines mit sich in der Aktualität des vorstellenden Bewußtseins identisch bleibenden Ichs nicht nach dem Verfahren der Reflexion* vollzogen werden konnte. Denn auf Grund rückblickender Anschauung lassen sich immer nur wieder tatsächliche Akte, in welchen man gelebt hat, zur Vorstellung bringen. Faßt man nun die reelle Möglichkeit stets neu sich auf Akte aufbauender Akte zu einer Einheit des Vollzugs zusammen, dann hat man: Bewußtsein und die seine Einheit gewährleistende Identitätsform: das Ich als Mittelpunkt. Ausdrücklich jedoch ist dieser Punkt und die mit ihm gegebene Gestalt des Erlebens nicht im Fluß sich vordrängender Erlebnisse isoliert anzuschauen. Wäre er angeschaut und wirklicher Bewußtseinsinhalt, dann wäre er auch nicht mehr das, was er sein soll: reeller Grund für die Zusammenfassung aller nur möglichen Akte zu einer Einheit. Es wäre das Bewußtsein damit einfach aufgehoben. Wie zweifellos ein Selbstbewußtsein als die Vorstellung vergangener Erlebnisse für ein gegenwärtiges Erleben vorkommt und für das Prinzip der Reflexion nichts Problematisches besitzt, so ist ein Erleben des Erlebniszentrums, in welchem die Akte ihren Ursprung haben, wesentlich ausgeschlossen; entweder müßte sich das Ich verdoppeln, um (dem Ich) erscheinen zu können – dann wäre seine Identität preisgegeben –, oder es müßte sich auf sich selbst richten, ohne den Akt gleichsam ausgeschickt zu haben, – dann wäre es überhaupt zu keinem Erleben gekommen. Zum Wesen des Bewußtseinsmittelpunktes gehört seine Ursprünglichkeit, insofern er Subjekt der Auffassung sein soll und jedem Auffassen vorhergehen muß. Man denkt sich nur zu leicht das Ich als substantielles Organ oder eine irgendwie vorgehende Tätigkeit, welche während des Gebrauchs zwar sich nicht gegenständlich werden könnte, im Selbstbewußtsein aber auf sich blickte. Man denkt sich das Ich wie das Auge oder die Netzhaut und das Selbstbewußtsein ähnlich der Konstellation, wie man sie beim Gebrauch eines Augenspiegels findet. Nur vergißt man dabei, daß in diesem Falle nicht etwa das *Sehen* gesehen wird, oder die (bloß physiologisch gedachte) Netzhaut *sich* sieht. Daß das Subjekt eben weiter nichts als die innerliche Einheit der Auffassung ist und in seinen Erlebnisakten darum auch nicht unter den Kategorien zur Bildung äußerer Naturobjekte gedacht werden darf, ist seit dem Paralogismus-Kapitel der Kr. d. r. V. klar und wird in der gegenwärtigen theoretischen Psychologie (bei Driesch, Rehmke, Natorp, Husserl, Cornelius, Münsterberg, auch Bergson) festgehalten. Keine Übereinstimmung herrscht über die logische Valenz dieser Einheit und das Gesetz ihrer Bildung. Nur daß diese als Identitätsform zu allen Erlebnissen gehören müsse, steht außer Zweifel. Wie man es sich aber von dem Standpunkt des auf sich reflektierenden Erlebens vorstellen soll, daß Einheit in der Mannigfaltigkeit der Akte *gegeben* sei – und das muß sie, da sie sonst überhaupt für den Standpunkt der Reflexion keinen Sinn hat –, ist schlechterdings unerfindlich. Und wäre sie gegeben, dann wäre sie eben nicht sie selbst. Oft hilft sich die Theorie mit dem Gedanken des asymptotischen Verhältnisses. Die Akte sollen die Form der Ichheit und den spezifischen Erlebnischarakter dadurch mit zur Gegebenheit bringen, daß sie alle nach dem zentralen Punkt ihres Ursprungs hinweisen und von ihm auszustrahlen scheinen, ohne daß doch der lebendige Quell selbst zur Darstellung kommt. Derart ist das Ich der nur zu setzende Existenzpunkt im Sinne einer Begrenzung des Erlebens, soll das Erleben zur Einheit des Bewußtseins gebracht werden. Aber die Anwendung dieses Verhältnisses asymptotischer Näherung hilft auch nicht aus der Schwierigkeit, weil sie bereits eine bestimmte einheitliche Gestalt und also Synthesis in dem Mannigfaltigen innerer Anschauung fordert. Unter irgendeinem anderen Begriff wäre die Einheit in das Heterogene bereits hereingebracht, die Gliederung in Akte und Aktgegenstände wäre vollzogen, um dann das Ich zu setzen, während vielmehr das Ich zu allen Gliederungen das unbedingt Primäre bedeutet. Ohne das geringste Band zwischen den unendlich voneinander differierenden Inhalten aber vorauszunehmen, kann es nicht gelingen, in ihnen eine Identität wahrzunehmen. Es handelt sich radikal um das Recht zur Einheitsstiftung zwischen mannigfaltigen Inhalten überhaupt, was mit Hilfe des Gedankens asymptotischer Annäherung,

welche an und für sich schon eine bestimmte (unerfüllte) Einheit voraussetzt, nie durchzusetzen ist.
Der für das Subjekt und Erleben absolut wesentliche Bruch zwischen unmittelbarer Gegenwart und verflossener Präsenz darf nicht nur als Abstand begriffen werden, wie er ohnehin zwischen vergangenen Akten und also Inhalten besteht, auf welche man in jeder Richtung reflektieren mag; in ihm haben wir nicht nur den Hiatus zwischen beliebigen Inhalten vor uns, sondern das wirkliche Erleben im Jetzt ist qualitativ ganz von dem vorstellbaren verflossenen Aktleben unterschieden. Das Erleben im Jetzt erschöpft sich in tätiger Hingabe, welche den Boden für Inhalte überhaupt im allerweitesten Sinne schafft. Für das Jetzt macht alles Gegebensein sich erst möglich, für ein Jetzt des Erlebens hat es einzig Bestand. Darum steht es notwendig außerhalb aller Kategorien, welchen nur das Gegebene unterliegt, und an ihm findet daher die analytische Gesetzlichkeit ihre Grenze. Von dem aktuellen Erleben irgendwelche Aussagen zu machen, welche in positiver Wesenserfassung Bestehendes auseinanderlegen wollen, ist einfach sinnlos. Die Reflexion im Jetzt geht nur auf ein Damals, nie streng auf sich selbst nach den oben dargelegten Gründen. Das unmittelbare Bewußtsein ist daher nicht zur Rede zu stellen. Nun ist gefordert, Einheit der Subjektivität nicht bloß zwischen den Akten, auf welche man sich besinnen kann, bestehen zu lassen, sondern selbstredend sie auch auf das Jetzt des Besinnens auszudehnen. Einheit soll zwischen Gegebenem und Nichtgegebenem stattfinden, und das scheint absolut unmöglich. Allenfalls könnte ein ungenauer Gedankengang über die Fülle der Akte die tote Einheit einer Abstraktion annehmen, an dem Unmittelbaren aber muß Halt gemacht sein, weil aus dem Rahmen gegebener Inhalte das Geben selbst herausfällt. Auch die Interpretation, man könnte der gefundenen Ichform ansehen, daß sie für diesen Bruch bestimmt sei, ja daß sie geradezu in diesem Bruch vom Jetzt zum Damals des Erlebens ihr Wesen habe, muß zurückgewiesen werden. Denn man kann die spezifische Einheit der Innerlichkeit überhaupt nicht finden, weil, was man findet, nur unter Bedingung der Ursprungseinheit möglich ist.

Schärfer läßt sich die Immanenz als Standpunkt aber überhaupt nicht angreifen. Das Zentrum der Betrachtung, die für sie einzig reelle und unbezweifelbare Grundlage, das Ich schlechtweg, soll nicht Sein noch Sinn und Verstand gewinnen dürfen. Denn Einheit in der Mannigfaltigkeit (innerer Anschauung) kann sich weder ideativ-analytisch einstellen, noch ihrem Wesen nach zur Darstellung im blickmäßigen Erfassen kommen. Sowohl aus dem logischen Grunde der Unmöglichkeit, dort zu abstrahieren, wo nicht ursprünglich Identität stattfindet, als auch aus der inneren Bestimmtheit dieser Vereinheitlichung folgt die glatte Unfähigkeit der Reflexion, ihren Charakter in einem bestimmten Begriff methodisch zu begründen. Ist ihr aber das verwehrt, so hört sie überhaupt auf, eine schlüssige Argumentation zu sein (gegen welche Einsicht jedoch stets von neuem einsetzend von seiten der Psychologie und Phänomenologie protestiert wird). Also muß die Methode der Reflexion um ihrer selbst willen anerkennen, daß sie zu ihrer Begründung (nicht zu ihrer Ausübung) einen anderen Weg nimmt, sich also aufgibt, wenn sie selbst sich für die einzig mögliche Grundwissenschaft hält. Anderseits kann die Reflexion diesen Anspruch nie fallen lassen, weil in ihren Horizont keine andere Möglichkeit tritt. Ergo: der Immanenzstandpunkt erkennt den Widerspruch und den absoluten Wettstreit zwischen den Prädikaten der Immanenz und den Prädikaten des Standpunkts und sieht sich in der notwendigen Abhängigkeit von einem anderen Denken erkannt. Das Prinzip der Analyse und der Reflexion ist an sich unvollständig und wird nur Prinzip kraft einer produktiven Synthesis, welche das Gesetz des Verfahrens ausbildet und begründet. Daran ist unbedingt festzuhalten, einerlei ob man von einem Ich*gefühl* oder von einer Form der Ichheit oder nur von einem Gewühl der Empfindungsphänomene spricht, – um derartige Einheitsbestimmungen vollziehen zu können, bedarf es der ursprünglichen anlaßlosen Konstruktion des Subjekts; die ursprüngliche Setzung macht allererst eine Rede von Bewußtsein, Vorstellung, Akt möglich und verleiht dem bloßen Tun des Reflektierens die eigentümliche Bauform, welche den Charakter des Bewußtseins schafft.

Auf Grund der Einsicht der Abhängigkeit subjektiver Reflexion von einem Prinzip konstruktiver Synthesis löst sich auch das metaphysische Paradoxon der Bewußtseinsgrenze und damit der Widerspruch zwischen der Behauptung absoluter Realität des Bewußtseins und der Annahme einer Transzendenz. Für sich selbst ist die Reflexion, in ihrer Anwendung gedacht, das Unbezweifelbare und Absolute. Denn weil ihrem Gesetze gemäß der Versuch, über sich und sein Prinzip ins Klare zu kommen, nur als Reflexion sich äußern kann, weil Möglichkeit und Recht des Standpunktes und anderseits seine Anwendung dem Sinne nach gänzlich getrennt bleiben müssen, tatsächlich aber zusammenfallen, so kommt es für die Reflexion allein überhaupt zu keinem Bewußtsein ihres ganzen Wesens. Als Philosophie der Immanenz wird sie jede Frage nach Transzendentem in demselben Maße für sinnlos erklären, als sie selbst solche Probleme notwendig auslöst. Die Annahme nämlich eines Jenseits des reinen Bewußtseins wird dadurch immer herausgefordert, daß die Reflexion in ihrem Gebrauch sich selbst zu einer Methode und einem wohlcharakterisierten Standpunkt zusammenfaßt, von sich als »dem« Bewußtsein und von der Unmöglichkeit spricht, das Ganze seiner Realität zu bezweifeln. Die Reflexion maßt sich damit ein Blickfeld an, welches sie wesensmäßig – wir haben das oben gesagt – nicht haben kann. In ihrer Argumentation bezieht sie sich aber nur auf das Prinzip ihrer Bildung. Insofern sie daher Urteile über das Bewußtsein fällt, wird sie sich und werden ihr die einzelnen Akte und Inhalte, nach ihrer Gesamtheit genommen, phänomenal-objektiv, *darunter auch Sätze und der Geltungsanspruch von Sätzen.* Für sich selbst hat sie a priori die Gewißheit, die unbedingte Realität zu sein, und weil sie der Philosophie Begründungen nach Maßgabe der Wirklichkeit zumutet, so kontrastiert sich ihr das Reich der Geltung und des Sinnes gegen die Sphäre ihres unbedingten Lebens. Was aber gegen das Absolute qualitativ kontrastiert, ist nicht absolut, mag es auch in notwendiger Funktion zum Absoluten stehen. Die objektive Gültigkeit der Urteile wird deshalb von der Aktualität des Bewußtseins umfaßt werden können, sie wird ausschaltbar sein, sowohl ihrem speziellen Inhalt wie allgemeinen

Geltungscharakter nach. Trifft es sich nun einmal – und diesen Fall haben wir in den vorausgegangenen Ausführungen herbeigeführt –, daß z. B. *das Prinzip der Reflexion selbst* in einem Urteil mit dem Anspruch unbeschränkter Geltung auftritt, dann wird dieses Prinzip sehr wohl von der Reflexion als das Phänomen eines Satzes eingeklammert werden, d. h. sein Anspruch auf absolute Geltung vernichtet werden können. Nun hängt aber der Sinn dieses Vorgehens und die Endgültigkeit der Vernichtung von nichts anderem ab als von dem *Prinzip* der Immanenz, welches der Reflexion notwendig versteckt bleibt, für sie also im Falle seines Vorgestelltseins den Wert eines Urteilsinhalts im Rahmen der anderen besitzt. Und diese Vernichtung erstreckt sich nicht etwa nur auf die Form des Satzes, sondern durchaus auf den Sinn seines Inhalts selbst. Ebenso offenkundig, wie sich diese Selbstvernichtung der Reflexion vollzieht, wird sie von ihr als dem Geist der Methode zuwider für unmöglich erklärt, weil sie doch einmal das Absolute ist, und man das Absolute nicht vernichten kann. Demnach bleibt ihr nichts anderes übrig, als einsichtslos zuzugeben, daß der anfänglich bezweifelte Satz von der inneren Reflexionsform oder der synthetischen Identität (Form der Form) in philosophischen Begriffen volle Geltung behält.

Die kritisch-freie Bewegung gegen die Gültigkeit dieses Satzes hat sich in dogmatisch-gezwungene Bejahung verwandelt; der Prozeß ist nicht resultatlos verlaufen und kehrt nicht zu seinem Ausgangspunkt zurück. Was die Reflexion als methodische Disziplin forderte: daß zu einem jeden Bewußtseinsinhalt (Noema) die Bewußtheitsart (Noesis) als möglich angenommen werden müsse, dieses Urteil bedarf zu seiner Rechtfertigung derjenigen Synthesis als Maßstab, welche den philosophischen Begriff in dem Ganzen seines Sinns darstellt.

Damit die Wissenschaften der Reflexion, Psychologie und Phänomenologie, zu ihrer Begriffsbildung kommen können, muß ihnen das Bewußtsein der Idee nach vorliegen. Bedeutet die Idee aber die Grundgesetzlichkeit für das subjektive Vorstellen, so wird sie das Bewußtsein wesentlich in sich nicht *gefunden* haben. Das Erlebnis, nach seinem Wesen gefaßt, ist überhaupt nicht gefunden, weil alles

Finden nur im Erleben möglich ist, sondern verdankt seine Form, wenngleich nicht die vormateriale Fülle anfänglicher Anschauung, ursprünglich erfindender Bildung. Keine Spontaneität konstruiert die Grundzüge und Grenzen seiner Sphäre. Mag die lebendige Fühlung auf absolute Nähe zu den Gestalten der Anschauung noch so stark pochen, mag sie in sich selbst versunken die Evidenz ihrer Beharrlichkeit im Wechsel der Inhalte, der vollkommenen Reinheit der schlichtem Sehen sich offenbarenden Wesen behaupten, so liegt trotz allem dem Verfahren der reflektierenden Intuition das Urteil seines Zwecks und der Gedanke seines Gesichtspunktes zum Grunde; eben nicht als gefällter und verstandener Gedanke, sondern als Idee eines Verhaltens zu möglichen Urteilen über eine bestimmte Gesetzlichkeit. So offensichtlich reflektierendem Handeln ein Sinn innewohnen will, ist dieser Sinn dem Handeln a priori. Und so selbstverständlich dieses Apriori nicht aus dem Vorgang der Reflexion kommt – sonst wäre es diesem a posteriori und nicht sein Zweck –, trägt es das Zeichen einer Herkunft aus absoluter Freiheit. Das Apriori ist gesetzt und in spontaner Konstruktion gedacht, wie der Begriff der Linie nur Sinn gewinnt, wenn sie im Ziehen zustande gebracht wird. Die Linie ist nur (ihr) Gezogenwerden, das Apriori ist nur die Kundgabe der Spontaneität in Bildung bestimmter Grenzen, jeder Inhalt läßt sein Apriori erkennen, sofern er, als Beschränkung der in ihrem Ursprung schrankenlosen Freiheit gedacht, auf einen Anfang seiner Möglichkeit bezogen wird.

Das Apriori der Reflexion ist die Einheit des Selbstbewußtseins, Kontinuität in der Zeit, garantiert durch ein mit sich identisches Ich. Also weist dieses Ich dieselbe Struktur auf, wie sie uns in der Idee des Schemas zu einer philosophischen Methode entgegentrat: sie ist Antithesis zweier identischer Größen zur Möglichkeit ihrer Synthesis. Jedoch darf man den Unterschied der *Verwendung* des Schemas in beiden Fällen nicht übersehen: für philosophisches Denken soll die Identität konstitutive, für das Leben der Reflexion regulative Bedeutung haben. Der philosophische Begriff diszipliniert eine Methode nur dann, wenn er die synthetische Identität reflektierter Form zum *Ausdruck* bringt und während seines rechtfertigenden Vorgehens die Befugnis zu seinem Vorgehen in Einem geltend macht. Der Bewußtseinsbegriff gewährleistet einen Gang ihm gemäßer Erforschung, wenn die synthetische Einheit des Ichs in der Mannigfaltigkeit seiner momentanen Zustände als regulative Idee genommen wird, welche, formal gedacht, die Grenze des Bewußtseins oder die Richtung bewußtseinswissenschaftlicher Aufgaben, material gedacht, das Ideal ihrer Bemühungen vorstellt. *Diese Verschiedenheit nicht erwogen zu haben, bildet das wesentliche Motiv des absoluten Idealismus in der romantischen Zeit.* Fichte erzeugt die willkürliche Einheit eines grundsätzlichen Ichs; die Subjektivität, die Ichheit verschmilzt das synthetische Moment einer Setzung aus reinem Denken und die regulative Bedeutung für das endliche Individualbewußtsein einerseits mit dem Postulat absoluter Reflektiertheit des philosophischen Begriffs anderseits zum Ich als Prinzip der Philosophie. Aber noch erhält sich die Endlichkeit im Prinzip, die totale Reflektiertheit bleibt Form gegenüber der puren Anschauung des endlichen Ichs und wird ihm zum Sollen; dem Prinzip ist der blinde Stoff feindlich. Schelling und Hegel ziehen die Konsequenz, beseitigen das regulative Moment, bringen das konstitutive zur Herrschaft und versöhnen Stoff und Prinzip zum natürlichen Geist.

Kritisch besehen ist diese philosophische Tat ein unmöglicher Organismus, weil in ihm sich gegenseitig ausschließende Einstellungen vereinigt sein wollen. Der philosophische Begriff *gestaltet* die rückbezügliche Identität, der Bewußtseinsbegriff *gewährleistet* sie; hier spontan sich entfaltende Urbildung im Spielraum der Freiheit, dort gebundene Abbildung auf Grund der Wirklichkeit, hier Geben (des Sollens) und Denken (der Werte), dort Nehmen des Sollens und Befolgen der Werte.[9]

9 Die Richtung nach der Norm wird umgedeutet in das Enthaltensein in ihrer Allgemeinheit; dem parallel entwickelt sich die Auffassung des Bewußtseins als einer realen Gattung, in welcher die Fülle der Anschauung entweder Selbständigkeit behalten (der Standpunkt des Empirismus und der analytischen Logik) oder aus ihm deduziert werden kann (der Standpunkt des Rationalismus und der emanatistischen Logik). Vgl. zur Scheidung von analytischer, emanatistischer und transzendentaler Logik Lask, Fichtes Idealismus und die Geschichte (Tübingen 1902), auch Brunstäd loc. cit.

Der einmal eingenommene Standpunkt der Reflexion wird nach innerer Konsequenz zum Eingeständnis seiner Abhängigkeit von einem nichtanalytischen Prinzip gedrängt. Für ihn hat sich das Prinzip konkret als Ichheit geäußert. Damit ist aber noch keineswegs das Prinzip an und für sich als verpflichtend erkannt. Es ist durchaus nicht mit der Notwendigkeit des Prinzips *für* diesen bestimmten Standpunkt die Notwendigkeit, den Standpunkt einzunehmen, dargetan. Diese Frage gewinnt jedoch für das Problem der Abhängigkeit und Unabhängigkeit des Gegenstandes vom Erkennen wesentliche Bedeutung.
Man wird sich erinnern, daß der Immanenzeinwand in der Unmöglichkeit, die eigentliche Quelle unseres anfänglichen Urteils über das Wesen des Erkenntnisbegriffs angeben zu können, eine Hauptstütze für sich erblickte. Wir haben dagegen betont, daß im denkenden Denken die anschauliche Beziehung, an welcher der Begriff sich zum Ausdruck bringt, nur sein Mittel bedeutet, also logische Bestimmungen zu ihrer *Verständlichkeit* den Wesensgehalt sehr wohl vorweisen, ohne ihrem Sinne gemäß diesen selbst zum Objekt zu haben. Das besagt nicht etwa die Einschränkung des Gedankens auf den empirischen Gebrauch und die Leugnung eines Apriori, sondern die Tatsache, daß verstehende Einsicht notwendig das Korrelat des verstandenen Gehalts besitzt und nur Verständnis wesentlicher Zusammenhänge möglich ist. Verstehendes Denken setzt aber zu seiner Möglichkeit den Begriff seines intentionalen Gegenstandes voraus, an welchem es das Regulativ der Klarheit und Deutlichkeit seines eindringenden Sehens hat. Unter dem Gesichtspunkt der prinzipiellen Möglichkeit gesehen, erinnert der Gegenstand ihrer Meinung die verstehende Reflexion an ein setzendes Denken, in dessen Spontaneität das Gedachte die Einheit eines Bedeutungsgehalts überhaupt erst erhält. Jeder bestimmbaren Bedeutung geht als Bedingung ihrer Möglichkeit die synthetische Funktion voraus, welche die Einheit des Themas zu den in einen gewissen Umkreis gehörenden Bedeutungen stiftet. Damit phänomenologisch auf das Wesen, sagen wir des Dinges, der Bewegung, des Leibes, des Staates oder des Bewußtseins selbst reflektiert werden könne, muß, sofern Begründung allein in Prin-

zipien für sinnvoll gehalten wird, der Gedanke des Dinges, des Staates, des Bewußtseins zum Grunde liegen, und damit Verständnis der natürlichen Namen denkbar wird, müssen ihre Grenzen anfänglich selbst gezogen sein. Sind der phänomenologischen Besinnung schlechthin alle Wesensgesetze von Inhalten überhaupt in der radikalen Gesetzlichkeit des reinen Bewußtseins fundiert, so findet das Ganze dieses Zusammenhangs seine ideelle Begründung in der ursprünglichen Stiftung aller Themen, welche in diesem Ganzen und als dieses Ganze selbst zur Sprache gebracht werden können.

Nochmals: die Ichheit ist das Prinzip des reflektierenden Wissens. Am konkreten Gebrauch der Selbstbesinnung läßt sie sich aufzeigen, die Ichheit, welche *formal* mit dem Schema zu einer philosophischen Methode identisch ist. (Diese Innerlichkeit aber muß jeden Begriff wahrhaft ausmachen und das ganze Denken quasi aus sich bestimmen, soll es zur philosophischen Methode kommen.) Trifft dieses Verhältnis etwa für das Denken auf dem Standpunkt der Immanenz zu? Keineswegs, es weiß so wenig von seinem Prinzip, daß es sich erst aufgeben muß, um Raum zur Selbsterkenntnis zu haben. Ihm fehlt gerade als Standpunkt und Methode die unumgängliche Bedingung eines philosophischen Gedankengangs: Selbstbewußtsein. Einer philosophischen Methode darf ihr Prinzip nicht fremd sein, sonst lebt sie zwar nach seinem Gesetz, aber sie weiß von ihm nichts. Der Bewußtseinsreflexion bleibt ihr Prinzip, vermöge dessen sie einen bestimmten Zweck verfolgt, in ihrem Gebrauch sachlich unbewußt, ohne daß sie auch nur in der Lage wäre, das Problem der Berechtigung dieses Zwecks zu fassen. Und immer da, wo von Anbeginn das Apriori des Verfahrens für den Aktus des Verfahrens unbewußt bleibt, wo es darum zu dem Verlangen nach einer besonderen Begründung kommt, ist grundlegendes Denken verfehlt. Aus diesem ursprünglichen Gegensatz zwischen der Argumentation und dem Prinzip ihres Leitfadens entwickelt sich die subjektivistische Auffassung des Denkens und der Bruch gegen den metaphysischen Zufall einer jenseitigen Welt. In derselben Stärke, mit welcher der Begriff sich in die Schranken der Reflexion setzt, machte sich der damit geschaffene Gegensatz des endlichen Bewußtseins zu dem Unendlichen fühlbar. Nur insofern die Innerlichkeit des Gedankens und die Gesetzlichkeit seiner Entwicklung als das Prinzip jeder nur möglichen theoretischen Einstellung begreiflich gemacht ist, bereitet man grundlegendes Denken vor. Beginnt man erst bei dem Gegensatz von Subjekt und Objekt, Empirie und Apriorität, dann ist alles vergebens, jede Einheit und jedes Erkennen muß aufgegeben werden. Läßt man es aber gar nicht zu diesen Gegensätzen kommen, sondern das Denken an dem Punkte seines logischen Anfangs beginnen, so wird es in seinem Fortgang die synthetischen Grundlagen erzeugen, auf welchen die analytischen Unterschiede möglich sind.

Worin besteht nun philosophische Denkart im kritischen Sinne der Definition? Es verdient nur diejenige Besinnung den Namen, welche mit der Arbeit nach ihrem Prinzip, d. h. in ihrem Fortgang, zugleich von ihrem Prinzip weiß. Selbstredend kommt subjektive Reflexion dafür nicht mehr in Betracht, weil sie, wie bewiesen, unfähig ist im Vollzug auf sich selbst zu reflektieren. Die sogenannte Reflexion auf »sich« ist nur das Erleben anderer Akte oder ihrer im Ich einheitlich zusammengedachten Gesamtheit; die Reflexion ist Blick auf etwas, Ursprungs- und Endpunkt fallen nicht zusammen. Daraus wurde gefolgert, daß sie während ihres Tuns von dem Gesetze seines Zwecks: dem Gesetz des vorfindenden Bewußtseins und der Gegebenheit wesentlich nichts wissen kann. Darin liegt auch, daß das Erleben gegenständlicher Gehalte, welche für sich Anspruch auf theoretischen Wert machen können, den Bedingungen des theoretischen Wertes durchaus nicht genügt und überhaupt an ihm nicht gemessen werden darf. Hält man sich vor Augen, daß zu philosophischer Methode *reines* Selbstbewußtsein erforderlich ist, dann sieht man die Sinnlosigkeit des Einwands, wie man ihn nach analytischer Denkweise gegen das Postulat des Schemas vorzubringen pflegt: eine solche totale Reflektiertheit zu fordern, hätte dem lebendigen Denken gegenüber keinen Sinn, weil sie für dieses nicht erreichbar sei. Zieht man allerdings von vornherein das Denken in den Schranken des reflektierenden Bewußtseins in Betracht und setzt dieses in Beziehung zum Postulat der absoluten Reflexion, dann zwingt die wesentliche Inkongruenz des Lebens und der Idee, den Gedanken, eines zum andern umzubilden, für absurd zu erklären. Die subjektive Reflexion kann sich nicht in transzendentale Reflexion verwandeln und vice versa, das ist selbstverständlich. Aber wer hat je auch verlangt, daß das geschehen soll? Denn, damit es möglich wird, daß das lebendige Denken kritisiert, ist gerade seine Freiheit von (und zu) irgendeinem Maßstab und Gesetz die erste Bedingung. Und diese Freiheit liegt nur dann vor, wenn man das Denken nicht unter einem bestimmten Gesichtswinkel betrachtet hat, sondern wenn man es vollkommen unbestimmt in der Richtung seines ursprünglichen Vorgehens ausübt und es unter dem geforderten Prinzip, wir sagen es nochmals, nicht betrachtet, sondern zu seinem Ziele bringt. Selbst diese Ausdrucksweise ist noch bildlich, weil es keinen Sinn hätte, das Denken wie eine selbständig abrollende Tätigkeit mit eigener Richtung vorzustellen und gar dem Prinzip transzendenten Bestand zu vindizieren. Positiv kann an dieser Stelle noch nichts gesagt werden; nur das Verbot ist einzuhalten, dem Denken eine besondere Gesetzlichkeit durch Beziehung auf irgendein Bestimmungssystem der Reflexion, sei es physiologischer oder psychologischer oder phänomenologischer Art, angedeihen zu lassen. Denn das wäre der sicherste Weg zur Absurdität. Es wird sich zeigen, wie die strenge Vermeidung jeder Antezipation den unmittelbaren Anknüpfungspunkt für die synthetische Methode der transzendentalen Wahrheit bildet. Auf jeden Fall ist festzuhalten, daß die Ichheit als regulatives Prinzip intuitiven Verfahrens der Reflexion an sich keineswegs die Einstellung auf dieses Verfahren notwendig und seine Ausübung zur Pflicht macht, wofern kritische Prüfung der Objektivität in Urteilen verlangt ist.

Unmittelbar kann aus der ganzen Betrachtung geschlossen werden, es sollte bloß einer Philosophie, welche auf Wirkliches gegründet sein will, mit dieser Argumentation der Boden entzogen werden. Wobei es nicht ins Gewicht fällt, ob dieses Wirkliche nun als Element der Natur oder des Bewußtseins gefaßt wird, weil es immer nur auf den Charakter des Seins als eines Sinn- und Geltungsfremden ankommen soll. Man erinnert sich, daß wir gerade die Unabhängigkeit des Geltungsanspruchs in Urteilen verteidigt haben, indem wir Geltungsbedeutung gegen Bewußtseinswirklichkeit ausspielten, und zwar dadurch, daß uns der Nachweis gelang, daß jede Immanenzfassung eines Sinngehalts: d. h. jede Einklammerung eines solchen und Abschwächung zum bloßen Geltungsphänomen sinnlos ist. Jedoch vom Standpunkt des Bewußtseins und für die Überzeugung seiner absoluten Realität muß diese Beschränkung durchaus unbegreiflich sein. Das Bewußtsein kann alle Perzeptionen als Phänomene gelten lassen und als Erscheinungen in seinem unendlichen Kreis auffassen, warum sollten gerade Geltungsgehalte davon ausgenommen werden? Irgendwelche Gegengründe können für die Immanenz nicht in Betracht kommen. (Deshalb braucht Descartes die Wahrhaftigkeit Gottes als Kriterium der Wahrheit evident einsichtiger Sätze, und jedes Verfahren intuierender Reflexion, wenn es als Philosophie auftreten will, sieht sich vor der gleichen Notwendigkeit.) Geltende Sachverhalte, z. B. der Satz von der Winkelsumme, müßten als solche, weil dem Bewußtsein gegenüber zufällig erscheinend, eingeklammert werden können, wie jeder andere Gehalt auch. Weil das aber offensichtlich nicht geht, so liegt der Schluß nahe, daß das absolute *vorhandene* Fundament nicht in der eigentümlichen Realität des Bewußtseins, sondern *in der Normativität des Sinnes* zu suchen ist, in welchem alles wirkliche Leben echte Begründung finden kann. Dann braucht es auch nicht mehr zu jener unmöglichen Trennung von Tatsache, auf welcher philosophisches Denken ruht, und Prinzip, nach welchem dieses Ruhen zu denken sei, zu kommen, dann wird zum Prinzip selbst die Tatsache der Geltung und des Sollens. Mit einem Schlage scheint die Verdoppelung von Fundament und Methode, das Fundament zu denken, verschwunden: die Geltung als solche ist sowohl ihrem Sinne nach Begründung als ihrem kategorialen Charakter nach Tatsache.

Es verdient angemerkt zu werden, daß diese Ansicht hier nicht etwa künstlich konstruiert worden ist, sondern daß sie seit dem Niederbruch der romantischen Spekulation und unter dem Einfluß seinswissenschaftlicher Einstellung geradezu herrschend wurde und nicht nur in der Psychologie, sondern selbst in den reinsten transzendentalkritischen Systemen der Gegenwart. Daß Lotze, welchem unsere Zeit hauptsächlich die Belebung reinen Philosophierens verdankt, in § 320 seiner Logik (Leipzig 1874) sagen kann: »daß es allgemeine Wahrheiten gibt, die nicht selber sind wie die Dinge und die doch das Verhalten der Dinge beherrschen, ist für den Sinn, der sich darein vertieft, ein Abgrund von Wunderbarkeit«, daß er die Entdeckung dieses anderen Reichs gerade um seiner Selbständigkeit und des χωρισμός willen Plato zuschreibt – ob mit historischem Recht, ist hier gleichgültig –, daß solche Betonung der Faktizität des Apriori stärkste Stütze in Bolzanos Lehre vom Satz an sich finden mußte, und infolgedessen Husserls beschreibende Wissenschaft gegebener Wesensgehalte merkbaren Einfluß auf die Lotze-Windelbandsche Richtung (besonders in Lask), ja sogar unleugbar auf die sehr gegensätzlich dazu orientierte Marburger Schule gewinnen konnte, ist nur zu verständlich. Es gibt eben das Gelten, die Bedeutung, den Sinn, den Wert, den Logos und das Fieri des Erkenntnisprozesses, das Apriori ist oder besteht, wenn auch nicht in der Art der Urteilsaktualität, deren Möglichkeit man doch wesentlich bestimmt sein läßt durch die Tatsache eines Geltens. Gerade der Kampf gegen die Verwechslung der Seinskategorie mit der Geltungskategorie hat nur einen Sinn, wenn in ganz eigentümlicher Beziehung schon eine Identität zwischen beiden, eben in ihrer Kategorialität, angenommen ist. Nur weil sie in dieser Position dem Erkennen des Erkennens trotz ihrer spezifischen Sonderbedeutungen äquivalent sind, kann Verwechslung zwischen ihnen stattfinden. Daran ändert sich auch nichts, wenn zwischen Sein und Geltung die kopernikanische Abhängigkeit stabilisiert wird, und das Sein im Gelten seinen Schwerpunkt besitzt. Denn damit wird der Charakter der Gegebenheit sowohl des ganzen Verhältnisses als auch seiner Elemente nicht zum Verschwinden gebracht, und es bleibt die Wunderbarkeit, um mit Lotze zu sprechen, erhalten. Wenn vor Kant die Tatsache der Gesetzmäßigkeit in der Natur unbegreiflich schien, so erklärte sie das kopernikanische Verhältnis; aber die Unbegreiflichkeit erhält sich in dem transzendentalen Faktor selbst, sofern er als gegeben gilt. Darum suchen auch die neuesten Transzendentalphilosophien im

Begriff des Wertes oder der Ursprungseinheit das Unbegreifliche am Gelten zu überwinden.
Beruhigt man sich jedoch dabei, einer radikalen Skepsis gegenüber auf die Unbezweifelbarkeit des Geltungssinnes hinzuweisen, oder wenigstens die Philosophie auf dieses Faktum zu gründen, wenn man sie auch in diesem Faktum nicht enden lassen will, so muß in demselben Sinn wie gegen die spezielle Immanenztheorie des Bewußtseins gegen diese allgemeine Immanenztheorie der Gegebenheit zu Felde gezogen werden. Allerdings scheint sich der neue Versuch sogleich damit erledigen zu lassen, daß man sagt: wo immer etwas gegeben ist, ist auch notwendig ein Ort des Gegebenseins, ein Wem des Gebens gesetzt. In diesem Wem zeigt sich nur wieder die Subjektivität als der Bezugspunkt aller Inhalte schlechthin. Der Einwand ist ganz richtig, nur braucht sich die allgemeine Immanenztheorie von ihm nicht berührt zu fühlen. Denn für sie ist der Weg ausschlaggebend, auf welchem man zu den Sachen kommt, und deshalb wird sie gerade den Vorwurf sich zum Lob gereichen lassen. Zweifellos: was die spezielle Immanenztheorie des absoluten Bewußtseins nicht erklären kann, eben das absolute Bewußtsein als Faktum und Prinzip der Reflexion, »begreift« die allgemeine. Es setzt nämlich das Sollen und Gelten wesentlich eine Subjektivität voraus, für welche es Geltung und Sollen ist; gibt es Gelten – und das ist für sie absolutes Faktum –, so gibt es auch Subjektivität und Bewußtsein überhaupt.
Auf welchem Wege nun gelangt die allgemeine Immanenztheorie zur Entdeckung ihres Absoluten? Nicht anders vergewissert sie sich von der Unbezweifelbarkeit des Geltungssinnes als durch eine *Zweifelsbetrachtung,* d. h. durch Anwendung und Interpretation der Reflexion. Solchen methodisch durchgeführten Zweifel kennt man aus der Philosophie des Descartes, aber man kann sagen, daß er immer in den Bekämpfungen radikaler Skepsis eine gewisse Rolle gespielt hat und auch heute eine Rolle spielt. Denn die Form einer Zweifelsbetrachtung überhaupt läßt sich von der eigentümlichen kartesischen leicht isolieren, weil eine identische Gesetzmäßigkeit in allen derartigen Argumentationen herrscht. Zweifel ist an Allem möglich, nur nicht am Zweifel selbst; denn es bedeutete

den Verzicht auf bestimmte Aussagen überhaupt, sollte das Ansinnen gegen jede Objektivität sich selbst zum Opfer fallen. Ganz unabhängig davon, wie das Ansinnen selbst bestimmt ist, ob als reeller Vorgang in Raum und Zeit, ob als Bewußtseinsakt dieses Menschen oder als Akt an und für sich, ob als Tätigkeit des Willens oder als Geltung beanspruchendes Urteil, ob als Äußerung der Gesinnung und des Glaubens und als Manifestation der Ehrlichkeit, – das zweifelnde Ansinnen muß sich selbst die Grenze sein, wenn die Identität der Aussage gewahrt bleiben soll.[10] Um dieser Einstimmigkeit mit sich selbst willen, welche die absolute Bedingung jeder Rede in jedem Sinn ist, kann der Zweifel, insofern er eben nur als Zweifel geübt und nicht objektiviert wird, nicht Hand an sich selbst legen. Dieses Sich und Selbst ist für die Zweifelsbetrachtung jeden Stils das Unzweifelbare und Absolute.

Wie es wesentlich die Meinung der Reflexion ist, als Einheit über dem Wechsel der einzelnen Akte sich objektiv werden zu können, so ist es auch für die Zweifelsbetrachtung nach Maßgabe des analytischen Prinzips der Identität eigentümlich, an »dem Zweifel selbst« das Absolute zu finden. Hat sich aber die Zweifelstat auf sich zu richten versucht, dann wird er nach den oben besprochenen Gründen stets diejenigen Wesenszüge an sich entdecken, welche nach dem Prinzip der Betrachtung bereits vorausgenommen worden sind. Wir haben gezeigt, daß diese Vorausnahme der inhaltlichen Bestimmtheit für die in sich bleibende Reflexion konstitutiv ist, weil die Reflexion sich nicht selbst zu bestimmen vermag. Die Inhaltsart wird dem Prinzip verdankt. Wenn Descartes das zweifelnde Ansinnen als ein cogito bestimmt, und auf diesem Wege das ego als Einheit der cogitationes zum Absoluten wird, so ist das nur möglich unter dem Prinzip der Charakterisierung des

10 Auf diesem Boden bewegt sich die Zurückweisung absoluter Skepsis durch Hönigswald, Die Skepsis in Philosophie und Wissenschaft, Göttingen 1914. Immerhin gibt er seinen Argumenten transzendentalkritische Form, wenn er sagt, daß ein wissenschaftlicher Zweifel nur auf Grund der Anerkennung wissenschaftlicher Werte möglich sei. In demselben Stil pflegt man überhaupt heute die transzendentale Wahrheit zu »begründen«, durch außermethodische petitio principii. Nur Rikkert hebt das deutlich hervor (Gegenst. d. Erk. IV. Kap.).

Zweifels als eines Bewußtseinsaktes. Sicherlich heißt es, daß »ich zweifle« weise sich evident als Bewußtseinsaktion aus und in seinem Wesen lägen die und die Eigentümlichkeiten; hieße es nicht so, dann hätten wir keine Reflexion vor uns. Aber das besagt eben doch nur eine ihrem Gesetz gemäße Äußerung; das Recht zu dieser Äußerung wird aber gerade unter dieses Gesetz gebracht und wieder von dem jeweiligen Prinzip der Betrachtung abhängig gemacht. Legt man zur Abwechslung der Reflexion das Prinzip zugrunde, sie als Geltungssinn aufzufassen, so zeigt sich selbstverständlich der Zweifel als ein bestimmtes *Urteil,* welches Anspruch auf Geltung erhebt, und ein Zweifel daran ist nicht möglich, weil jeder Zweifel Geltungssinn besitzt. Man kann das auch so ausdrükken, daß jede Geltung prinzipiell der Frage nach ihrem objektiven Ursprung überhoben sei; denn jede Frage ist Sinn und setzt für sich Sinn voraus, und der darin als Bedingung der Möglichkeit einer jeden Skepsis sich zeigende identische Vernunftcharakter wird das absolute Residuum jedes Zweifels, das Fraglose der Erkenntnis. Auch hier darf man wieder nicht die Aussagen aus der reflektiven Einstellung zur Verteidigung des Rechtes dieser Einstellung nehmen, weil das einen circulus vitiosus bedeutet. Die Reflexion behauptet von sich aus natürlich, evident *zeige* sich der Geltungscharakter am Zweifel. Eine besondere Stütze findet die Theorie von der Unbezweifelbarkeit der Geltung schließlich darin, daß jede Zweifelsbetrachtung explicite mit dem Satz der Identität operieren muß, ohne ihn doch selbst begründen zu können, *es sei denn,* sie macht von vornherein die Satzgeltung zum Absoluten. Vor anderen Zweifelsbetrachtungen wird sie das Auszeichnende ihres Standpunktes gerade in der Möglichkeit finden, den Satz der Identität nicht nur wie jede Zweifelsbetrachtung und jedes Denken überhaupt voraussetzen und benutzen zu müssen, sondern ihn selbst, das unvermeidliche Prinzip, zum Fundament der Reflexion machen zu können.

Der Satz der Identität spielt, wie hervorgehoben, eine besondere Rolle, indem der Zweifel am Zweifel selbst nie zugelassen werden darf, weil sonst die Einstimmigkeit der Rede mit sich preisgegeben ist. In der Tat wird der Satz oder das Prinzip der Identität für alle

Zweifelsbetrachtungen vorausgesetzt und bleibt deshalb außerhalb des ganzen Kreises, in welchem der Zweifel sich betätigen kann. Das Urteil der Identität wird stillschweigend immer in den Gehalt mit übernommen, damit er im Fortgange der Reflexion zum Absoluten werden kann; geschähe das nicht mit ihm, so sähe sich der vermeintlich so radikale Skeptiker zu seinem Bedauern gezwungen, den ganzen Scharfsinn für trügerisch zu halten und den Zweifel selbst über Bord zu werfen, wodurch der alte Zustand, dem man doch nicht traut, wieder hergestellt wäre. Doch trifft das in nicht minderem Grade ebenfalls die Theorie von der fraglosen Geltung. Denn das Prinzip der Identität kann sehr wohl als Urteil, Satz und Sinn gefaßt werden und hat nichtsdestoweniger allein den Zweck, gerade die Bedingung für alle Geltungseinheit zu sein. Die Funktion des Identitätsprinzips erschöpft sich in der Ermöglichung des Sinnes und befindet sich auf diese Weise außerhalb der Rationalität, ohne doch etwa von aller Rationalität abgeschieden zu gelten. Neben dem Prinzip der Identität stehen die des Widerspruchs und des Grundes in der gleichen eigenartigen Beziehung zu allen theoretischen Einheiten, eine Beziehung, welche vom analytischen Standpunkt wohl bemerkt, aber nicht begriffen werden kann. An diesen Funktionen findet die traditionelle Logik der Analysis ihre Grenze und verlangt ihre Fundamentierung in einer transzendentalen Logik der Synthesis. Insofern demnach auch für die Lehre von der Fraglosigkeit der Norm das Identitätsprinzip – wie die Prinzipien des Widerspruchs und des Grundes – von ihr aus nicht zu rechtfertigende Voraussetzungen des Absoluten bedeuten, verliert sie den Schein der Überlegenheit über die anderen möglichen Zweifelsbetrachtungen. Wir brauchen auch nur daran noch zu denken, daß die Abhängigkeit der immanent-analytischen Denkweise von einem Prinzip *eo ipso* Abhängigkeit von den angegebenen formal-konstitutiven Prinzipien der Rationalität überhaupt mitbedeutet.

In besonders deutlicher Weise zeigt sich der Satz vom Grunde für den methodischen Skeptizismus als Bedingung, wenn man das Zweifelsansinnen weder als Bewußtseinsakt noch auch als Urteil gelten lassen will, sondern den impetus und den rein innerlichen

Antrieb darunter versteht. Der Zweifel scheint auf diese Art auch dazu gelangen zu können, sich selbst einzuklammern und zu durchstreichen. Man will zwar damit nicht sagen, daß an Stelle des Zweifels keine Ursachen oder Gründe gesetzt sein sollen. Nur der *Ansatz* zu einem Zweifel, welcher jede Setzung in bezug auf ihre Objektivität angreifen kann, darum auch den sich absolut setzenden Zweifel, soll das unbedingte Residuum werden. Man erkennt aber doch, wie diese sich so radikal ausnehmende Betrachtung vor den anderen weder etwas voraus hat, noch überhaupt selbst tatsächlich zustande kommen kann. Wenn jede Setzung von neuem wieder bezweifelt werden soll, so trifft das auch die Setzung des bloßen Ansatzes; denn dieser soll ja gerade absolut gelten, d. h. gesetzt sein. Dieses Setzen widerspricht aber seinem Sinn, welcher den bloßen Ansatz besagen will; der Gedanke hebt sich auf, das Spiel beginnt von neuem. Also wird man geneigt sein, dieses ruhelose Sichforttreiben für das Absolute zu nehmen, womit der Sache nach jedoch gar nichts geändert, vielmehr derselbe Fehler wieder begangen wird. In dieser Form kommt eben die Zweifelsbetrachtung zu gar keinem Resultat und absoluten Fundament, weil sogar jede Erklärung, daß sie nicht zu Ende kommt, ihrem Gedanken nach sinnlos sein muß. Es läßt sich schwer verhehlen, daß der Gedanke des Ansatzes zum Zweifel, sollten auch alle speziellen Verhältnisse kausaler, logischer oder ethischer Abhängigkeit ausgeschlossen sein, an dem Prinzip des Grundes orientiert ist. Freilich rettet sich diese Theorie stets in die Behauptung, daß man sie hier nicht mehr beim Worte nehmen dürfe, weil sich an der Absurdität gerade der nichtrationale Charakter des Absoluten zeige. Selbst dieser so beliebte Schluß ist auf dem Boden des methodischen Skeptizismus nicht möglich (und ein anderer Boden steht ihm nicht zur Verfügung); denn er spricht von dem Ansatze, von dem Nichtzuendekommen und der ewigen Unruhe, er meint auf alle Fälle etwas und setzt darum für dieses Etwas die Bedingung des Sinnes voraus, sonst könnte er nicht das Urteil der Irrationalität fällen. Mag er es auch uneigentlich meinen, es bleibt dabei, daß das Absolute seinem Wesen nach in der Zweifelsbetrachtung überhaupt nicht gedacht werden kann, weil die Bedingungen seiner

Charakteristik vorhergehen. Das Nichts der Setzung ist immer nur das Nichts der Setzung, aber das Absolute darf man nicht das Scheindasein eines angeblich uneigentlich Gemeinten führen lassen. Es ist ein Unding, auf die Behauptung der Irrationalität überhaupt einzugehen, weil uns keine Grenzen der Rationalität bekannt sein können, es sei denn, man setzt sie der Diskursivität gleich. Wo alle Begriffe versagen, beginnt durchaus nicht die Wahrheit, wenn anders sie erkannt sein soll. Jedoch ganz abgesehen von diesem haltlosen Streit zwischen Begriff und Leben –, eine Zweifelsbetrachtung an sich steht unter Prinzipien, welche sie darum nicht beurteilen kann, weil zu einer solchen Beurteilung die Prinzipien selbst schon vorausgesetzt sind. Wenn auch eine unendliche Mannigfaltigkeit derartiger Skeptizismen denkbar ist, je nachdem man das spezielle Prinzip der Reflexion wählt, und wenn auch dadurch jede Zweifelsbetrachtung sich für die radikalste hält und definitiv das Absolute zu erwischen glaubt, so ändert das an dem Gesetze gar nichts, welchem der Skeptizismus seine Möglichkeit und die Reflexion ihr Resultat verdanken. Es ist entscheidend, daß die Intuition in einer Abhängigkeit steht, welche höher ist als ihre Vernunft, und diese Abhängigkeit in keiner Reflexion gefunden wird, weil sie alle Reflexion dirigiert. Das naive Drauflosdenken und Draufloszweifeln ist alles andere als nihilistisch und radikal; mit dieser Meinung beweist es nur sein analytisches Vorurteil, Denken für bloße Reflexion gelten zu lassen.

Zur Wahrheit können die analytischen Kriterien der Evidenz nicht hinreichen, denn es kommt für die Wissenschaft der Philosophie darauf an, mit dem unendlichen Widerstand, welchen der Besitz des vermeintlichen Absoluten gegen jede Skepsis leistet, sich nicht zufrieden zu geben, sondern den zureichenden Grund des Widerstandes zu begreifen. Darum handelt es sich, die offenbare Unmöglichkeit, Urteilsobjektivität zum Phänomen herabzudrücken, wirklich zu verstehen, wozu analytisches Denken in der Tat nicht imstande ist.

## 3. Auflösung des Problems der Synthesis a priori in die transzendentale Methode

Soll das Gesetz der Synthesis im Begriff eines Gegenstandes der Erkenntnis reflektiv gefunden sein, dann muß die Reflexion sich selbst an solchem Gesetz orientiert haben, wenn sie erkannt haben will. Um die Reflexion daraufhin zu prüfen, hätte man selbstverständlich eine ganz andersartige Methode nötig, für welche sich aber dasselbe Spiel wiederholt, trägt diese nicht an sich selbst die Gewißheit ihrer Richtigkeit. Solche Erkenntnis, welche die Befugnis zur Kritik bei sich selbst führt, ist kritischer Art, denn sie begründet ebenso ihre eigene wie jede andere Objektivität. Wir wissen, daß die Reflexion durchaus nicht philosophische Erkenntnis in solchem Sinne ist, weil diese Charakteristik auf sie nicht paßt. Als irreversible Funktion nämlich gibt sich das abbildende Erfassen zu erkennen, für deren Eindeutigkeit es bezeichnenderweise bloß den wahrhaft evidenten Bestand des Urbilds geltend machen kann; das analysierende Denken begründet sich nur im Zirkel. Wofern jedoch dem Seins- oder Geltungsbestand des Urbilds, der Realität oder der Normativität, die rechtliche Existenzfrage gestellt wird, sieht sich die Macht der Reflexion am Ende. Sie bleibt in dem Gegensatz befangen, welchen die Synthesis der Erkenntnis überwinden soll, und weit davon entfernt, ihren urbildlichen Gegenstand, mag er in Natur oder geistiger Welt angetroffen sein, aus Gründen zu erzeugen, versteht sie sich selbst nicht, verharrt ohne innere Notwendigkeit, es sei denn, sie bilde nach einem ihr fremden Prinzip das erklärende Ganze des Selbstbewußtseins. *Kraft einer Konstruktion* nur macht sie sich gültig. Solange sie zwar bloßer Ausübung (des Erlebens) nachgeht, weiß sie nichts von den Bedingungen, welche im Sinne des Bewußtseins liegen; aber wesentlich ist, daß sie von dem Verfahren der Analyse keinen Gebrauch zu machen wüßte, stellte die Idee des Ganzen nicht die Richtung auf den bestimmten Zweck des Gebrauches vor. Der Reflexion geht darum die Anerkennung des Solls, Einheit

eines Bewußtseins zu denken, voraus, und der Sinn dieser synthetischen Bildung ist das Element ihrer Möglichkeit.
Echtes Erkennen dagegen wird die Einseitigkeit und Nichtumkehrbarkeit in dem Verhältnis des Abhängens des Subjekts vom Gegenstand keinesfalls dulden. Wie wir aus der schematischen Vorerwägung synthetischer Gesetzlichkeit wissen, ist dem erkennenden Subjekt der Gegenstand in derselben Weise wie dem Gegenstand sein Erkanntwerden zufällig und notwendig. Der Charakter der Unabhängigkeit und Selbständigkeit, der Äußerlichkeit und Zufälligkeit eines jeden Gegensatzglieds gegenüber dem immanent-analytischen Regelbereich seines anderen Gegensatzgliedes soll aufgehoben werden in gegenseitiger Innerlichkeit und Notwendigkeit. Die synthetische Verbindung von Subjekt und Objekt zur Einheit des erkannten Gegenstandes ist die Norm für eine kritische Beurteilung begrifflicher Objektivität. Offenbar soll die wahrhaft gedankliche Leistung in einer paradoxen Synthese bestehen, wenn die Geltung der Identität im Widerspruch der in sich ruhenden Einselbigkeit vermöge der Anderheit zum Element des Notwendigen proklamiert wird. Als *Verwandlung* in das Fremde und Selbstgenugsame, als das Mitsichzerfallen und die Entzweiung, als die Selbstvernichtung im *Überspringen* ihrer Grenzen, welche den Umfang analytischer Möglichkeiten beschreiben, soll die Form des Begriffs, an der Fülle der Anschauung erfüllt, die Notwendigkeit wirklichen Erkennens erzeugen. Die innere Verschmelzung widersprechender Verhältnisarten: des totalen Nichtverbundenseins zweier Glieder (die Relation der Transzendenz) und totalen Insichgebundenseins eines Elements (die Relation der Immanenz) zum totalen Aneinandergebundensein in der korrelativen Notwendigkeit erzeugt das Schema des Begreifens von Tatsachen und die Bedingung der Möglichkeit jeder Ordnung: *die Form* der Sukzession als Schema *der Zeit.*
Die Aufgabe, den absoluten Widerspruch als identisch gesetzt zu denken, löst sich in das Schema der Zeit auf und erzeugt die Sukzession als Möglichkeit einer wirklichen Folge. Bestimmt zwar kann sie nur werden als reine Anschauung, denn zur Bestimmung muß sie schon vorliegen. Begriffen jedoch wird sie in spontaner

Erzeugung als konstruiertes Produkt. Dem Verständnis und seiner Analyse ist sie Faktum und dann kein Begriff, sondern eine reine Anschauung. Der Erkenntnis und ihrer Synthese ist sie Ursprung, »Sichgenesis«, wie Fichte sagt, weder Begriff noch Anschauung, sondern Setzung nach Art freier Bildung, Erzeugnis in Anschauung und Bildung in Form.

Kant erklärt die restringierende Funktion der Zeit in allen Grundsätzen und ihre Vorherrschaft gegenüber dem Raum dadurch, daß er sie zur Form des inneren Sinns macht, welchen jeder Inhalt zu seiner möglichen Vorstellung passieren muß. Auf allen Stufen der Ästhetik, der Logik und der Dialektik begegnen wir der Zeit als sinnbestimmendem Prinzip.[11] Aber die subjektive Begründung der Zeit und ihre Gleichstellung mit dem Raum wird unerträglich, wenn die Einheit der Subjektivität (auch als ein nichtpsychologisches Vermögen) für die Transzendentalkritik Problem wird. Der Begriff des nach dem Umfang möglicher Inhalte der Anschauung bestimmten Bewußtseins überhaupt ist für die *kritische* Reflexion nicht ursprünglich. Er hängt noch an dem bloßen Erleben als einem an und für sich begrifflosen Tun, welchem die Einheit des Sinnes erst durch Befolgung eines bestimmten Prinzips der Objektivierung kommt. Um Raum und Zeit als reine Anschauungen beurteilen zu können, ist jene reflektiv-phänomenologische Einstellung der transzendentalen Ästhetik erfordert, welche sich in der doppelten (metaphysischen und transzendentalen) Erörterung der Anschauungsformen bemerkbar macht. Die metaphysische Erörterung, welche »dasjenige enthält, was den Begriff a priori gegeben darstellt« (KrV B 38), geht dort der transzendentalen vorauf und übt einen in Sonderheit für die Formulierung bestimmenden Einfluß auf die ganze Gliederung der Kritik aus. Wohl ist der Weg richtig, auf welchem die Analyse Bedeutungen in Elemente zerlegt, die an einer konstruktiven Einheit orientiert werden, damit die Bedeutung als ein Prinzip erklärt ist, »woraus die Möglichkeit anderer synthetischer Erkenntnisse a priori eingesehen wer-

11 Vgl. F. Heinemann, Der Aufbau von Kants Kritik der reinen Vernunft und das Problem der Zeit. Philosophische Arbeiten, herausg. von Cohen u. Natorp, Bd. 7, 2. Heft, Gießen 1913.

den kann« (KrV B 40); jedoch hängt seine Möglichkeit wiederum von der Anerkennung bestimmter Grundprinzipien ab. *Diese* gehören an den Anfang der Betrachtung gestellt und in ihrer Notwendigkeit begriffen, bevor der von ihnen geschlossene Kreis transzendentaler Kritik seinen Umschwung beginnt. – Hegel war sich bei seiner dem kantischen Verfahren total entgegengesetzten Methode bewußt, die Anschaulichkeit in der dialektischen Konstruktion ganz und gar nicht zu verlieren; der »Begriff« soll durchaus »konkret« sein. Man hat zwar diese Rede stets lächerlich zu machen gesucht, da doch das Allgemeine für sich notwendig leer sein müsse, dabei aber nicht bedacht, daß in der dialektischen Selbstbildung der Bestimmungen es gar nicht zu dem Gegensatz von allgemein-formal und individuell-material *kommen* darf, welche Gegensätze analytischen Wesens sind und nur entstehen, wenn man die Begriffe gegeben nimmt. Dies stimmt nun wieder mit der üblichen Auffassung der dialektischen Methode überein, nach welcher sie, logisch betrachtet, rationale (kompositive, synthetische) Methode in der Art vorkritischer Systeme sein soll. Genau das Gegenteil ist richtig. Rationale Deduktion verfährt axiomatisch, indem sie ein bestimmtes Wesensverhältnis, einen »Begriff«, als gegeben nimmt und seine analytischen Komponenten herausholt. Dialektische Methode will jedoch »Begriffe« *geben* in freier Erzeugung, sie verfährt wesentlich nichtaxiomatisch, sondern sucht die Axiome, sit venia verbo, zu konstruieren, geht also von keinem gegebenen Wesen aus, ist darum auch nicht Deduktion, sondern eher Induktion, Einführung der Begriffe zu nennen. Tatsächlich steht sie als eine eigene Denkart neben Deduktion und (auf Erfahrungsanschauung basierender) Induktion und über beiden Formen der Analysis als transzendentale Logik der Synthesis. Ihre Notwendigkeit gesteht man unbedingt zu, wenn man den auszeichnenden Charakter kritischer Logik in gegenständlichen Werten sieht; diese besitzt sie als Einheit der Prinzipien synthetischer Urteile a priori, insofern sie sich nicht wiederum analytisch auf ein seiner Vorhandenheit nach gänzlich fragwürdiges Vermögen solcher Prinzipien beruft, für deren Richtigkeit dann keine Vernunft einstehen kann, sondern wenn sie im methodischen Fortgang und als ein solcher die Möglichkeit synthetischer Prinzipien erweist. Die Methode, als Tat gedacht, ist der transzendentale Existentialbeweis eines Vermögens gegenständlicher Prinzipien; nur an den Früchten der Dialektik kann man sie *erkennen.* Aus diesem Grunde ist es sinnlos, das konstruktive Verfahren nach dem Entweder-Oder von Form und Materie, Allgemeinheit und konkreter Individualität beurteilen zu wollen. Tatsächlich ist es ja möglich, synthetische Gedankengänge analytisch aufzufassen, nur verfehlt man dabei ihren Sinn. Wenn man das reine Sein und das Nichts als gegebene Begriffe für sich erwägt und erklärt, sich darunter (!) nichts denken zu können noch zu verstehen, wie daraus das Werden sich erzeuge, so hat man ganz recht, denn darauf hat die Dialektik der Entwicklung es nicht angelegt. Unter analytischem Gesichtspunkt erstarrt die lebendige Bewegung der »Begriffe« zu unzusammenhängenden Atomen in einem gegebenen Ganzen mit sich identischer Denkformen, denen die Fülle der Anschauung wahrhaftig fernbleibt. In der unmittelbaren Bildung aus dem Nichts der Freiheit dagegen setzt das Denken Anschauung und Bestimmtheit in Einem heraus, wie aus dem Punkte die Linie anschaulich und doch rein zur Entstehung gebracht wird.

Jedoch findet die dialektische Methode sehr wohl an dem Entweder-Oder: freie Konstruktion (des Urbilds), gebundene Abbildung des Gegebenen ihre Grenze; über diese Grenze wollten Fichte, Schelling und Hegel hinaus, und darin sehen wir wieder ein erkenntnistheoretisches Motiv des absoluten Idealismus. Dialektik ist nicht die Einheit der einander entgegengesetzten, wiewohl sich zur Einheit ergänzenden Wege der transzendentalen Wahrheit: der synthetischen und der analytischen Methode; solche Einheit ist nur regulative Idee und als das Gewissen der transzendentalen Forschung zu denken, als Erkenntnis aber nur einem intellectus archetypus möglich und wirklich. Dialektische Konstruktion hat als synthetisches Denken durchaus nicht die Kraft, die Begriffe so zu erzeugen, wie sie vom analytischen Standpunkt der Gegebenheit an der Fülle des vorliegenden Stoffs zu bilden sind. Sie bleibt seinem Prinzip durchaus entgegengesetzt und koordiniert. Diese Trennung machten die romantischen Systeme nicht, und aus diesem Grunde glaubten sie, das Wissen Gottes darzustellen. Nur wenn die Trennung übersehen wird, hat die Dialektik ihr Recht verloren; bleibt man sich ihrer bewußt, so kann das Mißtrauen gegen die synthetische Methode verschwinden, weil dem Vorwurf, sie sei metaphysisches und unkritisches Philosophieren, der Boden entzogen ist.

Die ursprüngliche Genesis des Werdens geschieht bei Hegel aus dem gesetzten Widerspruch von *Sein* und *Nichts*, und man sieht, wie zu seiner Konstruktion überdies der *Sinn* der Entgegengesetzten den Sinn der Einheit bestimmt,[12] wenn auch das Moment bloßen Verbindens Verschiedener zu einer Identität genügt, die Sukzession oder das Werden aus sich herauszusetzen, wie wir es für eine Synthesis schlechthin wesentlich halten. Hierin liegt der Grund dafür, daß Hegel das Ganze der synthetischen Methode als Prozeß und Bewegung der Begriffe bestimmt hat.

In dem Schema objektiver Synthesis lassen sich zwei Richtungen unterscheiden, in welchen sich durch das Relationsmoment dynamischer Abhängigkeit (korrelativer Bedingung) auf Grund der Sukzession, die allgemein Einheit der Gegensätze ist, funktionale Gesetzmäßigkeit ausprägt. Die unendliche Diskretion mannigfaltiger Inhalte zeigt einerseits in sich ein vollkommenes Beieinander- und Ineinandersein der Anschauungen; die Inhalte sind funktional koordiniert. Andererseits setzt sich die anschauliche Mannigfaltigkeit als unabhängige Transzendenz gegen ein mögliches Subjekt seiner Erkenntnis; das Anschauliche ist funktional subordiniert unter den Begriff. In beiden Richtungen, welche den Stempel der Synthesis tragen, treffen wir gleichermaßen die als identisch gelten sollenden Widersprüche von Zufälligkeit und Notwendigkeit an. Stellt man diese beiden Widerspruchsverhältnisse in einem mathematischen Bild vor, so läßt sich das Bezugssystem der Gegenstandserkenntnis von dem Bezugssystem des Erkenntnisgegenstandes unterscheiden, in deren Selbständigkeit dasselbe Gesetz einer Ein-

12 Dieser Gegensatz, welcher die Logik, die erste Disziplin der dialektischen Evolution, einleitet, muß natürlich das Wesen und die Idee des Prozesses in der formalen Fassung ihres Sinnes ausdrücken, weil Logik als Wissenschaft der Idee im abstrakten Elemente des Denkens, als dialektische Methoden*lehre*, zu verstehen ist.

heit Widersprechender gilt. Es ist klar, daß diese Beobachtung einer in beiden Systemen identischen Gesetzmäßigkeit nicht in einem dritten System, auf welches die beiden andern bezogen sind, begründet werden darf, weil die Annahme eines bestimmten Bezugssystems stets nur von einem Subjekte aus möglich ist; jede Objektivierung muß in einem Punkte, welcher zu keiner objektiven Einheit gehört, begründet sein. Sonst käme es nie zu einer geschlossenen Gültigkeit in Urteilen, und weil die Objektivität ohne Bedingung gilt, so bekundet die Aussage des objektiven Werts jener Identität synthetischer Verhältnisse in beiden Bezugssystemen *die Einheit beider Bezugssysteme selbst.* Diese Einsicht ist die kopernikanische Tat der Kritik der reinen Vernunft, welche den Widerspruch und die Identität in den Ordnungen der Gegenstandserkenntnis und des Erkenntnisgegenstandes erklärte; anstelle einer doppelten Synthesis, deren Identität dadurch relativ wurde, daß sie von einem in die Verhältnisse nicht aufgenommenen Beobachter beurteilt werden mußte, setzte Kant die Eine absolute Synthesis des Wahrheitswertes. Hier war nicht mehr der philosophische Beobachter außerhalb der Objektivität belassen, sondern geradezu Mittelpunkt und Ursprung der Wahrheit geworden. Die bloße Feststellung, daß das Bezugssystem des Gegenstandes und das Bezugssystem der Erkenntnis, als Synthesen gedacht, identisch sind, ist nur möglich für eine Einstellung, welcher beide Systeme durchaus gleichberechtigt sind und als solche sich darstellen können. Damit dies aber möglich ist, müssen sie verglichen, beurteilt, erkannt werden. Der Punkt der Einstellung ist also notwendig das theoretische Subjekt, die transzendentale Einheit der Apperzeption. *Dieses Subjekt hat mit empirischem oder reinem Bewußtsein oder Bewußtheit nichts mehr zu tun, weil diese Ordnungen für die Erkenntnis bereits objektive Bedeutung haben.* Sich selbst ist die Erkenntnis kein Bezugssystem mehr und wird sich nie objektiv, infolgedessen fällt in diesem Verhältnis die ursprünglich angenommene Zweiheit der Ordnungen von Erkenntnisgegenstand und Gegenstandserkenntnis, welche im psychologischen Sinne bleibt, fort; es besteht nur mehr eine Ordnung der Erkenntnisobjektivität. Die funktionale Gesetzmäßigkeit des Gegenstandes wird da-

mit zurückgeführt auf das theoretische Wertverhältnis, kantisch gesprochen, ist die Einheit der transzendentalen Apperzeption ein »subjektivsynthetisches Prinzip«.[13] Dieses ist geradezu die Bedingung der Möglichkeit der Geltung einer Aussage schlechthin, insofern zu dem Erkenntnisbegriff wesentlich die Bedingung gehört, daß Subjekt und Objekt erst auf Grund ihrer absoluten Trennung zur Einheit korrelativer Notwendigkeit kommen sollen. Das subjektiv-synthetische Prinzip ist die Idee der Erkenntnistheorie als der Kritik wissenschaftlicher Gültigkeit. In ihm liegt die reine Mitte zwischen theoretischem Subjekt und theoretischem Objekt, als Wert macht es die gesuchte Synthesis vollständig.
In dieser unbedingten Allgemeinheit gilt das subjektiv-synthetische Prinzip jedem Erkennen ungeachtet seiner spezifischen Erkenntnismaterie. Die Mannigfaltigkeit wissenschaftlicher Möglichkeiten steht unter der Einen identischen Norm des Ursprungsprinzips, mögen naturwissenschaftliche oder kulturwissenschaftliche, mathematische oder philosophische Erkenntnis in relativer Selbständigkeit gegeneinander sich behaupten. Durch diese Idee wird jedoch philosophische Erkenntnis als kritische Methode aus der Einordnung in die Reihe der Wissenschaften bestimmten Gebiets befreit und ihre Beschäftigung mit dem Wesen der Erkenntnis nicht mehr als eine Spezialarbeit aufgefaßt. Nicht nur dem Inhalte nach bezieht sie sich auf alle theoretischen Disziplinen und erhebt sich insofern über sie, sondern konsequenterweise auch dem Gebaren nach streift sie den Charakter einer Disziplin mit bestimmtem Arbeitsfeld und bestimmt abgestuften Horizonten ab. Der Kritik ist es nicht möglich, Wissenschaft neben Wissenschaften zu sein und doch in der Form auf alle Wissenschaften sich zu beziehen. Denn sie darf ihr Arbeitsrecht nicht selbst außer acht lassen, wie es alle Wissenschaften machen und wodurch sie allererst wirklich werden. Kritisches Verfahren muß innerlich selbstbewußt und sich gültig sein, womit etwas ganz Anderes gefordert ist, als ein Verfahren, auf welches der es ausübende Forscher zur Kontrolle reflektieren mag. Ihr Verfahren ist Ausübung und Rechtfer-

13 Vgl. Brunstäd loc. cit. S. 41/42.

tigung gleichermaßen und muß organische Identität repräsentieren, weil solche nur Rechtfertigung leisten kann; diese Leistung käme nie zustande, wenn an dem Punkte ihrer Arbeit selbst die Rechtfertigung unterblieben wäre. Begreiflicherweise kommt darum auch keine nachträgliche Rechtfertigung mittels Reflexion mehr in Frage, denn als Denkarbeit verlangte sie ihrerseits wieder Begründung usw. bis ins Unendliche. Durch ihr Ziel, ihren Inhalt wird die Kritik ein ganz anderes Gebaren anzunehmen gezwungen sein, wie es sonst den Wissenschaften eigentümlich ist, weil sie in ihrem Vorwärtsschreiten den Grund und die Möglichkeit der Schritte selbst angeben muß. Ihr Thema ist nicht nur das Feld und der gegebene Arbeitsboden, auf dem sie sich betätigt, denn das Sich-Betätigen bleibt außerhalb des Bodens, auch wenn es, wie allgemein in allen philosophischen Lagern zugestanden wird, dem Begriffe nach in das Feld selbst hineingehört. Das ist freilich richtig, daß die Rechtfertigung der Objektivität – das Thema aller Kritik – sinngemäß sich auch auf das Arbeiten über dieses Thema erstreckt und in ihm Geltung *beansprucht*. Was aber bürgt dafür, daß nicht nur ein Anspruch bleibt, sondern sich sein Recht herausstellt? In schlichter Reflexion kann diese radikale, die Reflexion selbst mitbetreffende Frage, nicht zur Entscheidung kommen, ganz abgesehen von dem schon lebhaft hervorgehobenen Sachverhalt, daß der Analyse Rechtsprinzipien nicht objektiv werden. Für das kritische Erkennen gibt es keinen andern Weg, sich das subjektiv-synthetische Prinzip zum Thema zu machen, als es sich zum Vorbild zu nehmen, wie es einem Verhalten Prinzipien gegenüber einzig gemäß ist. Die Kritik hat in ihrem Arbeitsplan, in ihrem Beginn, in ihrer ganzen Art und Weise dafür zu *sorgen*, daß der Begriff ihres Inhalts und der Gegenstände ihres Gebiets zu Recht besteht, indem die methodische Disziplinierung der Arbeit über die betreffenden Gegenstände die Möglichkeit schafft, *daß* er zu Recht besteht. Einzig das Befolgen des von der Kritik, d. h. Konstruktion, des Erkenntnisbegriffs als notwendig dargetanen Prinzips der Einheit der transzendentalen Apperzeption ergibt eine rein in der Wahrheit ihres Rechts lebende Methode. So bleibt das Verfahren nicht mehr als aktuelle Ausführung gleichgültig gegenüber dem Sinn ihres methodischen Gesetzes und des kritischen Begriffs, sondern *wird* in der Befolgung *zu* diesem Gesetz und begründet dadurch unmittelbar die gesamte andere wissenschaftliche Erkenntnis.[14]

Obgleich die dialektische Entwicklung die ganze kritische Methode leitet, *trägt* sie sie doch nicht allein, sondern muß sich diese Funktion mit der unmittelbaren Anschauung teilen. Schon aus dem Zwang, den reduktiven Aufstieg der Kritik im Gegebenen einsetzen zu lassen, begreift man die Notwendigkeit, seinen Gang an Prinzipien zu orientieren, welche ihm Ziele und zugleich Anweisungen, dieselben zu erreichen, geben. Eben darum müssen diese synthetischen Gesetze Normen sowohl für die Abstraktion aus Anschauung wie für die Anschauung selbst sein, mit welcher das bestimmende Denken zu Rande kommen soll; so ist zugleich in seiner Gebundenheit der aufsteigende Weg der Transzendentalkritik das Negativ des positiven Bildes der entwickelnden Dialektik und fordert von sich aus eine Methode der erzeugenden Anschauung, ohne daß man jedoch berechtigt wäre, diese wieder für das Negativ des reduktiven Verfahrens zu nehmen. Allein dem konstitutiven Verstand des absoluten Geistes ergänzen sich dialektische und reduktive Methode als Gegenrichtungen in einem einzigen Strome. Auf jeden Fall besteht für die auf wissenschaftliche Urteile bezogene Kritik der Zwang, ihre Arbeit unten am empirischen Stoff der Forschung zu beginnen, wenngleich sie nur durch Knüpfung an das transzendentale System ihren Zweck erfüllt. Die sogenannte erkenntnistheoretische Problemstellung – als solche stellt sich der reduktiv-analytische Aufstieg dar – soll bewußtermaßen an einem Leitfaden, welchen die vorauszusetzende Einheitsidee liefert, vonstatten gehen, sonst ist sie nicht erkenntniskritisch und transzendental, sondern ontologische Reduktion des Gegebenen, d. h. Phänomenologie.

14 Das Verfahren der Kritik hat ein eigenes Apriori, dessen Möglichkeit zu begründen, in den Kreis seiner Aufgaben mit hineingehört. Darin besteht das Problem. Seine Lösung ist nur gewährleistet durch das Kriterium der Selbstbegründung, welche allein als Selbsterzeugung denkbar ist.

Wir erinnern uns jetzt an die oben gemachte Bemerkung, daß sich Phänomenologie von Transzendentalkritik dem Objekte nach scheidet, indem Phänomenologie (bzw. Ontologie) die Untersuchung isolierter Aussagen darstellt, dagegen nie zur Begründung der Möglichkeit ihrer ursprünglichen Zweckeinheit befähigt ist. Gerade Rickert hat auf dieses wesentliche Moment hingewiesen, wenn er den Sinn von Sätzen im Ganzen aller Wortbedeutungen über diese Wortbedeutungen erhebt und als eine qualitativ andere Einheitsart nachzuweisen sucht. So möchte der Schein entstehen, daß die Phänomenologie keine Urteile als Ganzheiten erforschen kann. Das ist aber durchaus nicht der Fall – wenn man sich an das Kriterium des grammatischen Komplexes hält. Es gibt sehr wohl eine Phänomenologie und Ontologie von Sätzen, aber diese betreffen die immanenten Satzbedeutungen und nicht die transzendentalen Satzsinne. Insofern hat Rickert vollständig recht, und auf diesen Punkt legen wir besonderen Nachdruck. Die Satzbedeutungen bzw. Satzkomplex- und Disziplinbedeutungen sind isolierte Einheiten, weil sie in keiner ausdrücklichen Beziehung zu der Wertidee objektiver Erkenntnis stehen. Allerdings *befinden* sie sich organisch eingegliedert in die Horizonte des reinen Bewußtseins und seiner ontischen Korrelate; aber dieser natürliche Organismus des reinen Bewußtseins ist, wie wir gesehen haben, grundverschieden von der transzendentalen Einheit des subjektiv-synthetischen Prinzips.

Bedeutungen sind die natürlichen Hinweise der Worte, Urteile und Urteilskomplexe. Die Reflexion macht sie gegenständlich, sie können dann wesentlich erfaßt und analysiert werden. Sinneseinheiten sind nicht natürlich, lassen sich nicht ursprünglich im aktuellen Bewußtsein vorfinden, bestehen nicht für sich kraft der unvermeidlichen Intentionalität der Aktmeinungen, sondern gelten nur vermöge einer *hergestellten* Beziehung auf den Wert der Erkenntnis. Diese Beziehung besteht nicht in dem absoluten Sein des reinen Bewußtseins, sondern gilt als Ausdruck einer methodischen Komposition. Die Idee dieses Aufbaus bedeutet das Prinzip, welches einen jeden Denkgebrauch zum Denkgebrauch macht und ihn im Sinne seiner ursprünglichen Zielsetzung regelt. In diesem

Betracht ist die Regel dem regelmäßigen Vollzug vorausgesetzt, und die Idee einer höchsten Erkenntnisregel, welche alle Synthesis begründet, ist darum das absolute Apriori der ganzen wissenschaftlichen Erkenntnis *mit Einschluß* der transzendentalen. Ein solches Prinzip kann nun nicht gefunden und reduktiv aus Gegebenem gewonnen werden, weil es für Erkenntnis unmittelbar nötig ist und auch der Reflexion ihre mögliche Objektivität verleiht. Insofern ein Verhalten einem Prinzip nur gehorcht, bleibt dieses ihm selbst verborgen, und daran ändert sich nichts, auch wenn dieses Verhalten beispielsweise eine Reflexion auf sich selbst darstellen will. Darum wird es das Verhalten doch nie über eine *Behauptung* seiner Selbstobjektivation bringen; das Recht dazu muß erst gegeben werden. Der Gedanke an diese unbeschränkte Voraus*setzung* des kritischen Rechtsprinzips spricht sich in der Idee einer transzendentalen Einheit der Apperzeption symbolisch aus. Symbolisch-konstruktiv ist der Leitfaden, an welchem die kritische Problematik sich zu entfalten hat; die Kategorie als die wahrhafte transzendentale Allgemeinheit gibt von dem Prozesse dieser kritischen Problematik Kunde. In den Kategorien manifestiert sich geradezu das subjektiv-synthetische Prinzip als ein Leitfaden kritischer Problemstellung in Absicht auf transzendentale Wahrheit. So versteht es sich auch, wie den transzendentalen Allgemeinbegriffen ein Vermögen des unmittelbaren Gegebenen, die Anschauung, koordiniert werden muß, damit das Schema wirklicher Erkenntnis vollständig aufgestellt ist. Die Einheit der Apperzeption und die Kategorien machten den dialektischen Teil der kritischen Methode aus, welchen die pure Anschauung als Inbegriff der Material gebenden Fülle objektgemäß ergänzt.

An diesem Gegensatz von Allgemeinheit der Form und Individualität der Anschauung in der Einheit transzendentaler Methode, welchen Gegensatz wir noch nicht notwendig gemacht haben, zeigt sich uns die Möglichkeit, transzendentalen Sinn und phänomenologische Bedeutung zu unterscheiden, sofern man die beiden aufeinander angewiesenen Dimensionen (durch den negativen Bezug einer jeden auf sich selbst) künstlich trennt. Dann entsteht der Schein des Rechts, in der Intuition das Unmittelbare seinem Wesen nach beschreiben zu können. Man muß sich hierbei stets gegenwärtig halten, daß die Resultate solcher eidetischen Deskriptionen unmöglich einfache Abbilder der vorgefundenen Inhalte genannt werden können, sondern als Wesensansichten und Analysen tiefgreifend die Füllen des Erlebens gestalten, so daß der Vorschlag Nicolai Hartmanns,[15] die phänomenologischen Ergebnisse direkt durch die Beziehung auf die transzendentale Wertidee für die kritische Methode fruchtbar zu machen, nicht annehmbar erscheint. Es geht nicht an, die entdeckten Bedeutungen durch Einknüpfung in das transzendentale Gewebe in Sinneseinheiten zu verwandeln, denn dadurch werden sie als phänomenologische Bedeutungen vernichtet, womit weder der Phänomenologie noch der Transzendentalkritik ein Dienst erwiesen ist. Vielmehr muß die noch nicht analytisch behandelte Anschauung in ihrer Ursprünglichkeit transzendental erfaßt sein, weil auf diese Weise allein die Prägung des Unmittelbaren zum Sinn vonstatten gehen kann. Die Kritik soll nicht glauben, die Aufgabe einer theoretischen Bewältigung des unmittelbaren Lebens aus der Hand geben zu dürfen, weil ihr jede andere Erkenntnis zweifelhaft und problematisch sein muß. Damit soll natürlich den phänomenologischen und ontologischen Disziplinen ihr Eigenwert im Rahmen der Wissenschaften suchender (»zetetischer«) Einstellung nicht im geringsten abgesprochen werden; je mehr sie einsehen, daß sie mit Transzendentalkritik nichts zu tun haben, um so fruchtbarer werden sie sein können.

Was die kritischen Gegensätze von rein und empirisch, apriorisch und aposteriorisch betrifft, verdient es hervorgehoben zu sein, daß die Einheit der analytischen Identität des reinen formal-apriorischen Denkens gegenüber der Einheit der synthetischen Identität des empirischen material-aposteriorischen Erkennens in den Umkreis des Subjekts für sich allein verlegt wird. Und wie es nach der kopernikanischen Idee der Einheit der Systeme Objekt und Subjekt-Objekt das subjektiv-synthetische Prinzip systematisch angelegt hat, werden die »Formen« des Subjekts, deren Sonderprinzip die analytische Denknotwendigkeit ist, zu den »Bedingungen der

15 Vgl. N. Hartmann, Systematische Methode, Logos III, 2. Heft, Tübingen 1912

Möglichkeit der Erkenntnis eines Gegenstandes gerade als eines Gegenstandes« (Brunstäd loc. cit. S. 41). Diese Zuteilung der analytischen und synthetischen Regeln zu den beiden Polen der Erkenntnis wird verständlich, wenn man das Gegebene als den Grenzbegriff der transzendental-*formalen* Funktionen denkt. Allem voraus – wir werden sehen, daß dieses Vorausgehen seinen Grund unmittelbar im transzendentalen Prinzip hat – liegt die Annahme einer Rezeptivität unendlichen Anschauens. Hier tut sich der hiatus irrationalis auf, der vollkommene Bruch zwischen Form und Materie. Werden unter dieser allgemeinsten Voraussetzung die Urteile berücksichtigt, deren Geltungsgrund der Subjektsbegriff ist, bei welchem also die Urteilssynthesis ohne jede Benutzung des Gegebenen stattfindet, so kann die Möglichkeit ihres Bedeutungsgehaltes allein in dem theoretischen Subjekt liegen. Solche Urteile leisten natürlich nur Analysen, obgleich sie als Urteile selbst Synthesen sind; die im Subjektsbegriff mitgesetzte Bestimmung wird aus ihm herausgehoben und ihm in dem neuen Urteil objektiv prädiziert. Darin liegt, daß das Erkenntnissubjekt für sich die Bedingung der Möglichkeit von Urteilen sein kann, und weil nach dem kopernikanischen Prinzip die Gegebenheitsfülle eine Dignität des Seins nur in ihrer Beurteilung gewinnt, die Existenz eine Art Geltung ist, findet sich das Geltungsmoment in der Rolle der Form, welcher jede spezifische Urteilsmaterie untertan ist. Nicht sind die besonderen analytischen Geltungsformen die Begründer des Seins einer gegebenen Mannigfaltigkeit, sondern in den analytischen Arten beweist sich nur eine erkenntnistheoretische Selbständigkeit gegenüber der anschaulichen Fülle, und man kann auch sagen, daß die Doppelfunktion der Geltungseinheiten ihren subjektiven Charakter erläutert, der sie befähigt, in sich zu ruhen wie auf anderes bezogen zu sein. Die Synthesis des Urteils ist wesentlich ursprünglich und unabhängig von dem Gegebenen, aber das besagt nichts über den jeweiligen Gehalt des Subjektsbegriffs. Analytische Urteile können darum rein oder empirisch sein, je nachdem die Bedeutungsmaterie des Subjektsbegriffs Anschauung enthält oder nicht.

Allerdings ergibt sich hier für die analytische Auffassung, welcher die gegebene Unmittelbarkeit unbegrenzt ist, so daß jedweder Inhalt in ihr Platz findet, die Schwierigkeit, eine solche Unterscheidung innerhalb der analytischen Urteile überhaupt noch zu machen.

Wenn nämlich Zahlbegriffe, geometrische, logische Begriffe auch Begriffe von Gegebenheiten sein sollen, dann verliert die Trennung von rein und empirisch zwar nicht an Deutlichkeit, wohl aber an Wert, denn nur die analytische Form als solche bleibt wesentlich. Oft werden im wissenschaftlichen Sprachgebrauch die empirischen Urteile ungeachtet ihres analytischen Charakters und auch nicht im Hinblick auf die Synthesis ihrer Urteilsfunktion als synthetische den reinen Urteilen als den analytischen gegenübergestellt, für welche Abgrenzung das Vorhandensein spezifischer Wahrnehmungselemente in dem einen Fall und ihre Abwesenheit in dem anderen maßgebend ist. Dieser Totalität der Analysen oder Erläuterungsurteile werden die Synthesen oder Erweiterungs-, besser Neuerungsurteile entgegengesetzt. Ist das Prinzip jeder erläuternden Feststellung die analytische Identität, so ist die ermöglichende Regel für die Urteile des Entspringens einer Bestimmung aus der anderen, für die verstehenden Erkenntnisse die synthetische Identität. Auch in ihrem Bereich führt man die (analytische) Disposition in synthetische Urteile a priori und a posteriori ein, wobei sich gefühlsmäßig nur die synthetischen Urteile a priori problematisch ausnehmen, wie in dem anderen Gebiet die analytischen Urteile a posteriori. Sachlich läßt sich dafür kein Grund beibringen, weil die Bestimmungen a priori und a posteriori in Urteilen nur die Gebietsart des Inhalts des Subjektsbegriffs bezeichnen, also die Art der urteilenden Verknüpfung nicht berühren. Diejenigen Inhalte, deren Bedeutung unabhängig von jeder Erfahrung verstanden werden kann und sich ursprünglich vorstellig machen lassen muß, heißen a priori und stellen sich den der Erfahrung bedürftigen Bedeutungsinhalten gegenüber.

Offenbar verbirgt sich hier eine Schwierigkeit in der Begrenzung der Inhalte *innerhalb* der gegebenen Sphäre. Für das Reflexionsprinzip des vorstellenden Bewußtseins nämlich darf Erfahrung nur einen Sonderbezirk in dem Inhalte jeglichen Charakters erleben-

den Bewußtseins einnehmen. Einer Wesensbeschreibung der Wahrnehmungsakte bieten sich freilich keine prinzipiellen Probleme, weil die Untersuchung an dem natürlichen Leitfaden gegebener Namen zu den gemeinten Sachen und (in subjektiver Umwendung) zu den erfassenden Akten geführt wird. Dagegen beansprucht Erfahrung (in Richtung äußerer und innerer Wahrnehmung) prinzipielles Interesse, denn ihren Urteilen wird eine besondere Wertbedeutung gegenüber den Urteilen der Wahrnehmung beigelegt.
Und das geschieht, wenn sie als Erkenntnisse aufgefaßt sein sollen, weil jede aposteriorische Erkenntnis ihre Möglichkeit nur apriorischen Formen, niemals apriorischen Gehalten verdankt; eine transzendentale Form darf gemäß ihrer Prinzipnatur nicht mit einem Inhalt identifiziert werden, weil sie überhaupt der Reflexion und der Vorstellung entzogen bleibt.
Für die Kritik entsteht hier das Problem des Kriteriums der sinnlichen Anschauung oder des transzendentalen Zufalls; offenbar ist das Problem gleichbedeutend mit der Frage nach der Unvermeidlichkeit der Annahme einer unmittelbaren stofflichen Gegebenheit.
Apriorische Inhalte sollen aber nach dem Urteil der Reflexion eines Rechtsausweises weder bedürftig noch auch fähig sein; nur vergißt nach kritischer Auffassung die Intuition dabei vollständig ihre methodische Einstellung, welche zur Annahme eines absoluten Bewußtseins und überhaupt zu dem Begriff unmittelbaren Erlebens hinführt, kurz sie sieht nicht ihre innere Abhängigkeit von Prinzipien. Hat man sich nun einmal klar gemacht, daß eine Ordnung der Erlebnisinhalte in apriorische und aposteriorische nur unter völliger Veränderung dieser ursprünglich transzendentalen Wortbedeutungen annehmbar ist, dann weiß man den Unterschied richtig einzuschätzen. Dann kann gar nicht die Rede mehr von einem erkenntnistheoretischen *Rangverhältnis* zwischen sogenannten apriorischen und aposteriorischen Inhalten sein, auch wenn die ersteren als Formen der letzteren, wie sie in der Behandlung nach dem Prinzip der analytischen Identität gewonnen werden, betrachtet sind. Zur Erläuterung verweisen wir auf den schon

behandelten Unterschied der Möglichkeit des Verständnisses eines Urteils in sich selbst und der Möglichkeit zu einem Urteil an sich. Denkt man das Urteil oder den Begriff als Inhalt, um ihn zu analysieren, so liegt eine Untersuchung im Sinne der Frage des Rechts der Elemente eines Inhalts zu ihrem (rechtlosen) Ganzen vor, typisch ontologisch-phänomenologische Arbeit. Ihre Zergliederungen lassen sich wesentlich als Erläuterungsurteile charakterisieren, sofern das im Subjektsbegriff Vorausgenommene (der gesamte vorgestellte Inhalt bzw. seine vorgestellten Teile) als Substrat von Analysen alle Prädikatsbestimmtheiten enthalten soll; das Verfahren ist rein analytisch, einerlei ob es an apriorisch-formalen oder aposteriorisch-materialen Inhalten zur Anwendung kommt. Es können aber in dem Falle, daß nur Inhalte der letzteren Art vorliegen, Inhalte der ersteren Art gewonnen werden, wenn die sinnlichen Momente nach dem Gesichtspunkt negativer Identität, d. h. in rückbeziehender Wiederholung behandelt sind. Auf diese Art ergeben sich eine Reihe von Abstraktionen (Ideationen), eine Mannigfaltigkeit sogenannter Formen, wie z. B. Menge, Zahl, Anzahl, Größe, Farbigkeit, das Wesentliche daran ist, daß auf dem Standpunkt des Erlebens der Grund für die Mannigfaltigkeit solcher Formen nicht in dem Verfahren des Aufsichbeziehens durch Wiederholung, sondern *in den Inhalten selbst* gesehen wird. Dem Prinzip des gegebenen Inhalts erscheint es methodisch auch durchaus nicht wichtig, daß unter diesen Abstraktis bald Formen von ausgesprochen subjektiver Bedeutung (ähnlich, gleich), bald wieder von gegenständlicher Valenz (groß, veränderlich, schwer, gefärbt) auftreten, obgleich auch dieser Unterschied (von Windelband als der von reflexiven und konstitutiven Kategorien bezeichnet) nicht weniger in Frage kommt als die durchgehende Verschiedenheit unter möglichen Abstraktis überhaupt. Infolge der alleinigen Einstellung auf die Unmittelbarkeit verbindet sich mit dem Prinzip der analytischen Identität demnach ein Dogmatismus des gegebenen Unterschieds. Die Mannigfaltigkeit der Anschauung behält eine nicht mehr weiter zurückführbare, absolut unbegreifliche Ordnung an sich, welche die empirischen Wissenschaften in ihren Fragen begrenzt. Urtatsachen eines selbständigen, dem Bewußtsein sich aufdrängenden Werdens offenbaren qualitativ nicht ineinander überzuführende Ordnungsbeziehungen, wie Raum, Zeit, Zahl, primäre und sekundäre Qualitäten, kausale Veränderung, physische Assoziation, organische Entwicklung, nach deren Ursprung nicht mehr gefragt werden kann und welche gleichzeitig die unvermeidlichen Voraussetzungen für die Einzelwissenschaften bilden. Der naive Begriff eines solchen Gegebenen erlaubt es, von ihm als der Vorstellungsfülle zu reden, auf welche sich das urteilende Bewußtsein überhaupt (das selbst nicht mehr vorstellbare Objekt der Transzendentalkritik) bezieht. Zumeist findet man in dieser Wendung das Problem der Synthesis gestellt.

Die Unzulänglichkeit gerade solcher Fragestellung liegt auf der Hand, weil erst nach dem Prinzip der analytischen Identität an purem Leben verfahren ist und hinterher die Problematik des Ursprungs einer derart letzten Faktizität sich erhebt. Das Resultat der Reflexion erzeugt geradezu das Verlangen nach einem Unterbau dieser offenbar synthetischen Verhältnisse, jedoch sieht man dem Gedanken nicht an, daß nach dem Prinzip der Synthesis gefragt wird. Vielmehr entsteht der Anschein, die Problemstellung der Synthesis wäre abhängig von der Gegebenheit der Vorstellungen, so daß also zuerst einmal Intuition stattfinden müßte, um die in Rede stehende Mannigfaltigkeit überhaupt als eine fragliche zu verstehen.[16] Dann läge die Angelegenheit so, wie wir sie bereits als unhaltbar beurteilt haben, daß nämlich das Unmittelbare der anschaulichen Fülle schon zur Gegebenheit gebracht wäre, bevor seine transzendentale Rechtfertigung eingesetzt hätte; das Unmittelbare läge also nicht mehr ursprünglich vor. Dieses darf aber unter keinen Umständen eintreten. Man hilft sich freilich gern mit der aristotelischen Unterscheidung von πρότερον πρὸς ἡμᾶς und πρότερον τῇ φύσει indem man behauptet, das Prinzip der synthe-

16 Vgl. Jul. Ebbinghaus, Kants Philosophie und ihr Verhältnis zum relativen und absoluten Idealismus. Diss. Heidelberg, Leipzig 1910, S. 35: »die Lehre, man müsse die Geltung der Kategorien aus dem Umstande, Bedingungen der wissenschaftlichen Erkenntnis zu sein, teleologisch deduzieren ... (ist) ... unter Umständen ... eine Bemäntelung einer einfachen Analysis ..., wenn sie ihren Ausgangspunkt von den tatsächlich gefällten synthetischen Urteilen nimmt.«

tischen Ursprungseinheit besäße seine Geltung unabhängig davon, ob und wie man zu ihm käme; es läge auf der Hand, daß ein in sich geordneter Inhaltskomplex als synthetisches Gebilde einen dementsprechenden Möglichkeitsgrund hätte. Das ist zwar sehr richtig, aber nach kritischem Prinzip muß eine besondere Bürgschaft dafür angegeben werden. Einzig darauf ist es abgesehen, den Grund selbst in seiner synthetischen Funktion zu erkennen und sich nicht dabei zu begnügen, daß eine solche Funktion irgendwie in der Mannigfaltigkeit zum Ausdruck kommt. Wie ja auch die Behauptung einer solchen καθ' αὑτό Geltung der Prinzipien nur reflexiv erwiesen werden könnte, nach Art einer Zweifelsbetrachtung also, welche bekanntlich den bloßen Wert einer naiven petitio principii hat, repräsentiert eine solche Behauptung für sich ein analytisches Urteil über die Möglichkeit eines synthetischen Prinzips, nie aber ein synthetisches Prinzip selbst. Trotzdem sieht man, wie das Problem einer Begründung der Synthesis unmittelbar das Problem einer Begründung der Ordnung unserer Vorstellungen sein muß, nicht eine formale, sondern höchste materiale Angelegenheit.

Damit ein analytisches Urteil Sinn behält, ist der Nachweis seiner Begründung durch ein synthetisches Verhalten erforderlich, und das Gleiche gilt auch für ein synthetisches Urteil. Die Einsicht in die Notwendigkeit einer solchen Funktion bedeutet nichts anderes, als daß der scheinbar abstrakt-formale Urteilscharakter, an welchem alle Urteilsarten partizipieren, den Geltungsgrund jedes spezifischen Urteilssinnes darstellt. Form ist Grund und der bloß unter reflektivem Gesichtswinkel entstehende Ausdruck des Entspringens eines besonderen Urteils; es handelt sich darum, diese ursprüngliche Ansicht, welche das Bewußtsein verändert, wieder herzustellen, weil nur auf diese Weise die Transzendenz des theoretischen Wertes ohne petitio principii erwiesen werden kann. Jede Setzung behauptet einen ganz bestimmten Sinn, darum sind alle theoretischen Einheiten Resultate synthetischer Funktionen oder – metagrammatisch verstanden – Urteile. Ganz unabhängig davon, ob wir nach landläufigem Sprachgebrauch Begriffe oder Annahmen oder Urteile und Schlüsse vor uns haben, ihr character indelebilis ist die eigentümliche Natur der Setzung; Synthesis prägt sich in ihnen aus.

Für diese Betrachtungsart darf eine ursprüngliche Funktion der Einheit in Urteilen überhaupt, deren Prinzip die subjektiv-synthetische Apperzeption ist, nicht als die allgemeine Form gelten, es sei denn, man versteht darunter auch den Grund des besonderen Inhalts. Charakteristisch hierfür ist die Fragestellung der K. d. r. V. nach der Möglichkeit synthetischer Urteile a priori. Scheinbar stellt sie damit nur ein Sonderproblem; so deuten, hieße jedoch den transzendentalen Charakter des Problems, d. i. seinen Einheitsbezug auf das Apriori kritischer Methode vergessen. Ein Alltagsurteil über schlechthin Gegebenes soll dieselbe Geltungsquelle wie ein Urteil aus der transzendentalen Methode haben, weil die begründende Funktion als Beziehung von Subjekt und Objekt schlechthin gedacht ist. Fundamentale Synthesis ermöglicht die Anwendung reiner Setzungen auf das Mannigfaltige der Anschauung und ist der Grund für die Naturbedeutung eines reinen Denkens, der mathematischen Physik. Offenbar ist es also kein Fortschritt im Sinne einer Vereinfachung des Problems, wenn man nach gegenwärtigem Geschmack den Begriff der unmittelbaren Gegebenheit auch auf die erfahrungsfreien Bedeutungen der reinen Mathematik, Logik und Wertlehre ausdehnt. Man glaubt in der Annahme vorhandener Welten der formalen und materialen »Wesen« in einem sie erfassenden Bewußtsein schlechthin die Frage nach der Möglichkeit der synthetischen Urteile a priori zu lösen, aber in Wirklichkeit denkt man sie gar nicht. Denn es ist nur ein Rückfall in den ontologischen Apriorismus, die ewigen Wahrheiten in einer subjekt-jenseitigen Dimension unbegründet sein zu lassen, wie die Tatsachenwahrheiten; jeder Zusammenhang zwischen reinen Setzungen, wie er sich in mathematischen Gleichungen oder logischen Schlüssen offenbart, muß dann ebenso verabsolutiert sein, wie der Zusammenhang zwischen den Vorgängen in Raum und Zeit. Die Synthesis erscheint nur in ihrer Erstarrung als gegebene Funktion in einer großen Reihe von Abhängigkeitsarten. Jede wissenschaftliche Operation und Verknüpfung getrennter Einheiten zu neuen Einheiten ist dann nur vollziehbar, weil die

Ordnung einmal nicht anders vorliegt, und jede Erkenntnis bedeutet daher Abbildung des Vorhandenen. Von einem Verstehen des *ganzen* Vorhandenen selbst, von einem Entdecken seiner Notwendigkeit kann überhaupt keine Rede mehr sein. Weil aber dieser sonderbaren Unendlichkeit bloß das erfassende Erleben des lebendigen Subjekts gegenüber vorhanden bleibt, so schlägt die derart auf Absolutheit dringende Wissenschaftstheorie in das Gegenteil einer höchst skeptischen Ansicht um, insofern als alle erscheinende Objektivität synthetischer Funktionen ebensogut auch auf bloßem Schein beruhen könnte. Man sieht, der Verzicht auf das Problem der synthetischen Urteile a priori bedeutet zugleich den Verlust kritischer Methode, die Behauptung des analytischen Standpunktes und den Dogmatismus des Bewußtseins, welcher Gefahr läuft, in totalem Skeptizismus zu enden. Um es noch einmal zu betonen: unter dem Gesichtspunkt, daß alle Erkenntnis Wiedergabe und Analyse von Vorhandenheiten bedeuten solle, ist wohl der Gedanke eines Apriori als des eigentümlichen Charakters der Inhalte, frei von sinnlich-hyletischen Bestimmtheiten zu sein, möglich. Dieses Apriori hat aber gar keine kritische Bedeutung, als welche es Ursprünglichkeit des wissenschaftlichen Verhaltens bezeichnet. Und man hat hier nicht das Recht, von zwei einander entgegengesetzten Auffassungen zu reden, für welche es gleichwertige Argumente gäbe, die kritisch-methodische Interpretation des apriorischen Inhalts bedeutet die vermöge des kopernikanischen Prinzips vollzogene *Erklärung* derartiger Inhalte durch Reduktion auf die reine Ursprünglichkeit der ihren Bestimmung gebenden vorinhaltlichen Momenten zuteil gewordenen Beurteilung. Dementsprechend ist eine Neuorientierung kritischer Begriffsbildung vorzunehmen. Zugegeben, daß auf dem Standpunkt natürlicher Reflexion (welchen die phänomenologische Reduktion mit dem Ausschalten der Seinsthesen nicht verläßt) der Forschung immer in Absicht auf Ursprungseinheit Probleme gestellt werden, darf doch diesem Verfahren keine kritische Bedeutung beigemessen sein, welches nur durch die Voraussetzung des an sich Vorausgehörenden und die anfängliche Beziehung auf den absoluten Ursprung statthaft wird.
Einheit theoretischer Erkenntnis wird gewährleistet durch die

Zweckidee ihres Grundes. Die transzendentale Apperzeption, als subjektiv-synthetisches Prinzip gedacht, ist darum theoretische Wertidee in abstracto, der systematische Mittelpunkt aller Wissenschaften. Soll der Prozeß kritischer Rechtfertigung nicht auf eine eigene Disziplin beschränkt bleiben – und wir haben betont, daß es der Transzendentalkritik um ihrer Selbstbegründung und der Konsequenz gegen ihren eigenen Zweck willen nicht möglich ist, in einer solchen isolierten Disziplin neben und über den Einzelwissenschaften Gestalt zu gewinnen –, dann wird er unmittelbar in der wissenschaftlichen Arbeit sich zum Ausdruck bringen. Für den kritischen Gesichtspunkt hat die Forschung deshalb den Sinn des aufsteigenden Weges der transzendentalen Methode: das Suchen nach Rechtsgründen des Gegebenen. In ihr realisiert sich die kritische Reduktion in dem Fortschritt von Hypothese zu Hypothese, welchem die Normierung seiner Begriffsbildungen an den Konstruktionen dialektischer Methode Gewißheit der Richtung und Annäherung ans Ideal verbürgt. Zweifellos birgt diese Normierung die größte Schwierigkeit, denn hier empfangen die Resultate der naiven bzw. reflektierenden Einstellung, Analysen, eine eigenartige, innerliche Umbildung zu transzendentalen Synthesen und echten Ursprungsbegriffen. Hier scheint uns der transzendentale Ort auch der Mathematik zu sein; man erinnert sich daran, daß die analytischen Deskriptionsbegriffe der Naturkunde wissenschaftliches Leben erst durch die Gesichtspunkte mathematisch definierbarer Quantifizierung erhalten haben. Das Naturgesetz ist die Formel eines Ursprungsverhältnisses, in dessen Mathematisierbarkeit gewinnt reine Konstruktion schon einen sehr spezifischen Ausdruck. Ob dem Naturgesetz ein transzendentales Äquivalent für geistig-kulturelle Gegebenheit zu schaffen ist, bleibt höchst fraglich. Gewiß zeigt uns die nach kritischem Prinzip analytische Logik eine eigene Wissenschaftsform der Kulturforschung. Ob jedoch der Begriff eines *gegebenen* geistig-kulturellen Sachverhalts, welcher die Bedingung der geisteswissenschaftlichen Begriffsbildung ist, an sich zurecht besteht, ob nicht vielmehr der Sinn des Geistigen diese analytische Verselbständigung und Verinhaltlichung transzendental verbietet, so daß von historischem und kulturellem *Material* zu Zwecken der Wissenschaft nicht zu sprechen ist (obgleich es unter seinswissenschaftlichem Einfluß heute eifriger denn je geschieht), bleibe dahingestellt. Fiele die Entscheidung negativ aus, so wäre damit selbstredend den historischen Erfahrungsbegriffen zwar nicht ihre Bedeutung für ein Verständnis, wohl aber ihr jeweilig bestimmter Sinn und Anspruch auf Wahrheit im Prinzip bestritten.

Innerhalb der kritischen Reduktion, welche die Wissenschaften allein unter dialektischem Regulativ durchführen, in der eine Verdoppelung in wissenschaftliche und philosophische Disziplinen deshalb zur Unmöglichkeit geworden ist, vollzieht sich die Begründung der Unmittelbarkeit, die transzendentale Formung der anschaulichen Fülle. Das materialgebende Moment bleibt nun nicht mehr in Gestalt eines total dem Erkenntnisverfahren fremden Stoffes für sich bestehen, in den die reine Synthesis hinein wirkt, um das jeweilige Urteil als Produkt einer mystischen Vermählung von methodischer Form und absoluter Materie erscheinen zu lassen. Dann wäre man wieder in einen Dogmatismus des Subjekts und der Zweiweltentheorie zurückgefallen, welchen gerade der Begriff der vor aller Weltendualität liegenden reinen Synthesis zunichte macht. Nur dem Gedanken, daß formale Geltungsmöglichkeiten und konkrete Geltungsinhalte vor aller Erkenntnis durch einen absoluten Abgrund getrennt sind, wird das erfahrungsfreie, für alle Erfahrung geltende Urteil unbegreiflich. In dem Übergehen des Gedankens von der Idee für sich bestehender Urteilsform als der einen »Möglichkeit« zu der Idee für sich bestehenden Stoffes unmittelbarer Anschauung als der anderen »Möglichkeit« des einzelnen Urteils errichtet sich eine beide gegensätzlichen und ganz isolierten Momente umspannende ursprüngliche Setzungseinheit: die Synthesis a priori. In ihr erinnert sich die Kritik daran, daß sie sich nicht selbst im unmittelbaren Setzen des Denkens vergißt. Aber sie garantiert ebensosehr mit diesem Begriff die vollkommene Selbständigkeit der Materie gegenüber der Subjektivität des verknüpfenden Denkens, so daß Reflexion das Gedachte nicht wieder illusorisch macht. Nennt man die vormateriale Anschauung irrational, die verknüpfende Urteilsform rational, dann ist Synthesis a priori, welche das kritische Urteil über jene beiden Elemente ausmacht, in Wahrheit vorrationale Verknüpfung in der Trennung, und Trennung in der Verknüpfung des rationalen und des irrationalen Elements. Das Urteil rationalisiert nicht die Anschauung, so daß sie in ihrer Ursprünglichkeit nicht zu denken wäre, sondern bestimmt sie als die Begrenzung aller Form, irrationalisiert nicht die Form, sondern denkt sie als Limes der Anschauung. Es geschieht etwas mit dem »Inhalt des Inhalts« und doch bleibt er intakt; der Bruch zur Materie wird überwunden, ohne doch aufgehoben zu sein.

Es ist sehr wesentlich, jetzt zu bemerken, daß die Besinnung auf die Urteilssynthesis sich nicht mehr als die einem Gehalte gegenüber zufällige Bewußtseinsreflexion betrachten darf – das hieße, einen unerlaubten Gesichtspunkt einnehmen –, sondern daß sie in dem Begriff, welchen sie denkt, sich selbst denkt. In dem Hinsetzen objektiver Verhältnisse des Urteils, nicht aber in der Reflexion auf ein Hingegebensein an sie bestimmt das Subjekt ihr eigenes Wesen und ihren Sinn.

Diese Forderung bewahrt erstens vor einer Verselbständigung der Ursprungsform in nicht kritischem Sinne; sie schützt davor, die Form als ein Element, als einen Inhalt zu denken, welcher der Materie als einem anderen Inhalt entgegengesetzt wird und bei welcher Entgegensetzung das erkennende Bewußtsein die vermittelnde Synthesis spielt. (Ist es soweit gekommen, und hat man wieder relative Verknüpfung der Reflexion verabsolutiert, dann erhält das rationale Moment eben in Gestalt des Bewußtseins Übergewicht. Urteilsform und Urteilsmaterie stehen als Inhalte direkt in der sie beide umfassenden Form eines theoretisierenden Bewußtseins. Materie kann nunmehr nur heißen: gedachte Materie, Form nur gedachte Form. Die Reflexion auf das Moment der Gedachtheit und des Beurteiltseins wird die Veranlassung eines dogmatischen Panlogismus, welcher sich zwar als transzendentale Theorie aufführt, in Wirklichkeit bloß Räsonnement eines nachhängenden Verstandes ist.)

Ebenso ursprünglich, wie die elementare Fülle der Anschauung der Spontaneität urteilender Verknüpfung zur Grenze gesetzt ist, bildet sich an ihr das Element der Form aus. Die Kategorien sind in demselben Maße Arten der Einheit in Urteilen als Arten der Einheit in Anschauungen, denn das Ganze des Urteils hat, der Möglichkeit nach, seinen Anschauungsbezug im Schema. Speziell für die angewandte Mathematik hat Kant dieses Verhältnis in seiner kardinalen Bedeutung aufgestellt. Das Eigentümliche der Mathematik, insbesondere der Geometrie, ihre Begriffe a priori und anschaulich bestimmt zu geben, führte ihn dazu, den Begriff der »reinen Anschauung« einzuführen, welchem eine Mittlerrolle zwischen dem reinen Ursprung erzeugender Verknüpfung einerseits und dem Stoff sinnlicher Wahrnehmung andererseits zugedacht ist. Wie das erfüllte sinnliche Erfassen der empirischen Natur Raum und Zeit als Formen der Anschauung transzendental zur Voraussetzung hat, bilden diese Formen, abgesehen von ihrer Funktion an der Materie der Sinnlichkeit, das Medium zur Darstellung reiner Ursprungsarten: Punkt, Linie, Fläche und Körper, ebenso die Zahlenreihe (man erinnert sich des kantischen Versuchs einer Basierung der Arithmetik auf die Form der Zeit), und alle aus ihnen zu gewinnenden Gesetzmäßigkeiten dürfen nur verstanden werden als die unmittelbaren Äußerungen, welche reine Synthesis kraft ihrer Freiheit überhaupt annehmen kann; in der ideal gedachten Vollendung der Mathematik wird auch die letzte Möglichkeit der Synthesis a priori als dem Element der Konstitution zur Entfaltung gekommen sein.

Dieser Auffassung der Mathematik ist es ein durchaus gemäßes Urteil, welches Kant fällt, wenn er KrV B 739 sagt: »Es bedarf« in der Mathematik »keiner Kritik der Vernunft«, weil »ihre Begriffe an der reinen Anschauung sofort ... dargestellt werden müssen ...«. Es bedarf nicht nur keiner Kritik, sondern es ist auch gar keine möglich, wenn Mathematik eine unmittelbare Ausdrucksart der Synthesis sein soll. Fordert Hönigswald bei der Besprechung des Problems der reinen Anschauung im Widerspruch zu Kant (Zum Streit über die Grundlagen der Mathematik, Heidelberg 1912, S. 71): »Auch ihr« (sc. der reinen Anschauung) »gegenüber ist die ›transzendentale‹ Frage, die Frage nach der ›Möglichkeit‹ des durch sie zu bestimmenden, des mathematischen ›Objekts‹ zu stellen«, so hat er zwar ganz recht, wenn diese Frage herausbringen soll, wie der spezielle mathematische Gegenstand »von der allgemeinsten Bedingung des Objektgedankens umspannt« wird –, diese Forderung fällt mit der oben gestellten einer universellen Bedeutung der Synthesis a priori für die Gesamtheit der Wissenschaften zusammen –, aber er hat nicht recht, wenn er eine transzendentale Fundierung der mathematischen Synthesis als Synthesis fordert.[17] Denn hier ist durchaus eine Grenze der kritischen Problemstellung, und nur dieses wollte Kant mit seinem zuerst merkwürdig klingenden Satze sagen. Nach der Möglichkeit der Mathematik zu fragen, wenn man die Synthesis a priori im Auge hat, behält seinen Sinn allein unter der Bedingung, daß man die positive Bestimmung der Synthesis beispielsweise zum Gebaren mathematischer Form fordert; und eine solche Bestimmung gibt allein das System der Vernunft als Einheit von reduktiver und dialektischer Methode. Mathematisches Verfahren ist ein Ausschnitt aus dem dialektischen Verfahren innerhalb der Synthesis überhaupt, weshalb es auch nicht für andere Wissenschaften vorbildlich zu sein braucht. Aber es zeigen sich in ihm die letzten Elemente der transzendentalen Synthesis, Form und Materie, Ursprung und Gegebenheit, Konstruktion und Hinnahme in der Reinheit transzendentalen Fortschritts.

17 So sagt Hönigswald auch (loc. cit. S. 71): »Nicht die Lösung eines Problems involviert also der Begriff der ›reinen Anschauung‹, sondern ... den Anlaß zur Exposition eines neuen kritischen Problems: eben desjenigen vom mathematischen Gegenstande.«

## 4. Begründung der Synthesis a priori

Diese abschließenden Erwägungen haben schlechthin für eine Synthesis als solche Geltung, und es ist nur nötig, sie in bekannterer Form auszusprechen, um davon Gewißheit zu erhalten. Zudem kann vielleicht der Umstand verwirren, daß wir von dem Problem des Erkenntnisbegriffs als einem Beispiel der Synthesis ausgehend uns den wesentlichen Bedingungen einer Synthesis überhaupt zuwandten, obgleich die Untersuchung zu ihrem Ziele die Bestimmung des kritischen Objektivitätsbegriffs, also einer besonderen Art Synthesis haben sollte. Jedoch dieser Zerfall in Sonderprobleme hat nur subjektive Bedeutung, objektiv handelt es sich um Synthesis als ein und dieselbe in allen Erscheinungen, denn Synthesis besteht nur nach dem Einen kritischen Prinzip.

Wir finden die paradoxe Einheit von Unabhängigkeit (Transzendenz, Zufälligkeit) und Abhängigkeit (Immanenz, Notwendigkeit) des Objekts gegenüber dem Subjekt der Erkenntnis formal repräsentiert in jeder Synthesis als Einheit Mannigfaltiger, unter welches Schema auch die wieder für alle Synthesis charakteristische Zweiheit des Formelements und des Anschauungselements zu stehen kommt. Der Begriff des kritischen Urteils über die Methode, der Begriff des Apriori des Transzendentalen wird darum das eigentümliche Gesetz der Synthesis an sich erfahren, auch wenn er sich auf Synthesis bezieht. In seiner Gestalt wird ein Urteil der Methode den Urteilen der Wissenschaften gleichen, aber die Gewähr für den Inhalt, also dafür, daß Synthesis hinsichtlich der Synthesis effektiv gilt, liegt in dem Hinweis auf eine dialektische Methode erzeugender Anschauung; für diese gibt die Mathematik wenigstens und geben auch die stets von neuem erhobenen Versuche transzendentaler Logik dem Begriffe auch ein Beispiel ab. Sieht man also unter kritischem Prinzip das die Objektivität ausmachende Moment nach Kants Wort in der »Rekognition« als der Urfunktion aller Synthesis, d. h. in dem Urteil, welches zwei Verschiedene für ein und dasselbe erklärt, so kann der *Grund* dieses

Urteils unmöglich noch in einer Synthesis liegen. Synthesis wird ja gerade erst geschaffen. Verliert sie dann aber nicht ihren Sinn als ein Verhältnis, welches anerkannt sein soll? Büßt sie nicht ihre Transzendenz ein, wenn man sie nicht vor allem Anfang des Urteils bestehen lassen will, sondern ihre Beständigkeit an das Urteil über sie knüpft? Und ist das denn noch ein Urteil zu nennen, dessen Worüber erst in dem kritischen Augenblick seiner Bildung zum Gehalt kommt? Muß nicht einem der beiden Momente, dem Synthesisgehalt als dem Worüber der Urteilsknüpfung oder aber der Urteilsknüpfung der Bestand a priori vor dem anderen zugebilligt werden?

Die Frage bejahen, hieße den Erkenntniswert dieser Überlegung preisgeben, weil heraussetzen aus der Konsequenz des kritischen Prinzips.

Nur insofern, als das Thema des Urteils der Rekognition in und von demselben Urteil zu Bestande gebracht wird, gilt auch die Gegenrichtung und der absolute Widerspruch, daß nämlich das Thema in völliger Urteilsjenseitigkeit vor aller Knüpfung geltend verharrt. Nur dann haben wir die Bürgschaft dafür, daß die Betrachtung des unter kritischem Prinzip beurteilten Urteils (jedes Urteil ist darnach ein Wiedererkennen) selbst Synthesis, also gültig ist. Das bloße Tun der Verknüpfung zwar kann nicht für den Grund der Geltung gelten. Und ist denn überhaupt die Möglichkeit, in vollem Ernst von einem solchen Tun zu sprechen? Nirgends läßt sich das zu einem solchen zufälligen Tun gehörige Subjekt ausfindig machen, der Begriff derartigen Tuns muß zergehen. Einzig das kritische Prinzip ist die Ursprungseinheit der gültigen Beziehung Mannigfaltiger zueinander; denn ein Prinzip allein ist in dem kritischen Verfahren, weil für das Verfahren, das Unbedingte. Der Samen, welchen die kritische Frage an die faktische Wissenschaft in diese eingepflanzt hat, bringt die Frucht ihres prinzipiellen Einheitsbegriffs. Eine Auffassung des Vorhandenen unter dem Gesichtspunkte der Rechtsgültigkeit, der unbedingten Schlüssigkeit und Kontinuität der Setzungen kann nur die Restriktion (auf den Gesichtspunkt) als den Grund dieser Auffassung anerkennen; so versteht sie sich erst, als Einnehmen des Gesichtspunkts, als Wahl des Prinzips, als freies Sichbinden an ein Gesetz, das als Legen des Rechtsgrundes gedacht sei. Soll das Apriori berechtigen, dann hat die Erkenntnis der transzendentalkritischen Methode davon keine Ausnahme zu machen: das Voraussetzungslose ist die Setzung im voraus. *Freiheit als ein Anfang* betrachtet, welcher zum Richtpunkt möglicher Fragen wird, ist die unbedingte Bedingung des theoretischen Sinns oder der Aufgabe als Zielidee des Erkenntnisprozesses.

Nicht um diejenige Freiheit handelt es sich, welche, mit Rickert zu sprechen, ein *Verhalten* darstellt, dem transzendente Werte die Arten seiner Stellungnahme vorschreiben, denn darunter ist die subjektive Freiheit in der Gegenübersetzung gegen das Reich der Normen verstanden. Die Freiheit, die sich zum Anfang der Denkrichtung entsagt, ist nicht der Mittelpunkt möglicher Einstellungen auf künstlerische, religiöse, sozialethische, wissenschaftliche Werte, deren unsinnlich vorhandene Geltung absolut beschränkt, sondern liegt diesem ganzen Gedanken als einem Ganzen voraus. Das System der Werte darf nicht vergessen, daß sein Gedanke am theoretischen Wahrheitswert orientiert bleibt, damit das System nicht in dem Medium der Willkür schwebt oder innerhalb seiner selbst zu liegen kommt. Dieses unmögliche Verhältnis würde aber Wirklichkeit werden und die Setzung des Systems außerhalb aller Rechtfertigung bleiben, sollte der theoretische Wert, innerhalb des Systems Wert *neben* Werten, zugleich die begründende Bedingung des ganzen Wertsystems werden. Mit eben dieser Tat durchbräche die kritische Philosophie an dem Punkt ihrer eigenen Behauptung, also in ihrem logischen Anfang, die parataktische Gliederung der Kulturwerte und widerspräche mit der bloßen Tatsache des Urteils ihrem System.

Dem Anschein nach ist von der kritischen Philosophie nichts Unmögliches verlangt, wenn sie sich selbst und ihre gliedernde Arbeit als einen Teil zum Ganzen der Kultur denken soll. Hierbei ist aber vergessen, daß dieser Bewertung der Philosophie der Gedanke (nicht der Glaube, nicht das Gefühl, nicht die Gewißheit übervernünftiger Art) der Gleichberechtigung aller Werte und des inneren organischen Gleichgewichts einer autonomen Kultur vorausgeht.

Und welche Autorität bürgt dafür, daß es mit diesem Gedanken seine Richtigkeit hat, welcher Wert setzt sich dafür ein, daß dieser Gedanke das Postulat des Gedankens selbst ist? Immer nur wieder der theoretische Wert, welcher aber gerade in Frage steht. Um seiner Autonomie willen hat man ihm eben die absolute Panarchie zuzuschreiben, welche er sich nach seinem Urteil über Philosophie unbedingt abspricht. Unter kritischem Prinzip bestätigt die Anerkennung der völligen Gleichberechtigung aller Werte ihre Subordination unter den theoretischen Wert der Kritik und ist nur der eigentümlich paradoxe Ausdruck des selbständigen Denkens. Dem System der Werte und seiner Gliederung in Verhalten und gleichgültige Normen liegt also das transzendental-kritische Apriori der Erkenntnisaufgabe voraus, auch wenn es selbstverständlich in dem System als Wertgestalt wiederkehrt. Was aber beurteilt wird, kann nicht selbst das Apriori des Urteils sein, es sei denn, es weist sich als solches aus; dies vermag der Wert jedoch nicht.
Unmittelbar liegt dem kritischen Systemdenken die Anerkennung – hier glaubte man auch sagen zu dürfen: des Wertes – der Kontinuität der Begründung und der Widerspruchsfreiheit des Urteils voraus. Ein Ganzes der Ordnung soll die Erkenntnis zustande bringen, gefestigt in einem nicht mehr hypothetischen Grunde: nur unter Voraussetzung der unendlichen Denkkontinuität ist Wissenschaft, ist kritisches Fragen selbst möglich. Beziehung auf den Zweck, Bestimmung der Stelle im Fortschritt des Denkens, mit einem Wort: Sinn ist gefordert, damit ein einzelner Denkschritt getan wird. Kontinuität im potentiell Unendlichen sich folgender Erkenntnisbegründungen, die stetige Reihe von Grundlegungen ist das logische Apriori auch der kritischen Methode. Wie aber, ist hier dem kritischen Reduzieren ein Ende gesetzt? Haben Hegel und die Marburger recht, wenn sie sagen, daß der sich entwickelnde Begriff, der Logos, das Fieri des Bestimmens, die Hypothesis ist? Kritisch gedacht: in alle Ewigkeit ewig schon gelegt ist? Steht das nicht im strikten Widerspruch zu dem Urteil Natorps (Die log. Grundlagen d. exakten Wissensch., Leipzig und Berlin, 1910, S. 23): »aber ... die Forderung des Systems ... ist selbst nicht das System, auch nicht sein erstes Glied, sondern liegt

ganz ihm voraus ...«? Denn der Erkenntnisgedanke und die Idee des Grundes können für sich nur negativ behaupten, dem Erkenntnisgange vorauszuliegen und nicht in die Ebene des sich zum System ausweitenden Begreifens hineinzugehören. Der Reflexion bleibt es unverwehrt, das Denkmoment an der Hypothesis gegen ihren Sinn auszuspielen: reduktiv-analytisch kann das Ende nicht definitiv als der Ursprungspunkt der transzendentalkritischen Frage gekennzeichnet werden. Kurz gesagt, im Regreß von Voraussetzung zu Voraussetzung sind wir überhaupt nicht imstande, das Anhypotheton und absolute Apriori des Theoretischen zu bestimmen. Wir gewinnen keine Gewißheit darüber, ob wir uns außerhalb des Umfangs des Theoretischen befinden, wie es die Idee der Rechtsbegründung des Systems verlangt. Für diese Situation ist es daher typisch, daß je nach systematischer Auffassung dem kritischen Rückwärtsfragen Halt geboten wird. Rickert wird den Versuch, hinter den Begriff des stellungnehmenden Verhaltens gelangen zu wollen, für unmöglich erklären, obwohl die Marburger und Hegel in der Dialektik des Ursprungs noch eine Stufe höher zu stehen glauben. Eine Diskussion zwischen beiden Ansichten ist ausgeschlossen, weil jede ihr Apriori natürlich vorausbestimmen mußte, um zu ihm als ihrem Anhypotheton gelangen zu können. – Auf einen Widerspruch bei dieser Art, der transzendentalen Reduktion Grenzen zu ziehen, ist aufmerksam zu machen: Beide Lehren müssen darauf verzichten, das kritische Prinzip in dem Element der Freiheit zu begreifen und in seiner Grundlosigkeit zu rechtfertigen.

Rickert verharrt in dem Gegensatz einer von gültigen Normen beschränkten Wahlfreiheit. Dieses »so ist es« bleibt faktisch ohne Grundlegung liegen, weil das Wählenkönnen selbst als Faktizität dem System zum Grunde dient; und doch bedarf ein Faktum in Geltung des Geltungsgrundes. Hegel und die Marburger Schule verabsolutieren die Relation des theoretischen Bestimmungsprozesses. Unter dem kritischen Postulat völliger Voraussetzungslosigkeit, welcher die Bedingung der Möglichkeit einer richtigen Rechtfertigung als Erzeugung eines in Frage stehenden Inhalts unter dem Gesetze der Denknorm ist, ergibt sich wesentliche

Schwierigkeit, mit dem System einen Anfang zu machen. So sagt Natorp (loc. cit. S. 24): »Es zeigt sich beinahe unmöglich, von der Aufgabe Bestimmtes zu sagen, ohne daß man ... im Grunde alles vorwegnimmt, was die Logik als Ganzes erst zu entwickeln hat ... Denkt man sich die Totalität der Aufgabe, ... so setzt man als Mindestes jene Doppelrichtung des Erkenntnisweges voraus ... der Synthese und der Analyse, damit zugleich das Gegenverhältnis von Erkenntnis und Gegenstand. Darin ... die Verhältnisse ... der Modalität ... darin zugleich die ›Relation‹, in dieser wieder ... ›Quantität und Qualität‹ ...« Was ist die Konsequenz? (loc. cit. S. 25): »Von Nichts müßte man ausgehen, weil eben nichts, bevor es im Denken erzeugt ist, vorausgesetzt sein darf, aber aus Nichts käme auch nichts. Also muß dies ›sogenannte‹ Nichts doch ein Etwas sein; das Ursprungs-Etwas wird es genannt ... aber damit scheint dann eben das, was mit dem Ursprung ausgedrückt werden sollte: die reine Erzeugung des gedanklichen Inhalts wieder verlorenzugehen ... Das Nichts ... nach Cohen nur ›relatives Nichts‹, es ist vielmehr der Hinweis auf das gegenüberstehende Andere ... Der Ursprung reduziert sich gänzlich auf die Möglichkeit des Überganges ... auf die durchgängige Kontinuität des Zusammenhangs, als Zusammenhang der Begründung ... die Denk-Kontinuität ... wird gerade als das ›den Ursprung bedingende‹ bezeichnet ...«

Nur in anderer Form zeigt sich die Dialektik des Anfangs bei Hegel, wenn das reine Sein den Anfang machen soll, welches ebensowohl als unendliche Abstraktion, als Nichts, bestimmt wird, und diese Gegensätze zum Werden sich aufheben. Im gleichen wird für die Marburger Logik die das Ursprungsverhältnis bedingende Kontinuität als Korrelation isoliert (loc. cit. S. 26): »die ... Korrelation ... ist in der Tat ... das Prinzip der Prinzipien, in bestimmter Überordnung gegen die ganze Reihe der einzelnen ... Grundmomente des Logischen ... freilich ... ohne jede Möglichkeit einer Absonderung.« Dadurch aber, daß die reduktiv gewonnene Korrelation (welcher in einem gewissen Sinne das dialektische Werden bei Hegel entspricht) um der Kontinuität willen und als das Wesen der Kontinuität dem Prozeß des Anfangs vorausgelegt wird, vernichtet man die Anfangsnatur im Anfang und löscht das Schöpferische im Setzen des Denkens aus. Das Eingeständnis eines absoluten Sprungs, welcher mit dem Akte der Voraussetzung, in der Grundlosigkeit der Antezipation getan ist, soll eben nicht geduldet werden; denn er verträgt sich nicht mit der obersten Forderung der Kontinuität. Wir sagten, daß im reduktiven Verfahren, als der *Suche* nach dem Unbedingten, kein gültiges Ende gefunden werden kann. Stets wird die Schöpfungstat der vorausnehmenden Setzung in einem weiteren Rückschritt relativiert werden müssen, und die Relation oder der bestimmende Begriff die Oberhand behalten; auf diese Weise bleibt der methodische Panlogismus unangreifbar. Typisch ist dafür jene die Anfänglichkeit im Anfang wieder aufhebende Äußerung Natorps (loc. cit. S. 26): »Die Unzulänglichkeit solcher Begründung ... ist im Anfang überhaupt nicht zu vermeiden ...« (S. 32): »Man kann nicht weiter zurückfragen hinter das, was selbst Voraussetzung jedes sinnvollen Fragens ist. Man kann nicht mit Sinn fragen: warum überhaupt ein Warum? ... doch würde man sich täuschen ..., auf diese Weise der Vorwegnahme des zu Begründenden überhaupt zu entgehen. Eben die Frage schließt im Grunde schon alles in sich ... dieses merkwürdige Grundphänomen: daß Frage *ist* und ... stets die Antwort antizipiert, ist bekannter ... unter dem Namen des Gegenstandes.« (S. 33): »Im voraus gesetzt ist also eben der Prozeß ... die Methode.« (S. 34): »damit entdeckt sich der Gegenstand als das genaue Korrelat des ›Ursprungs‹. Was jener als Forderung an die Erkenntnis ausspricht, will dieser aussprechen, nicht als die Möglichkeit nur, sondern die Sicherheit der Erfüllung der Forderung, in dem Sinne ...: als ewiger Fortgang.«

Hinsichtlich ihrer methodischen Bedeutung können diese Worte als Paradigma für die Begründung eines Panlogismus in transzendentalem Verstande, also auch für Hegel, genommen werden, auch wenn innerhalb der Systemform zur Bildung eines Lebens, einer Welt noch andere Motive von Wichtigkeit sind.

Das paradoxe Resultat dieser Dialektik des Anfangs ist seine bloße Aufhebung zugunsten der Bedingung seiner Möglichkeit: des theoretischen Kontinuitätsgedankens als eines Postulats für bestimmtes Denken überhaupt. Damit ist aber die Geltung eines neuen ursprünglicheren Anfangs behauptet, wenn die methodische Kontinuität in der potentiell unendlichen Reihe gedanklichen Bestimmens als Vorwegnahme beurteilt wird. Nur als Vorwegnahme bedeutet sie dem kritischen Sinn überhaupt etwas, sonst wäre die transzendentale Reduktion durch ein unbegründbares Faktum behindert, nicht wesensgemäß begrenzt. Gilt also Idee der Setzungseinheit für vorweggenommen und soll in der Idee der Inbegriff aller Rechtsbegründung, daher auch aller Rechtsfrage, ausgedrückt sein, dann folgt notwendig für diese Antezipation der Charakter totaler Grundlosigkeit. Sie erweist sich als radikale Anfangstat oder der absolute Sprung des Ursprungs. Sie ist der wahrhafte Übergang vom Nichts der Freiheit zum Etwas der Setzung, als solche nicht Relation, sondern Bildung. Gewiß vermag die Reflexion des kritischen Regresses wieder zu erklären: das Nichts wäre gedacht, und zwar als Antwort einer Frage nach dem Endpunkt aller nur möglichen Fragen, wäre gesetzt nur unter der Bedingung der Denkkontinuität und hätte sich dieser zu fügen als relatives Nichts zum relativen Etwas in der Einheit der Relation. Darauf bleibt die Erwiderung trotzdem bestehen: der den relativen Ursprung der Dialektik bedingende Kontinuitätswert (wir nehmen auch diese Formulierung, weil das Wertsystem dem methodischen Panlogismus der *Ursprünglichkeit* nach äquivalent ist) bleibt in Geltung für ein mögliches Anerkennen nur unter der Bedingung, daß er der kritischen Rechtsfrage standhält; und das kann er nur, wenn er die Grundlosigkeit seiner Transzendenz ausdrücklich eingesteht. Sonst wird die Geltung Faktum und Bestand, eine fix und fertige Angelegenheit, welche der Legitimation von neuem bedürftig wäre.[18] Die Grundlosigkeit der Transzendenz des Kontinuitätswertes muß sich demnach selbst ausweisen, was ihm als Wurf aus einem Nichts der Freiheit gelingt. Der Form nach erfolgt die Bildung dieses Begriffs wohl unter der Anerkennung des Kontinui-

18 Vgl. Paul Hensel, Hauptprobleme der Ethik, Leipzig u. Berlin, ²1913, S. 126: »Die Metaphysik der Dinge als Wissenschaft ist durch Kant unmöglich geworden; es ist vielleicht an der Zeit, daß die durch ihn inaugurierte Metaphysik der Werte als Wissenschaft einer ebenso gründlichen Kritik unterzogen werde.«

tätswerts, weshalb er jedoch nicht mit ihm zusammenfällt; die Setzungs*art* des Sinns hat nicht über den Sinn zu entscheiden, gerade wenn man die Kontinuität, d. h. das Durchhalten in einer bestimmten Richtung auf ein bestimmtes Denkziel als Norm verteidigt. Wie Kontinuität die Setzung dieses Sinnes gerade in der fraglichen Problemsituation bedingt, vermag sie schlechthin bedingende Funktion nur als unbedingte auszuführen. Das Nichts der bildenden Freiheit oder die absolute Konstruktion ist das Prinzip der Synthesis und das Wesen der kritischen Reflexion in dem geforderten Sinn reiner Identität. Die entwickelnde Setzung in reiner Anschauung, als synthetische Methode gedacht, gibt die Gründe, welche selbst transzendentalkritische Urteile rechtfertigen. Dem reduktiv-analytischen Aufstieg der Wissenschaften vom Gegebenen kommt progressiv die entwickelnde Konstruktion in reiner Anschauung gebend entgegen und ihre Einheit im Unendlichen schließt das System.

Nichts verbietet sich für diesen Gedanken mehr, als eine Substantialisierung des Ursprungs nach Art der Fichteschen Tathandlung. Der Ursprung soll durchaus in seinem Aktus spontaner Bildung als gesetzter Gesichtspunkt aller Gesichtspunkte begriffen sein. Von einer Deduktion aus dem Begriffe des Nichts oder von einer metaphysisch-ontologischen Behauptung einer Freiheit, eines übersinnlichen Geschehens ist nicht die Rede; zu allen Systemen ist vielmehr nur der unbedingte Ansatz gesucht. Das Nichts bildender Freiheit ist der Nullpunkt des kritischen Koordinatensystems, in welchem das Ganze möglicher transzendentaler Fragen einbegriffen sein soll. In ihm beginnt der Prozeß der Methode, nach seiner Richtung nun eindeutig bestimmt.

Anschauungsfülle und Denkform, Gegebenheit und variable Spontaneität lassen sich jetzt ebensosehr als Mannigfaltige der synthetischen Einheit schlechthin begreifen, wie die den Erkenntnisbegriff paradox bestimmenden Gegensätze von Zufälligkeit und Notwendigkeit; als bloße Formen erscheinender Freiheit nimmt kritische Reflexion sie in das Gesetz des Anfangs wieder zurück. Alle unbedingt geforderten Widersprüche: ein auf sich bezogenes Denken, ein sich von einem Transzendenten bestimmen lassendes

Erkennen, ein sich auf Anschaulichkeiten beziehendes Begreifen liegen in dem Wesen und dem Bildungsprinzip einer Synthesis überhaupt. Als springende Setzung, als Veränderung zum Etwas und freie Konstruktion wird die vom analytischen Standpunkte gegebener Widersprüche gesuchte Einheit möglich. Freilich nicht mehr in seinem Gesichtskreis liegend, sondern vor ihm und für ihn: als Geben und Bilden der Mannigfaltigen. Auch hier darf man sich nicht verführen lassen, an eine Emanation des Vielen aus dem Ureinen der Freiheit zu denken. Vielmehr kann die Erklärung nach kritischem Prinzip nur eine prinzipielle, nicht eine genetische sein: so versteht sich das Mannigfaltige als Resultat eines Gesichtspunkts, welcher ihm gegenüber die fragliche Einheit selbst ist, und diese Einheit stellt sich für ein Bewußtsein des Prinzips der Einheit möglicher Gesichtspunkte heraus: in der kritischen Reflexion als einer Entwicklung zu transzendentaler Konstruktion. – Synthesis der Urteile nach theoretischem Wahrheitswert weist die paradoxe Einheit von Transzendenz und Notwendigkeit auf, insofern sie überhaupt Synthesis, d. h. freie Bindung an Kontinuität in methodischem Fortschritt ist. Dieses Sichentwerfen in ein Gesetz als das Wesen der vorsubjektiven reinen Freiheit oder als Bedingung des Prinzipiengedankens ist die unter kritischer Einstellung notwendig anzutreffende Ansicht der Erkenntnisnorm, nach welcher alles theoretische Bestreben beurteilt werden soll; die Paradoxie gehört darum zu dem Begriff einer Erkenntnis überhaupt, weil der Erkenntnisbegriff *schon unter transzendentalkritischem Prinzip hingesetzt* ist. Und nichts anderes durfte erwartet werden: die Erläuterung kritischer Synthesis bedarf der Vorausnahme des Synthesisgedankens, und so wahr diese hier vorliegende Schrift, in Absicht auf Erkenntnis des Wesens transzendentaler Wahrheit verfaßt, nach Maßgabe transzendentaler Wahrheit verfahren wollte, mußte ein selbständiges Programm ihren sachlichen Anfang bilden. Bedingung kritischer Wahrheit: eine Norm; Bedingung der Norm: ein Prinzip; Bedingung des Prinzips: schrankenlose Setzungsmöglichkeit (reine unsubjektive Freiheit). Demnach: petitio principii – tödlicher Vorwurf für naive Forschung, wenn sie ein spezielles Arbeitsprinzip für ihren subjektiven Gebrauch zum Auswahlprinzip der Gegenstände macht und deren ursprünglich gegebene Art und Ordnung einem Vorurteil zuliebe verleugnet – petitio principii ist geradezu unerläßlicher Grundakt zur Bildung kritischer Methode und transzendentaler Wahrheit. Wie das Gegebene a priori Problem sein soll für ein kritisches Denken, ist es selbstredend jeder Pflicht, nach Gegebenem sich zu richten, und jeder Möglichkeit dazu entbunden, ist es in die Notwendigkeit versetzt, durch ursprüngliche These sich ins Werk zu setzen, mit einem Vorurteil den Grundstein zum Gebäude der Urteile zu legen. Dieses Vorurteil begründet die Logik und gibt die Gesetze des Wahr und Falsch, welche nur innerhalb der Wissenschaft, nicht aber für ihre Konstituentien Maßgeblichkeit besitzen, sofern Prinzipien nicht als gegebene von Kategorien betreffbare Einheiten aufgefaßt werden dürfen. Unter dem Gesichtspunkt der Alltäglichkeit erscheint kritische Methode von gleicher Art wie andere wissenschaftliche Arbeitsweisen; ihr inneres Wesen reicht jedoch in eine Tiefe, welche einem Denken nach Art des Auges verschlossen ist. Ihr Sinn verbietet, noch die Kluft zwischen dem Ansatz subjektiven Verfahrens und vor allem Anfang liegender objektiver Gegebenheit von Normen und Gegenständen zu denken, ihr Sinn fordert, daß Ansatz, Ziel, Arbeitsnorm, Gegenstand zusammengeschweißt werde, und diese Forderung durch Konstruktion der Wissenschaftswerte erfüllen, heißt kritisch denken. Konstruktion ist die einzige Leistung, welche keine vorgegebenen Prinzipien willkürlich als bindend anerkennen *kann*, es sei denn Prinzipien ihrer selbst; sie selbst ist ja nichts anderes, als was unter jeweils bestimmtem Prinzip Freiheit an Ausdruck erreicht. – In derselben Weise verrät der scheinbare faktische Gegensatz von gegebener Fülle und variabler Spontaneität der Form seine spezifische Funktion als Resultat des Prinzips unbedingten Anfangs; denn der Sprung der Antezipation und die schöpferische Tat des Gesichtspunkts wird innerhalb des Fortgangs theoretischer Bestimmungen, innerhalb der Wissenschaft und von ihr aus, nur in der Richtung des Regresses, der Zurückführung auf Prinzipien, verstanden, – demnach nicht im Sinne des Sprungs, sondern im Gegensinne als Relation mit festen Endpunkten: dem Punkte variabler Formbildungen und dem Punkte der fertig vorliegenden Fülle. Es verschwindet jedoch der Faktizitätscharakter dieser paradoxen Zerstreuung, wenn man in ihr das nur verkehrt gesehene kritische Prinzip erkennt.

## 5. Darstellung des Anfangs als eines Bildungsprinzips transzendentaler Wahrheit

Daß die Philosophie vor dem kritischen Gewissen nicht, wie eine jede Wissenschaft, die Freiheit hat, ihre Ausgangspunkte unter der Voraus*anwendung* ihres eigenen Begriffs zu bestimmen, begreift sie nur unter der Voraus*setzung* dieses Begriffs. Um aber zu vermeiden, ihren ersten Satz im Widerspruche aufzulösen, muß sie dem Grundbegriff den Charakter der Vorläufigkeit geben und ihn im Gegensatz zu einer abgeschlossenen Definition halten, welche sich durch ihre Leistung rechtfertigen soll. Damit solcher Hinweis möglicherweise wirklich werde, ist es nötig, die Aufgabe bestimmt zu stellen und ebenso die Maßstäbe festzulegen, mit Hilfe deren die Richtigkeit der Lösung zu beurteilen ist. Insofern das Problema des Philosophiebegriffs die Idee seiner apodiktischen Definition setzt, liegt die in den beiden modalen Setzungsformen sich ausdrückende Idee vor beiden. Sie ist das unbedingte Apriori des ganzen kritischen Verfahrens, die Einheit von Vorwurf und Endziel, Beginn und Vollendung.

Eine Philosophie, welche der Schwierigkeit des Anfangens dadurch Rechnung trägt, daß sie ihren eigenen Sinn als Inbegriff zukünftiger Leistungen hypothetisch voraussetzt, ist kritisch; *jede Philosophie, welche anders verfährt, ist dogmatisch*. Hieraus erhellt, daß diese Bestimmung sich nicht etwa nur auf die Form, sondern ebenfalls auf den Gehalt erstreckt, indem es die kritische Einstellung allein in der Gewalt hat, von der Abkunft bestimmten Inhalts Rechenschaft abzulegen. Dem kritischen Verfahren ist nämlich sein bestimmter Zweck in dem unbedingten Apriori der Idee gegeben, und dieser Zweck prägt einen möglichen Stoff zum Inhalt gemäß derjenigen Regel, welche durch die vorausgesetzte Idee notwendig wird. Weil ein dogmatisches Verfahren in jedem Augenblick seiner fortgesetzten Arbeit gewärtig sein muß, daß ihre Durchführung an Unverträglichkeiten zwischen der Erkenntnisaufgabe und dem Objekte zum Stillstand kommt, mag der Begriff seinem ursprünglichen Sinn nicht entsprechen oder Unerfüllbares fordern, so bezieht sich bei ihm die ursprüngliche Fragestellung nicht zugleich auf den Inhalt, sondern läßt der Einstellung des Problems eine unendliche in sich verschwiegene Welt der Wahrheit gegenüber. Es ist wohl denkbar, daß irgendein Dogmatismus zur Verteidigung seines Beginnens das Wort Hegels[19] anführt: »Das verschlossene Wesen des Universums hat keine Kraft in sich, welche dem Mute des Erkennens Widerstand leisten könnte, es muß sich vor ihm auftun ...«, aber dogmatisch genommen ist diese Überzeugung bloßer Optimismus und eine Annahme, welche das Abenteuer verbergen soll, in das seine Absicht ihn stößt. Apodiktisches Zugrundelegen eines bestimmten Philosophiebegriffs, einer bestimmten Sehnsucht, welche sie erfüllen, eines Glaubens, welchen sie rechtfertigen soll, hat unmittelbar die Abtrennung der wahren Wirklichkeit von dem zu ihr hinführenden Weg zur Folge. Das Interesse daran, daß das Wahre wirklich ein ganz und gar losgelöstes, jenseitiges Wesen ist und die Erkenntnis sich seiner nur passiv bemächtigen darf, ist nicht etwa ein Geschöpf der Phantasie, sondern höchst real in der überwiegenden Mehrzahl aller Definitionen von Wahrheit und Philosophie; niemals hätte sonst die Abbildtheorie in der Erkenntnis eine so große Rolle spielen können. Die verschiedenen Formen dogmatischer Problemstellung fallen hier nicht ins Gewicht. Wo immer der Begriff der Philosophie in irgendeinem nur denkbaren Sinn für feststehend gehalten wird und also die Voraussetzung der Frage nach Wahrheit bilden muß, liegt durchaus willkürliche Einengung des Denkens vor. Gewöhnlich rechtfertigt sich die dogmatische Setzung durch Reflexionen des Sprachgebrauchs, der an bestimmten seelischen Intentionen gebildet ist. Man spricht unter dem Wort »Philosophie« zusammengefaßte Äußerungen in Literatur und täglichem Leben als in der Richtung dieser Intention gelegene Produkte an, glaubt so den Begriff der Philosophie in zuverlässiger Weise ermitteln zu können. Solches Verfahren, welches die Erkenntnis des

19 Hegels Anrede an seine Zuhörer beim Antritt seines Berliner Lehramts (S. W. Ed. Glockner, Bd. 8, S. 36)

Gefühls, die Interpretation historischer Erscheinungen, also nichts weniger als die Prinzipien der Psychologie und Geschichtsmethodologie voraussetzt, nennt sich dann noch natürlich und voraussetzungsfrei. Gewiß ist es solcher Ambition gemäß, dem gegen sie gerichteten Argument mit der Behauptung sich zu entziehen, das Hinnehmen der Gestalten und Mächte des Lebens sei unmittelbar vorauszusetzen und habe erst nachträglich in streng wissenschaftlichem Verfahren seine Rechtfertigung zu finden. Was von dieser nachträglichen Begründung zu halten ist, erkennt man daran, daß die vorläufigen Erfahrungen aus geschichtlicher und psychischer Welt danach abgehört werden, Maßstäbe der Wissenschaftlichkeit eines Verfahrens zu liefern (obgleich sie selbst hypothetisch gesetzt sein sollen). Ein vollendeter Zirkel liegt vor, wenn das tradierte Material literarischer Erscheinungen und das unmittelbare Bewußtsein Medien bedeuten wollen, in welchen die wahren Quellen philosophischer Begriffsbestimmung nur zu entdecken sind, und diesem Willen modale Maßstäbe vorausliegen. Man hat keine Kriterien der Rechtmäßigkeit, im Vorgefundenen das Sachliche vom Unsachlichen zu unterscheiden, denn wenn man sie hätte, wäre das ganze Unternehmen unnötig gewesen. Zwar wird auf die unmittelbare Evidenz hingewiesen, an welcher das Objektiv-Pragmatische zu erkennen sei; aber was berechtigt zu einem solchen Vertrauen zur Evidenz? Wenn darauf eine Antwort nicht mehr möglich erscheint und die Frage als den Gebrauch der Vernunft überfliegend abgelehnt wird, muß es doch die Verteidiger des Evidenzkriteriums wundernehmen, daß sich unter der von ihnen philosophisch genannten Literatur fast nur Versuche dieser Art finden, das sogenannte Erkenntnisproblem zu lösen, weil das kritische Gewissen der Früheren an bloßer Klarheit von Axiomen nicht zur Ruhe gebracht war; und es ist eigentlich krasse Inkonsequenz von einem solchen Verfahren, sich dann noch Philosophie zu nennen.

Ganz abgesehen von dieser vielleicht nur terminologisch zu nehmenden Angelegenheit liegt der Argumentation vom Anlaß oder Mittel und von der Evidenz die sehr bestimmte Unterscheidung von zufällig und notwendig, empirisch und apriorisch, Ursache und Grund bereits voraus. Sonst wäre es nicht zu erklären, woher das Denken den Mut zu einem Vorgehen fände, welches der ganzen Lebensfülle in der Gewißheit sich anvertraut, über sie sich erheben zu können. Die Idee einer erreichbaren Sachlichkeit, die den Weg zu ihr und sich selbst rechtfertigen kann, ist vorausgesetzt; der Gedanke eines in sich ruhenden Gehalts, einer Geltung, eines Sinns, demgegenüber der Anlaß seiner Entdeckung als unwesentliche Vorgeschichte für nichts geachtet werden darf, ist die apriorische Idee der ganzen Überlegung. Gerade dasjenige Gebaren, welches glaubt über die Problematik des Anfangs sich einfach hinwegsetzen zu können – dieses sogenannte Aufsuchen der Probleme –, ist schon Ausübung einer klar begrenzten Philosophie, auf der fundamentalen Trennung zeitlicher und zeitloser Sphären gegründet. Wird aber behauptet, daß man die Problematik des Anfangs darum glattweg ignorieren könnte, weil einfachste Überlegung zeige, daß in jedem Beginn das Ganze seines Zwecks enthalten sei und darum auch das Aufbauprinzip und der Begriff der fraglichen Sache, so ist dagegenzuhalten, daß diese Tatsache, weit davon entfernt, von uns in Frage gestellt zu sein, geradezu das Grundverhältnis kritischer Problemstellung ist. Dem Durchsetztsein jeder Erwägung mit theoretischem Gehalt und seiner innerlichen Beziehung auf ein System wird ja Rechnung getragen (für die kritische Forderung) mit Hilfe problematischen Zugrundelegens eines Begriffs, welcher erst durch den Ausweis seiner Befähigung im Ganzen der Erfahrung zu Definition kommen soll.

Also geht der Hypothesis als einer vorsichtigen Maßnahme dasjenige voraus, in Rücksicht auf welches Maßnahme geboten erscheint; dieses kann nur als das Prinzip verstanden werden, keine Setzung definitiv zu lassen (– alles muß ihm als Setzung gelten –), bevor nicht der Nachweis ihrer Rechtmäßigkeit erbracht ist. Wie die problematische Annahme eines bestimmten Begriffs vom Zweck der »Wahrheit« und »Erkenntnis« überhaupt abhängt, wird dieser Zweck seinerseits in dem Prinzip bestimmt, welchem der Begriff seinen Sinn allererst verdankt: dem Prinzip der unbedingten Rechtlichkeit definitiver Setzung. Indem der Gedanke des Rechtsnachweises zum Prinzip erhoben wird, ist der kritische Philosophiebegriff in hypothetischen Modus gesetzt und muß konsequenterweise dafür gesorgt sein, daß die Absicht auf definitive Geltung rechtmäßig durchgeführt werden kann. Es müssen Garantien *bekannt* sein, welche die Durchführbarkeit der Definition des Philosophiebegriffs gewährleisten, weil andernfalls die Hypothesis nicht wahrhaft Hypothesis ist; denn nur in dem Gegensatz zur apodiktischen Modalität der Definition behält sie ihren Sinn. Dieser Forderung nach unzweifelhaften Garantien für den möglichen Rechtsausweis des Systembegriffs kann allein unter der Bedingung Genüge geschehen, daß das System seinem Begriffe nach als Erfüllung einer bestimmten Aufgabe aufgefaßt wird, deren Lösung den Rechtsnachweis des Systembegriffs bedeutet. Dadurch nun, daß man dem Philosophieren in der permanenten Begründung und Ermöglichung aller wissenschaftlichen Erkenntnisse (vermittels des Bezugs ihrer mannigfaltigen Begriffsbildungen auf die Einheitsidee aller Begriffe überhaupt) eine Aufgabe zugewiesen hat und das System der Philosophie dementsprechend auf die Lösung dieser Aufgabe einschränkt, gibt man dem kritischen Denken die Fähigkeit, sowohl die Forschung als auch sich selbst im Fortschritt zu rechtfertigen. Kritik stellt sich als die beständige Verknüpfung aller spezialwissenschaftlichen Erkenntnis in der Idee des Erkenntnisgrundes oder als die architektonische Gliederung der Forschungsresultate nach den Maßen des Vernunftbegriffs dar; diese Idee, diese Maße werden jedoch selbst erst sichtbar mit der sukzessiven Klärung wissenschaftlicher Einsichten und verändern Gestalt und Gehalt jenen entsprechend. Trotzdem liegen sie, um definitiven Charakter gewinnen zu können, der Form, der Möglichkeit und ideellen Lokalisation nach, eben als Problemata, fest. Auf jene geniale Weise wird die Verantwortung hinsichtlich materialer Richtigkeit und des konkreten Inhalts der Erkenntnis den Wissenschaften zugeschoben, der Begriff der Philosophie vor den Gefahren der Unmittelbarkeit geschützt, welche erst die Wissenschaften zu überwinden haben, und ihm die innerliche Beweglichkeit und Anpassungsfähigkeit beigebracht, allen Revolutionen der Wissenschaft selbst gewachsen zu sein. So versteht es sich, daß kritische Philosophie nur als transzendentale möglich ist: unmittelbar bleibt Philosophie nur auf Erkenntnisse bezogen, deren Objektgeltung in allen Wertgebieten sie zu begründen hat. Hieraus ist ihr der einzigartige Vorteil erwachsen, im ständigen Kontakt mit der Forschung zu stehen, ohne jemals selbst in diese eingreifen zu können, und doch dazu berufen zu sein, die Ergebnisse zu rechtfertigen und zu interpretieren. Ihr liegt es ob, das Verstehen wieder zu verstehen, den Sinn des wissenschaftlichen Begriffs, welcher ihm erst zum Bewußtsein gebracht werden muß, aus dem Ganzen der Erkenntnisidee herauszuarbeiten. Kritische Philosophie lebt also nicht in der Sklaverei einer bloßen immanenten Klärung wissenschaftlicher Absichten und Ansprüche, als welche sie die Leistungen der Forschung nur nach *deren* Meinung zu analysieren hätte, ihr ist anderseits auch nicht mehr die Möglichkeit gelassen, ein Ideal der Wahrheit frei zu gestalten ohne Rücksicht auf die Bedingungen solcher Gestaltung, sondern sie ist zu dem Gebrauch einer gesetzmäßigen Freiheit bestimmt; das Erkennen der Philosophie und das Erkennen der Wissenschaft sind durch den Bezug auf das Gesetz der Erkenntnis überhaupt zu prinzipieller Übereinstimmung gebracht. In diesem Gesetz formuliert sich das vernünftige Erkennen als Idee, welche den Übergang von der hypothetischen Setzung des Systembegriffs zu seiner apodiktischen Setzung formal ermöglicht. Nur durch Rückbezug jeder vollinhaltlichen Erkenntnis auf das Gesetz der obersten Einheit kann transzendentale Kritik als Rechtfertigung vor sich gehen. Es versteht sich, daß der Absicht und Auffassung der Kritik der Gedanke vorausgeht, es dürfe in Sachen der Vernunft kein anderer Richtspruch Geltung haben noch überhaupt angerufen werden, als der Richtspruch der Vernunft selbst: nur unter dem Prinzip der Erkenntnisautonomie ist Transzendental-Philosophie möglich.

Nicht immer sind diese Verhältnisse rein eingehalten worden, hauptsächlich weil man die quaestio juris von gewissen quaestiones facti abhängig machen wollte, – wenn auch das Faktum dabei durchaus noch nicht in der Natur oder im Seelischen gesucht wurde.

Man sagt nämlich, die Bestimmung der Philosophie als einer Entscheidung über Recht und Unrecht wissenschaftlicher Erkenntnisse – diese Bestimmung geht unbedingt der Transzendentalkritik einer autonomen Vernunft an sich selbst vorauf, – habe nur dann Sinn, wenn die Wissenschaften Wahrheit darstellten; denn bliebe das Reich der Wahrheit möglicherweise außerhalb aller Erkenntnis, – warum dann das transzendentale Denken noch für Philosophie und gar für die einzig mögliche nehmen. Also, folgert man weiter, ist die Wahrheit oder die Bedingung, welcher sie zu genügen hat, schon bestimmt, damit der Gedanke einer Transzendentalphilosophie als notwendig eingesehen wird. Wahrheit möglicher Erkenntnis muß unter die Form der Vernunft, die Kategorien, und die Formen der Anschauung zu stehen kommen, sie darf kein Wesen haben, das gegen den Apparat des theoretischen Bewußtseins revoltiert; und allererst: sie muß vorhanden sein, den Gegenstand der Erkenntnis muß es überhaupt geben, soll die Frage nach seiner Möglichkeit möglich sein. Ebenso muß es das theoretische Bewußtsein und seine Formen geben, damit ihnen die gesuchte Wahrheit entsprechen kann, die Vernunft muß bestehen, soll sie Kritik an sich selbst vornehmen können. Dieser Überlegung pflegt man noch vorauszuschicken, daß die Annahme eines Wahren, welches sich im Bewußtsein bekunden wird, selbstverständlich schon sichergestellt ist, bevor man Vernunftkritik für nötig hält. So baute sich Transzendentalphilosophie auf einer bestimmten nicht kritisierbaren Überzeugung vom Gegenstand der Erkenntnis und seinem Verhältnis zum Subjekt auf. Wie es mit der Konsequenz dieser Überzeugung steht, ist nicht schwer zu erraten: dürfen den Gegenstand der Kritik allein Wissenschaften bilden, und erkennt sie die Wahrheit in dem Recht wissenschaftlicher Begriffe, dann muß der wahre Gegenstand nach seinem ganzen Inhalt in den Umkreis des Bewußtseins fallen. Materialiter genommen, erschöpft sich das Wahre in dem Inbegriff möglicher Inhalte aktuellen Erlebens. Die Restriktion der Philosophie auf Kritik der Wissenschaft erklärte sich daraus, daß Wissenschaft sich nur auf Bewußtseinsinhalte beziehen kann, deren Existenz in dieser Hinsicht unbezweifelbar ist. Im Bewußtsein liegt der Boden echter Realität vor, dem sich die Transzendentalphilosophie um seiner Unbezweifelbarkeit willen anvertraut. Das Recht der wissenschaftlichen Begriffe herauszustellen, gewinnt nach dieser Auffassung erst darum philosophischen Wert, weil sie Begriffe absoluter Gehalte sind; Transzendentalkritik entdeckt durch den Nachweis des Rechts an dem Unbezweifelbaren die Wahrheit. Kants Leistung wäre im Grunde nur auf dem Fundament der cartesischen Zweifelsbetrachtung denkbar.

Dieser Ansicht widerspricht Kant in dem Abschnitt »Widerlegung des Idealismus« (KrV B274 f.) ausdrücklich. Transzendentalphilosophie soll nicht nur nichts mit einem substantialen Subjektivismus, sondern überhaupt mit einem Positivismus des Erlebnisses nichts zu tun haben. Denn diese Lehren sind für den kritischen Gedanken nur dogmatisch, indem sie von einem vor aller Kritik festgelegten, kritisch noch nicht revidierten Standpunkt ausgehen. Ihr Raisonnement über die Absolutheit des Erlebens setzt bereits die ganze Transzendentalkritik voraus; ihre Reflexion ist getragen und gelenkt von Begriffen, deren Gebrauch rechtmäßig allein nach den Prinzipien des Grundes, der Identität und des Widerspruchs erfolgen kann. Aber dem Raisonnement selbst ist es nicht vergönnt, die Notwendigkeit der Rechtsfrage gewahr zu werden, geschweige denn den Weg zu seiner Lösung angeben zu können. Für das kritische Gewissen ist deshalb die Behauptung, ein derartiges Raisonnement ginge der Idee der Transzendentalkritik als Philosophie voraus, geradezu sinnlos. Anderseits wird solche Behauptung unvermeidlich, wenn man die Vernunftkritik von irgendeiner Art von Fakten abhängig macht. So banal sich auch der Gedanke ausnimmt: daß es Vernunft und Erkenntnis *geben* müßte, sollte Kritik an ihnen möglich sein, – gerade diese Banalität ist die Wurzel des Fehlers. Wäre tatsächlich der wahre Gegenstand als transzendent vorausgesetzt, der vermöge seines Wesens – einerlei ob es Sein oder Wert ist – dem Erkennenden Objektivität im Urteilen verleiht, bedeutete transzendentale Untersuchung die Erkenntnis der Natur des Transzendenten im Hinblick auf seine Beziehung zum theoretischen Subjekt, dann läge in der Behauptung sowohl des Wie als auch des Daß des Gegenstands ein Urteil vor, für welches erst ein Rechtsnachweis erbracht werden müßte. Die Transzendentalkritik stände also auf einem vollendeten Zirkel. Gerade einen solchen zu umgehen, macht aber die Eigentümlichkeit der transzendentalen Methode aus, indem sie den dogmatischen Anfang durch das Prinzip der Freiheit im kritischen Gesichtspunkt vermeidet. Wie oben bemerkt, erreicht sie die hypothetische Modalität des Systembegriffs dadurch, daß sie den wahren Gegenstand in concreto sowohl seinem Inhalt als auch den Bedingungen seiner Gegenständlichkeit, seiner Form nach offen läßt. Die Entscheidung über das bloße Vorhandensein und die Art des Gegenstandes schiebt sie der Wissenschaft zu; nur diese hat es mit der quaestio facti zu tun, und der kritische Sinn der Forschung liegt gerade in der beständigen Suche nach dem Inhalte, in *seiner* beständigen Rechtfertigung; und was das faktische Vorhandensein des gesuchten Gegenstandes angeht, so kann er nur insoweit für unbedingt vorhanden gelten, als er die Beständigkeit seiner Erforschung gewährt. Denkbar bleibt es immer, daß die Kette der Vorstellungsinhalte, die Unterlage zur Konstitution der aktuellen Welt, mit einem Schlag aufhört. In einen solchen Zusammenbruch der Wissenschaften kann die Transzendentalphilosophie nicht mit hereingezogen werden; die Form der Objektivität und der Sinn liegt für das kritische Prinzip jenseits von Vorhandensein oder Nichtsein. Jedoch nur unter einer Bedingung: die Form darf nicht als Struktur verstanden werden, welche die Objekte bereits an und für sich *haben;* sie darf nicht das Allgemeine bedeuten, das in und mit dem einzelnen gegeben ist. Es schwände sonst mit den Inhalten als den Anlässen der Objektskonstitution auch die Form und Möglichkeit des Objektsinns, und die Transzendentalphilosophie wäre in Abhängigkeit von Tatsachen gebracht – und sei es auch nur die Tatsache der Erscheinung.

Den vor aller Formung liegenden, nach Form erst verlangenden »vormaterialen Etwassen«, um mit Lask zu sprechen, den puren füllgebenden Momenten darf auch nicht die geringste Struktur gelassen werden, welche die Bildung der Objektivitätsform ermöglichen wollte. Gerade solche transzendenten Eigenschaften und Bereitschaften, welche dem urteilenden Subjekt erst vorliegen müßten, damit es instand gesetzt sei, diese quasi als Mittelglieder zur Anwendung der Kategorien auf die Anschauung zu gebrauchen, haben für den transzendentalen Gedanken gar keinen Sinn.

Jedes Vorhandene – und das braucht sich durchaus nicht nur in Natur zu erschöpfen –, jedes Fürsichstehende bedarf der ausdrücklichen Rechtfertigung, deren Vollzug in der Mannigfaltigkeit apriorischer Formen sich gerade ankündigt. Es steht nicht so, daß der Transzendentalphilosoph erst auf den Kosmos der Aprioritäten stößt, um in ihm die Formen der erkennenden Subjektivität wiederzuerkennen und auf diese Art das Vorhandensein nichtsinnlicher Ordnungsbeziehungen durch Zurückführung auf den Urgegensatz Subjekt-Objekt zu erklären. Eine solche Erklärung beriefe sich auf ein Faktum und wäre keine Rechtfertigung, welche nicht aus einem Satz, sondern nur vor einem Satz möglich ist. Unter transzendentaler Perspektive gesehen, hat der Aufweis apriorischer Formen im Gegebenen – nach Kant die metaphysische Deduktion – nur subjektiven Hilfswert; in ihr gewinnt das Apriori den Anschein der Vorhandenheit, welche den Anlaß zu ontologischer Verselbständigung des »Wesens« bildet. Das in sich bestehende Apriori macht dann als eine zweite Unendlichkeit neben der vormaterialen Fülle der Anschauung eine Art metaphysischer Rechtfertigung nötig.[20] Gerade das Gegenteil transzendentaler Kritik wäre damit erreicht. Man kann also sagen, daß unter kritischem Gesichtspunkt eine vorhandene Form, ein gegebenes Apriori, auf welches Reflexion sich zu richten hätte, keinen Sinn besitzt. Jederzeit im analysierenden Aufweis am Gegebenen vorfindliche apriorische Funktionen verstehen sich als bloße Korrelate des erfassenden Erlebens. Die ursprüngliche Ansicht dagegen gewährt nicht die Auffassung der Formen als absoluter Stillstände und transzendenter Sachverhalte, sondern begreift sie als relative Beziehungsarten des im Gange befindlichen Prozesses der Rechtfertigung in der Mannigfaltigkeit der Anschauung. Welcher Prozeß auch nicht wieder zu einem absoluten Vorsichgehen und einem dem Erleben gegenüber transzendenten Ablaufen mißverstanden werden darf; vielmehr liegt dieser Prozeß für den Begriff des Erlebens voraus.

20 Einen derartigen Versuch unternahm der Verf. mit seiner Schrift »Die wissenschaftliche Idee« (1913).

Die theoretische Subjektivität ist konstitutiv für diesen Prozeß, sie selbst tritt nicht etwa nur als ein bestimmtes Verhalten (beispielsweise) als Erleben und Intuition, in Beziehung zu diesem Gang der transzendentalen Kritik; denn ein vorhandenes Bewußtsein und eine vorhandene Rechtfertigung müßten selbst wieder als sinnvolle Gegenstände vernünftiger Rede gerechtfertigt sein. Sondern das Erkennen tritt aus Freiheit rechtfertigender Setzung als dieser Prozeß selbst auf, indem es sich in und zu dem Prinzip, kritisch zu fragen, allererst bestimmt. Konsequenterweise darf man darum die Kritik der Wissenschaften oder die Erkenntnis der Erkenntnis nicht mehr dahin interpretieren, daß die Vernunft, Inbegriff aller Rechtsfaktoren, aus den Wissenschaften, in welchen sie unabhängig und vor aller Transzendentalkritik schon bereit läge, nur analytisch herausgebracht zu werden brauchte, vielmehr ist es die Kritik allein, welche die Vernunft und Objektivität der Wissenschaften aufbaut. *Die transzendentale Methode ist das Dasein und der Sinn der zur Selbstkritik befähigten Vernunft.* Die Tat der Wahl der Rechtsfrage als eines Prinzips der Forschung ist der Ursprung geltender Normen, und diese Normen sind nichts weiter als die einmal gewählten Gesichtspunkte, unter welche die gesamte Forschung als Wissenschaft sich gestellt hat.

Gegen diese scheinbar überradikale Auffassung wird man zweierlei geltend machen wollen: einmal, daß Transzendentalkritik die wissenschaftliche Erkenntnis nur im Hinblick auf die in ihr auftretenden gültigen Urteile beträfe, mithin gewisse Geltungen oder wenigstens Geltungsansprüche unabhängig von der kritischen Methode bereits vorhanden seien. Zweitens, daß es als »metaphysische« Behauptung zurückgewiesen werden müßte, wenn wir sagten, die Subjektivität trete nicht als erlebendes Bewußtsein der sich aus sich selbst vollziehenden Rechtfertigung gegenüber, sondern selbst zu dieser Rechtfertigung zusammen. Überhaupt hätte das Bestreben, im Rechtsgedanken die transzendentale Sache mit ihrer subjektiven Erfassung zusammenzuwerfen, unter allen Umständen zu unterbleiben. – Auf diese Einwände ist zu erwidern, daß sie das Prinzip der Kritik von vornherein dem bestimmten Gesichtspunkt, wie er einer Trennung in Subjekt und Objekt zugrunde

liegt, unterwerfen, und daß daraus die folgenschwersten Mißverständnisse entstehen müssen.
Wie hervorgehoben, ist die Vernunftkritik nur aus dem Grunde ursprünglich auf Wissenschaft bezogen, und nicht etwa auf die sogenannte Unmittelbarkeit des Erlebnisses, damit Garantien gegeben sind für eine rechtmäßige Definition des Systembegriffs wahrer Erkenntnis. Aller philosophischen Bemühung geht der Gedanke einer in Erkenntnis faßbaren Wahrheit voraus. Es fällt dabei nicht ins Gewicht, ob der Gedanke sich theoretisch manifestiert oder als Wille, Sehnsucht und Glaube lebendig wird, auch nicht, daß der Wille, Wahrheit durch das Denken zu erreichen, das Vertrauen zu diesem Denken zur Voraussetzung hat. Diese Reflexionen betreffen nur das Leben im philosophierenden Individuum: sich in sie einzulassen, bedeutet, Psychologie treiben. Da hätte man dann das Philosophieren außerhalb und vor aller Philosophie, und nur ein solches Denken verdient den Vergleich mit jener sinnlosen Bemühung des Scholastikus, schwimmen zu lernen, ehe man sich ins Wasser wage. Die Forderung einer Erkenntnistheorie solchen Stils, welche nichterkennend die für ein Erkennen gültigen Bedingungen vorher erkennen will, hebt sich auf. Daraus folgt positiv, daß die *Voraussetzungen* des wahren Denkens und Philosophierens nur in *dem* Philosophieren selbst erkannt werden können, welches seine Vernunftgemäßheit allein als System der Erkenntnis rechtfertigen darf. Und wie kann das zuwege gebracht werden? Einzig und allein dadurch, daß der Begriff der Vernunftgemäßheit absolut hypothetisch bleibt. Um aber die Hypothesis zu erreichen, bedarf es erstens der negativen Bedingung, jede Antezipation zu vermeiden, wie sie sich für das kritische Prinzip in Argumentationen über den Willen zur Wahrheit, das Selbstvertrauen der Vernunft, das Verhältnis von Subjekt und Objekt, kurz in allen ihre Rechtfertigung noch nicht mit sich führenden Begriffen darstellt. Die zweite, positive Bedingung der Hypothesis ist ein Maßstab zur Beurteilung ihrer Modalität. Natürlich darf uns dieser nicht wieder gegeben sein wollen, weil sich sofort damit die Frage nach dem Kriterium seines Bekanntseins und Erkanntwerdens verknüpfte; die Behauptung eines absoluten Maßstabs in die-

sem Sinne bedeutet nichts weniger als das Beiseitesetzen jener erwähnten negativen Bedingung und fällt unter die unbedingt zu vermeidenden dogmatischen Antezipationen. Demnach bleibt keine andere Möglichkeit, als einen solchen Maßstab frei festzusetzen. Man erklärt das ideale Ende des Systems als die Lösung einer Aufgabe, damit der Abschluß den vollzogenen Übergang zur Definition des Systembegriffs darstellt; nur so rechtfertigt sich das Philosophieren aus seinem bestimmten Fortgang.

Vom außerphilosophischen Standpunkt gesehen, kommt die Philosophie auf diese Weise wieder der Verpflichtung nach, das gesamte Wissen einheitlich zu deuten. Denn die Vereinheitlichung des Wissensstoffs ist nunmehr seine Rechtfertigung geworden, so daß der Gegensatz einer positivistischen Zusammenfassung der Forschungen unter ein höchstes Gesetz, eine letzte Formel, und einer diese Formel metaphysisch beglaubigenden Ontologie vollkommen beseitigt ist. An die Stelle einer vermeintlichen Ableitung der Materie aus höchsten unerklärbaren Tatsachen tritt die Rechtfertigung der Materie als einer Setzung nach den Bedingungen der Erkenntnisidee schlechthin. In notwendigem Zusammenhang damit darf die Wissenschaft also auch nicht mehr als Faktum genommen werden, für welches man eine Erklärung ihrer Struktur finden müßte. Struktur erhält sie vielmehr erst durch (ihre) Rechtfertigung, außer dieser und vor dieser hat sie weder Geltung noch Form noch Dasein. Gewiß mag es einem schwer ankommen, sich von dem Gedanken frei zu machen, daß die wissenschaftlichen Begriffe, Urteile, Theorien, Disziplinen keine selbständigen Größen mehr sein dürfen, welche ein an die Sache hingegebenes Forschen unter dem Zwang des Abbildens hervorbringt, sondern daß sie ihre apriorische Funktion, die Sache, allein dem Gesichtspunkt der *Rechtfertigung ihrer Arbeit* am bloßen Stoff verdanken. Eine andere Auffassung führt jedoch unweigerlich zu Absurditäten, weil ein gegebenes Apriori kein Apriori mehr bedeutet; apriorische Sinneseinheiten sind nur als Zeichen transzendentaler, in der Einheit kritischer Methode disziplinierten Ausdruck gewinnender Stellungnahme zu verstehen. Nur weil wir es sind, welche die an »Natur« und »Geist« arbeitende Forschung nach kritischem Prinzip untersuchen, disziplinieren wir diese stumme und gestaltlose Tat zu einer geformten, in Begriffen redenden Erkenntnis, machen wir aus bloßem Leben Wissenschaft und schreiben dem Gegebenen seine Gesetze vor. Nicht gibt es eine Vernunft und einen Kosmos denkender Normen, welche eine ihrem Wesen adäquate Methode der Darstellung fordern, sondern die Methode »ihrer Darstellung«, wie sie sich aus dem freien Entschluß, die Legitimation zum Prinzip der Frage zu nehmen, ergibt, ist der zureichende Grund ihres Vorhandenseins. Die transzendentale Einstellung ist das absolute Apriori der ganzen apriorischen Mannigfaltigkeit bis in ihre letzten Verzweigungen hinein. Kritik der vernünftigen Erkenntnis bedeutet nichts anderes, als daß wissenschaftliche Arbeit einheitlich unter den Augpunkt des Rechtsgedankens gerückt wird, indem die Idee der Erkenntniseinheit (die Einheit der transzendentalen Apperzeption) das oberste formale Kriterium der Rechtmäßigkeit bildet. Im beständigen Hinblick auf die Forschung entwickelt die Kritik das System der Bedingungen, welche das Gegebene der Forschung möglich, d. h. zur Sache machen.

Bevor wir die gegen uns erhobene Meinung von dem Verhältnis des Subjekts zur Objektivität der Methode genauer klarstellen, soll an zwei Lehren erinnert werden, welche im wesentlichen hier ihren Ursprung haben: die metaphysische Identitätsphilosophie und die Lehre von der unmittelbaren Erkenntnis. Beiden ist es gemeinsam, daß sie Erkenntnistheorie für unmöglich halten. Der Identitätsphilosophie des absoluten Idealismus besagt Erkenntnis der Vernunft die Offenbarung einer Subjekt-Objektivität, welche das Wesen alles Wissens ausmacht; in ihr soll alle Philosophie sich abspielen, ohne sich über das Ganze der Vernunft in kritischer Selbständigkeit gegen sie erheben zu können. – Die Lehre von der unmittelbaren Erkenntnis, wie sie Fries und seine neueren Anhänger vertreten, argumentiert mit der Frage des Kriteriums. Um zu entscheiden, ob eine Erkenntnis wahr ist, brauchten wir ein Kriterium, dessen Anwendung die Entscheidung herbeiführt. Selbst darf das Kriterium natürlich keine Erkenntnis sein, weil es dann auch zur Frage gestellt wäre; aber um angewendet werden zu können, muß es auf jeden Fall bekannt sein, es muß als ein Kriterium erkannt sein, welche Erkenntnis wiederum ein Kriterium ihrer Wahrheit benötigt usque ad infinitum. Es darf eben nicht für jede Erkenntnis eine Begründung verlangt werden, weil ein solches Verfahren zum unendlichen Regreß führt. Wie die Sinneswahrnehmungen letzte Rechtsausweise (!) gültiger Erfahrungsurteile bilden, so ist überhaupt für alle Urteilsarten eine Grundschicht axiomatischer Ordnungsmannigfaltigkeiten anzusetzen, welche den Urteilen das Eigentümliche der Wahrheitsgewißheit verleiht. Kritik der Vernunft hat in aktueller Reflexion auf die im aktuellen Bewußtsein sichtbar werdenden apriorischen Gefüge zu bestehen.

Interessant ist, wie diese beiden sich völlig widersprechenden Lehren trotzdem von Einer Voraussetzung ausgehen: der Gegebenheit der Vernunft und Erkenntniswahrheit. Hören wir eine für den Identitätsidealismus typische Äußerung:[21] »Genauer zugesehen, enthüllt gerade das kritische Verfahren diesen metaphysischen Ausgangspunkt. Denn was in der Vernunftkritik kritisiert wird, das ist die Vernunft selber. Wodurch die Vernunft kritisiert wird, das ist wieder die Vernunft. Sie kritisiert sich selbst vermittelst ihrer selbst. Es ergibt sich also, daß die Vernunft das Subjekt, das Objekt und das Mittel ihrer Tätigkeit ist.« »Die Vernunft bleibt in allem ihrem Tun schlechterdings bei sich selbst.« Hier ist es also vor aller Erörterung ausgemacht, daß die Vernunft als autonome Produktivität oder der Inbegriff aller theoretischen Setzungen vorhanden ist und in dem kritischen Tun zu sich selbst kommt. Sie gilt kraft ihres unendlichen Bestehens. – Eben die gleiche Voraussetzung macht aber auch die auf dem sogenannten Boden der natürlichen Weltansicht verharrende Lehre von der unmittelbaren Erkenntnis. Damit sie überhaupt den Gesichtspunkt des Kriteriums fassen kann, den Gedanken eines Moments, welches die Erkenntnis unterschiedlich macht, müssen ihr die Erkenntnisse als vorliegende und gegebene gelten; sie hat dann analysierende Reflexion intuitiv zu erfassen. Immer, wenn das Problem eines Kriteriums

21 Georg Lasson, Was heißt Hegelianismus? Philosophische Vorträge herausg. v. d. Kant-Gesellschaft, Nr. 11, Berlin 1916, S 16.

der Geltung und Wahrheit nur auftaucht – ganz unabhängig davon, wie man sich mit ihm auseinandersetzt –, liegt die Ansicht von dem Vorhandensein der gültigen Normen dem kritischen Gedanken zugrunde. Insbesondere offenbart die Bestimmung des Wahrheitskriteriums als einer evidenten Struktur den dabei ausschlaggebenden Gedanken an vorhandene Geltungsmomente. Gegenwärtig zeigt einerseits die starke Ausbreitung phänomenologischer Forschungen in philosophischer Absicht und phänomenologischer Interpretationen der Transzendentalkritik, andererseits die beginnende (oder schon absterbende?) Neubelebung der Identitätsphilosophie, wie tief der apriorische Positivismus eingewurzelt ist. Es soll jedoch nicht verschwiegen werden – worauf wir oben hingewiesen haben –, daß in der Identitätsphilosophie noch ganz andere Prinzipien maßgebend sind; nur tritt in der üblichen Begründung der Identitätssysteme diese kritisch-methodische Seite kaum zutage.

Die Überzeugung von der Selbständigkeit einer sich im unmittelbaren Leben und in der Wissenschaft äußernden Vernunft, wie sie die transzendentale Forderung ihrer Kritik offenbar für unhaltbar erklärt, erscheint vom Standpunkt des Erlebens allerdings plausibel; denn es ist eine in der Praxis immer wieder sich aufdrängende Tatsache, daß wir uns vor unbedingte Anerkennung heischende Sachverhältnisse gestellt finden: in erster Linie die Grundwahrheiten der Logik und Mathematik, welche für das Stattfinden und zum Gebrauch aller Erfahrung notwendig sind. Aber so präsentiert sich das Apriori nur in der existentiellen Tätigkeit des Lebens, das für den Gesichtspunkt der Rechtsfrage von Voraussetzungen durchsetzt ist. Das Leben ist – gleichgültig ob bewußtlos oder auf sich reflektiert – keineswegs als solches gerechtfertigt, noch zur Rechtfertigung befugt; darum hat jede seiner Erscheinungen – und die offenbar gegebenen apriorischen Sätze stellen solche dar – in dem reinen Wege transzendentaler Grundlegung Kritik nötig. Es ist eben ein bloßes Mißverständnis, zu glauben, daß die Einheit aller rechtfertigenden Setzungen primär dem subjektiven Erleben fordernd gegenüberträte und transzendentale Methode darin bestände, diese Einheit sinngemäß (!) auf den Stoff wissenschaftlicher

Erfahrung anzuwenden. Gut, auch dieser Standpunkt ist reell einnehmbar; die apriorischen Sätze lassen sich sehr wohl als fixe Größen ansehen, nach denen sich das Erleben zwar nicht im eigentlichen Sinne richten, die es aber wohl abbilden kann. Sofort erhebt sich dann allerdings die Frage, mit welchem Recht man die Übereinstimmung des Abbilds mit dem Urbild behauptet, vor allem aber, mit welchem Recht man die apriorischen Bedeutungen in rechtfertigendem Sinne nimmt. Es liegt doch auf der Hand, daß der Aprioricharakter gewisser Gegebenheiten an und für sich noch in gar keiner Weise durch Beziehung auf andere Gegebenheitskreise (die sogenannte Erfahrung) als ihr Rechtfertiger gerechtfertigt wird. Unbestritten liegt jedem Urteil über eine Sinneswahrnehmung der Satz der Identität oder des Widerspruchs zu Grunde; aber daß deshalb das Urteil schon *gerechtfertigt* worden ist, kann man daraus unmöglich entnehmen. Scheinbar läßt sich doch gegen die Rechtsdeutung einwenden, die Apriorität gehöre nun einmal zu einem jeden Urteil, sie wäre die in jeder grammatischen Formulierung unweigerlich »enthaltene« metagrammatische Funktion der Ausdrucksbedeutung, und es stände durchaus frei, das ganze Urteil in Klammern zu setzen und nach einer transzendenten Rechtfertigung zu fragen. Man sieht, wie die Ansicht der Vernünftigkeit als eines gegebenen Elements zur Ontologie und die Ungläubigen zur Annahme der Relativität aller geltenden Sätze forttreibt. Freilich gibt auch dieser Standpunkt zu, daß jede metaphysische Legitimation wieder in die Formen der Immanenz geprägt werden müßte; die Vernunft erscheint als das Unvermeidliche. Lehnt der Kritizismus dieses Verlangen nach einer Rechtfertigung im Übersinnlichen als dem Begriff der Rechtfertigung widersprechend ab, so wird sich die andere Partei stets darauf hinausreden können, es sei ganz dem Belieben anheimgestellt, was unter dem Begriff der Rechtfertigung zu verstehen sei. Und das ist zuzugeben.

Es besteht aber gerade das einzigartige Verhalten, welches zur Transzendentalkritik führt, darin, dieses unbesehene Antezipieren des Rechtfertigungs- oder Wahrheitsgedankens dadurch zu vermeiden, daß es den blinden Zwang des Anfangs durch die ausdrückliche Einschränkung auf ein Ziel, das auf Grund eben dieser Einschränkung erreichbar wird, sehend macht. Das Ziel der Transzendentalkritik ist nicht in der Ungewißheit über seine prinzipielle Möglichkeit oder Unmöglichkeit hinsichtlich der Erkenntnis gelassen, weil sein Denken die Mittel seiner theoretischen Verwirklichung aufstellt. Man läßt es von vornherein gar nicht zu einem Fragen nach jenseitiger Wahrheit kommen, in der Einsicht, daß das erfragte Absolute zu seiner Erkenntnis wesentlich erkennbar, also wiederum bestimmt sein müßte. Das Ganze der Philosophie bleibt auf diese Weise nicht mehr abhängig von dem Vorhandensein und der Beschaffenheit der Wahrheit, sondern es *setzt* sich als das, was es im dogmatischen Fragen bloß ist: als das Apriori der Frage unmittelbar in Geltung. Wie ja doch das Suchen nach Wahrheit ein Vertrauen zum Denken nötig hat, wie der Wille zum echten Objekt wenigstens eines irgendwie bestimmbaren Bezugs auf jene Ordnung, welche den wahren Gegenstand bedeuten soll, bedarf, so zieht die Transzendentalkritik die Konsequenz, das unmittelbare Apriori aller nur möglichen Antezipationen selbst zum Grunde eines fortschreitenden Verfahrens zu legen. Die unvermeidliche Setzung überhaupt wird jeder Unvermeidlichkeit d. i. Zufälligkeit entkleidet: kritisches Anheben geschieht nur unter Voraussetzung freier Richtung auf einen Zweck, in welchem die Ursprünglichkeit aller Zweckmäßigkeit sich unmittelbar manifestiert.

Läßt man nun die freie Setzung als willkürliche Subjektivität einem objektiven Gesetz entgegentreten, ist es freilich unmöglich, beide zu verschmelzen und als Eins aufzufassen, es sei denn durch Metaphysik. Aber was berechtigt zu einer solchen Entgegensetzung? Etwa die Reflexion auf ihr unmittelbares Gegebensein, etwa ihre Wesenserfassungen? Als ob auch nur im mindesten die Möglichkeit gegeben wäre, die Anwendung der Reflexion für ursprünglich zu erklären, abgesehen davon, daß Reflexion selbst erst auf Grund bestimmter Maßstäbe Sinn gewinnt. Die Abtrennung des Zwecks als des Apriori jeder effektiven Freiheit von dieser Freiheit als einem Verhalten ist die Konsequenz einer durchaus willkürlichen Ansicht; sie verdeckt die ursprüngliche Einheit durch Kategorien der Reflexion. Und diese ursprüngliche Einheit ist der Mittelpunkt der kopernikanischen Tat der Kritik der reinen Vernunft, welche das Sein im Subjekt gültiger Urteile begründet hat.

Auch diese Fassung des transzendentalen Prinzips ist noch äußerlich. Zwar soll nicht bestritten werden, man kann das Verhältnis der Transzendentalkritik zum Problem des Anfangs darin sehen, daß das dogmatische Moment der Voraussetzung durch Restriktion auf seine Freiheit gewissermaßen neutralisiert wird. Man muß daraus schließen, daß das Erste in der transzendentalen Methode nicht ein Versenken in etwas, ein Sichhingeben an etwas sein darf, vielmehr im Ursprung der Konstruktion derjenigen Elemente und Ordnungen bestehen muß, mit deren Hilfe das wissenschaftliche Arbeiten systematisch verstanden werden kann. Wie den Chemiker sein Vordringen zu immer zusammenfassenderen Erscheinungen durchaus nicht von den Erscheinungen ablöst und sein Forschen in praxi das Abwarten und Hinnehmen von Wahrnehmungsfolgen darstellt, kann er der subjektiven Regelmäßigkeit seiner Vorstellungen objektive Gesetzmäßigkeit allein durch die Konstitutionsformeln geben, welche wohl noch keiner ernsthaft für Abbilder realer Verhältnisse gehalten hat. Die Formel ist das Mittel der Konstruktion des Naturobjekts als eines chemischen Körpers. So verhält es sich auch mit der transzendentalen Systematisierung: sie erfindet einen Apparat von Begriffen, mit welchem sie den Gegenstand der Wissenschaft einheitlich darstellt. Eine solche transzendentale Konstitutionsformel: die Gliederung in Anschauungsformen, Kategorien, den bestimmten Schematismus und seine Begründung in dem Ganzen der Vernunftidee, macht die wissenschaftliche Kritik der Erkenntnis aus und stellt die Kritik der Vernunft dar, indem sie die Wissenschaft aus bloßer Existenz zur Einheit des Sinnes bringt. Eine solche Arbeit kann man sehr wohl analysierend nennen, wie die Arbeit des Chemikers; aber so wenig dieser zur objektiven Chemie käme, wenn er aristotelisch sich unmittelbar an die Erscheinungen hingäbe und sie nach ihrer unmittelbaren Gestalt beschriebe, kann auch Transzendentalkritik nicht in einer analysierenden Wesensdeskription bestehen.

Sieht man in der Kritik das Bestreben, die Vernunft, an der doch wohl auch das selbsteigene Denken der Kritik teilhat, problematisch zu nehmen, dann kann also dieser Gedanke, recht besehen, nur die Aufforderung zu einer besonderen Methode bedeuten. Reflexion auf das Denken zu seiner Analyse wäre selbst schon Denken und das Anlegen von Maßstäben an den Begriff spontaner Vernunftleistung, welche umgekehrt an diesem Begriff erst kritisiert werden sollten. Im Sinne einer Kritik liegt als vornehmste Bedingung ihrer Möglichkeit ihre unbedingte Voraussetzungsfreiheit; die zum Problem gemachte Vernunft darf also gar nicht von sich selbst beurteilt sein wollen, weil sie mit ihren eigenen Grenzen und Formen dieselben wesentlich nicht feststellen kann. Weil aber unter Vernunft nicht irgendeine eingeengte Tätigkeit, die wir schon kennen oder die es gibt, gemeint ist, sondern das bedingungslose Stellungnehmen als das absolute Prius jeder Objektivität (also auch des Ichs der Bewußtseinsakte, der Unmittelbarkeit, der Wissenschaft und des Denkens über Wissenschaft), die Absicht auf Theorie aber jedem Begriffe vorhergeht, so hat die Kritik an dem Punkte des *Ansatzes* zu bestimmten Begriffssystemen überhaupt sich ins Werk zu setzen. Ihr natürliches Material (nicht Objekt) bilden die konkreten Wissenschaften. Der Punkt des ursprünglichen Ansatzes und das Material bestimmen die Reichweite der transzendental-theoretischen Einstellung. In der Abstraktion lassen sich die beiden Pole wohl trennen und dementsprechend verselbständigen: einmal in der Form der konkreten Wissenschaftserkenntnis, das andere Mal als das auf diese Erkenntnisform sich beziehende »subjektive« Erkennen, und auf diese Weise kommt die Idee des Selbstbewußtseins, der Subjekt-Objektivität in der Wendung des Identitätsidealismus oder der phänomenologischen Reflexionsphilosophie zum Ausdruck. Innerlich läßt sich also transzendentale Methode nur vom Anfang her begreifen. Ist nämlich unter Vernunft begriffliche Objektivität schlechthin befaßt, und darf Kritik dieser Objektivität an keinem anderen als dem theoretischen Werte orientiert sein, so kann transzendentale Methode nur die bloße Entwicklung des Bestimmens in der Absicht auf Theorie überhaupt bedeuten. Transzendentalkritik ist die unter freiwilliger Selbstbeschränkung auf die Idee des Begriffs oder die

Einheit der transzendentalen Apperzeption allein mögliche Tätigkeit, welche dieser Idee konkrete Realität geben will.
Der Wille zum Unbedingten bringt sich kritisch nur dadurch zuwege, daß er den Anfang des Beginns neutralisiert durch hypothetische Unbestimmtheit seines Zielbegriffs. Die Hypothesis nach Form und Inhalt wird weiterhin durchgeführt, wenn man die Idee des Unbedingten als das urteilende Bewußtsein überhaupt (die Vernunft in abstracto) interpretiert, welches die Einheit alles Begreifens und das Unbedingte der Wissenschaft ausmacht. Wille zur Wahrheit hält sich kritisch nur als Wille zur Erkenntniswahrheit, als theoretisch bedingter Wille, für möglich, welche Bedingtheit er mit allen Wissenschaften gemeinsam hat. Dieses für ihn konstitutive Minimum der Vorwegnahme hat keine anderen als die in theoretischer Determination überhaupt liegenden Folgen auf das Verfahren. Darum läßt man das Wesen theoretischer Determination nach Form und Gehalt hypothetisch, zu welchem Zweck Forschungen als Material dienen müssen, deren Idee in abstracto das Theoretische überhaupt ist. Aus diesem Grund scheidet das Transzendente oder »Ding an sich« von vornherein aus, und an seine Stelle tritt die in Forschungen erfahrene Welt des »Geistes« und der »Natur«. Kraft dieser Restriktion allein bewahrt die theoretische Absicht ihre absolute Autonomie, welche sie als Prinzip des Rechtsgedankens einer Kritik der Vernunft zum Grunde legt und nach der sie sich als einzig ans Gesetz des Theoretischen überhaupt freiwillig bindender Wille selbst richtete, so daß der kritischen Philosophie keine Gefahr von einem vernunftübermächtigen Wahren droht. In der grundlosen Bestimmung zum gesetzmäßigen Handeln in einer kritischen Methode wird die Tat des philosophischen Anfangs pflichtgemäß, weil sie der höchsten ethischen Norm genügt, frei eine Gesetzmäßigkeit überhaupt einzugehen. Hierin besteht der Primat der praktischen Vernunft, welcher die theoretische Vernunft nur auf dem Grunde absoluter Autonomie für möglich erklärt. Als freier Entschluß diszipliniert sich das Nichts des Verhaltens zu einem Verhalten, damit es einen Gegenstand sich geben lassen kann, welchen es erkennen soll; freiwillig entsteht die Gebundenheit der Anschauung, deren Prinzip die in

sich beharrende Materie, die absolut vernunftlose Fülle ist. Nachdem die unbedingte Selbständigkeit des Angeschauten innerhalb der theoretischen Einstellung als für deren Möglichkeit unerläßlich erkannt ist, wird das unendliche Streben, die Masse des begriffslosen Stoffs im Prozeß der Forschung zu überwinden, gerechtfertigt. So wenig die projectio per hiatum irrationalem selbst verschwinden darf, weil damit dem logischen Element sein Sinn geraubt wäre, so vollkommen der Bruch zwischen der Form und dem vormaterialen Etwas des Begriffs sein muß, damit die Spannung zwischen beiden unendlich bleibe, so restlos läßt sich die projectio selber verstehen. Wenn man in unseren Tagen die Selbständigkeit des »Inhalts« gegen die Form, der Anschauung gegen das Denken mit dem Argument aufheben will, die vormateriale Fülle wäre immer schon gedachte Fülle, logisch erfaßter Stoff, und die Annahme eines Außerlogischen sei sinnlos, so ist das völlig zuzugeben, und das hat auch niemand in Zweifel gezogen. Nur darf man darüber nicht vergessen, daß (gedachte) Fülle, (theoretisch bestimmte) Materie eben gesollt ist, die Zweiheit der Urelemente aber innerhalb des Logos durchaus von dessen übergreifender Einheit nicht gestört wird; das Verhältnis der Urelemente selbst bleibt eine sich bis ins Unendliche verringernde Spannung. Gerade die Auffassung des wissenschaftlichen Denkens als eines ewigen Prozesses setzt den beständig zurückweichenden und doch beständig vorhandenen Widerstand voraus, den Stoff, welcher unendliche Aufgabe bedeutet.

Mit dem Eintritt in die Anschauung, mit der Selbstbeschränkung zur Hingabe und hinnehmenden Versenkung in Gegebenes ist das theoretische Gesetz zur Norm eines Verhaltens gemacht; diesem Gesetz ist auch die kritische Methode unterworfen. Aber das Wesentliche ist, daß sie von diesem Gesetz nicht passiv bestimmt ist, sondern zugleich die Einheit *dieser* Synthesis von Aktivität und Passivität darstellen muß. Die synthetische Einheit dieser beiden Wege der Methode, der Reduktion der Erscheinung und der Produktion der Form, als Idee gedacht, ist die reine Vernunft.

Freiheit als Bedingung der Methode und des gewählten Gesichtspunkts bedarf nun nicht etwa eines Existenzbeweises, dem sie vielmehr vorhergeht; sie ist das einzige, welches nötig ist, damit ein Gesichtspunkt überhaupt gefaßt werde, und sie braucht sich nicht gegen die Naturnotwendigkeit und das Gesetz der Welt zu verteidigen, weil sie der zureichende Grund der Welteinheit selbst ist. Weil sich aber die Autonomie der Vernunft nicht in der Gesetzlichkeit der theoretischen erschöpft, sondern an der bloßen Beziehung zu sich selbst ohne die Bestimmung zum Hinnehmen in der Anschauung ihre Unmittelbarkeit, das Praktische, besitzt, begründet sie die Normen der Ethik. Diese treten jedoch nicht übergeordnet den theoretischen Werten in Erscheinung, obgleich das Praktische den Primat hat; denn die ethischen Normen sind die Bestimmungen des Praktischen im Hinblick auf ein gegebenes Leben, das Praktische selbst aber ist nur die Möglichkeit für seine Gesetzlichkeit und liegt vor aller Bestimmung.

Weil erst in der Anwendung der Autonomie auf das faktische Handeln des vollendeten Subjekts das Praktische seine eigentümliche Objektivität, eben die ethische, gewinnt, bleibt die Autonomie sowohl über der ethischen, wie auch der theoretischen Wertsphäre. Unbedingte Anerkennung der Vernunft als eines freien Sichbindens in irgendeinem Sinne ist absoluter Selbstwert, das höchste Gut. Sich selbst ein Gesetz geben, ist schlechthin Pflicht, mag dieses Gesetz welchem Wertgebiet auch immer angehören. – Bei vollkommener Gleichberechtigung der möglichen Einstellungen auf Werte fallen doch ihre Arten nicht auseinander, sondern sind getragen von dem Selbstwert der Freiheit. Werte gelten nur unter der Voraussetzung der Wertidee eines grundlosen Sollens, welches allein für einen freien Willen stattfinden kann. Wenn sonst die Mannigfaltigkeit der Wertsysteme der Natur, Religion, Wissenschaft, Sitte und Kunst nur durch die organisierende Macht eines Systems in innere Verbindung gebracht wurde, womit aber eine Panarchie des philosophischen Werts im Sinne eines unbegründeten Rationalismus in Kauf genommen war, setzt die Transzendentalkritik an die Stelle des rationalen Systems das Praktische als den Ansatz zur Anerkennung eines Sollens überhaupt. Hiermit gewinnt es aber die Philosophie zugleich über sich, als eine Wertart neben die anderen Wertarten zu treten, ohne in sie einzugreifen und ihre Würde anzutasten. – Dem kritischen Gewissen jedoch liegt dieser Einheit gleichberechtigter Werte wiederum die transzendentale Rechtsidee als Ausdruck eines weder kontemplativen noch aktiven Gesetzes voraus. In dieser Gestalt ist der Anfang für die Transzendentalphilosophie konstitutiv. Er bildet jene unter dem Gesichtspunkt möglichen Rechtsausweises denkwürdige Grenze zwischen dogmatisch-transzendentem und kritisch-transzendentalem Verfahren. Eben diesen Gesichtspunkt sieht die kritische Methode als ihren eigentlichen Anfang an, in welchem der Ursprung, das Prinzip der Transzendentalidee, mit dem effektiven Beginn der Überlegung schrankenlos zusammenfällt. Der grundlose Ansatz zum Gesetz und das sich zur Freiheit eines Verhaltens bestimmende Nichts der Tat, worin wir den eigentümlichen Charakter des unbedingten Anfangs erkannt haben, ist die Erklärung und Befolgung der Autonomie als Pflicht der Pflichten. Indem mit dieser Wendung die transzendentale Methode ihren Gebrauch nicht dem jeweiligen Belieben überläßt, sondern ihn einem jeden, sofern er Wahrheit will, zur Pflicht macht, begründet sie das Ganze des Geistes mit einem Schlage durch die Beziehung auf Würde der Freiheit.

## Zusätze
## Über das erscheinende Apriori
## und die Freiheit zur reinen Vernunft

Es ist begreiflich, daß Rickerts Dringen auf totale Transzendenz des Sollens den Anschein erzeugen konnte, es handle sich dabei um die Setzung einer eigenen Art von Bestehen. Sicherlich hat Lask diese Richtung verfolgt, welche ihn paradoxerweise in nächste Nähe zu Husserl brachte. Husserls Auffassung der Kategorien als regionaler Formen stimmt zu Lasks Gedanken, Sein und Geltung (Sollen) als Kategorien des Gebiets, trotz des kopernikanischen Verhältnisses zwischen Seins*gehalt* und Geltungs*gehalt*, einander zu koordinieren, obwohl beide Lehren auf ganz verschiedenen Erkenntnistheorien ruhen. Lasks Auffassung birgt die Gefahr in sich, die Sphäre des Sollens zur Wahrung ihrer transzendenten Unabhängigkeit gegen das theoretische Subjekt zum absoluten Inhalt für das erlebende Subjekt verhärten zu lassen, wodurch die transzendentalkritische Synthesis der phänomenologischen Analysis Platz machen muß; denn das Sollen erscheint dann gegeben. Es schwindet der Primat des Praktischen vor dem Primat des Reflektiven und damit gibt man die Panarchie des Logos, welchen die transzendentale Methode für die wissenschaftlichen Urteile proklamierte, in der transzendentalen Methoden*lehre* für die philosophischen Urteile preis. Es zeugt für die Konsequenz des Laskschen Denkens, daß gerade er eine Logik der Transzendentalphilosophie fordert, um nur energischer dadurch den Prozeß der Verinhaltlichung der Form zu fördern. In seinen Untersuchungen erscheint die Form völlig als statischer Bestand; »Form der Form« ist deshalb auch nur ein Gebilde unter anderen Gebilden und läßt durchaus nichts von der radikalen Rückwirkung auf die ganze kritische Methode, welche diesem Begriff wesentlich sein muß, merken (nicht nur auf die Methoden*lehre*, welche eben nicht das obere Stockwerk der Transzendentalkritik bleiben darf, sondern ihr ganzes Gebäude vermöge ihrer ideellen Möglichkeit allein tragen muß, indem sie es bildet). Hierin verrät sich der analytische Reflexionsgesichtspunkt, unter dem Lask die »Form der Form«, also auch die Form selbst, betrachtet; deshalb seine mißverständliche Deutung des Primats der praktischen Vernunft (in seinem Vortrag auf dem internationalen Kongreß für Philosophie zu Heidelberg 1908: »Gibt es einen Primat der praktischen Vernunft in der Logik?«, worin er ebenfalls mit Husserls Polemik gegen Sigwart [Log. Unters. Bd. I] übereinkommt), deshalb seine Forderung eines übergegensätzlichen Maßstabs der Erkenntnis, welchen er durch das Stehen des Inhalts in der Form charakterisiert. Unseres Erachtens wahrt Rickert mit vollem Recht den transzendentalkritischen Standpunkt gegen Lask (vgl. Gegenst. d. Erk. 4. Kap.), wenn wir auch in der Idee des Sollens noch keinen dem methodischen Geist der Kritik ganz angemessenen Begriff erkennen. Übrigens hat die versuchte Annäherung des transzendentalen Denkens an das phänomenologische Denken bei Lask seine Folgen gehabt; denn es konnte dadurch die transzendentale Gesetzlichkeit um ihrer Faktizität willen eines metaphysischen Unterbaues bedürftig erscheinen (vgl. hierzu des Verf. Schrift: Die wissenschaftliche Idee, Heidelberg 1913) und andererseits die transzendentale Methode mit der phänomenologischen Methode auf ein und dasselbe erkenntnistheoretische Problem hin untersucht werden (vgl. Arnold Metzger, Untersuchungen zur Frage der Differenz der Phänomenologie und des Kantianismus, Diss. Jena 1915). Vor allem muß man sich in acht nehmen – vorausgesetzt, es steht ein Urteil über den Laskschen Versuch einer *Logik der Philosophie** in Frage –, in seinen Äußerungen über diesen Versuch Zeichen einer anderen als eben derjenigen Stellungnahme zu erblicken, welcher der ganze Versuch sein Dasein verdankt: Es gehört einmal zum Wesen analytischer Denkweise, im Glauben an die Möglichkeit einer Selbstzerspaltung des theoretischen Bewußtseins der Forderung kritischer Besonnenheit im Urteil über eigenes Tun mittels einer reflektierenden Besinnung auf die begangene Tat genügen zu wollen. – Lask loc. cit. S. 126, 3. Abschn.: »Die Ausdehnung des

* E. Lask, Die Logik der Philosophie und die Kategorienlehre, Tübingen 1911

Kategorienproblems über das Sinnliche hinaus ruht in letzter Linie ... auf der Überzeugung, daß alles, soweit und sowahr es ein Etwas und nicht ein Nichts ist, ... in logischer Form steht.« Werden wir auf die nur billige Frage, worin ihrerseits diese Überzeugung gegründet ist, Antwort erhalten? Loc. cit. S. 3: »Nur von einer letzten ... Sichtung des Denkbaren aus vermag sich Klarheit ... über das ganze Gebiet der Philosophie zu verbreiten ... Darum ist es auch eine befreiende ... Tat ..., daß sie ... die Gesamtheit des überhaupt Denkbaren ... auf eine letzte Zweiheitlichkeit zurückzuführen trachtet, auf die Kluft nämlich zwischen Seiendem und Geltendem. Damit ist von neuem ... zur wahren Scheidung im All des Denkbaren fortgeschritten.« Die Überzeugung beruht also auf der vermeintlichen Wahrheit dieser Scheidung; nur ist sie für Lask nicht vermeintlich. Er fährt nämlich auf derselben Seite fort: »Mit einer solchen letzten Sonderung im Bereich des Etwas ist zugleich die grundlegende Freiheit alles Erkennens aufgezeigt ... gewinnen wir die fundamentale Gegensätzlichkeit des Erkennens«, – ich sperre – *»die auf der Dualität der Erkenntnisgegenstände beruht* ... Also in der Unterschiedenheit des Seienden und des Nichtseienden ist der wahre Einschnitt im Inbegriff des Etwas überhaupt« – ich sperre – *»gefunden«*. Wie weist sich diese gefundene Zweiheit, welche vorläufig zugestanden werden soll, als objektiv zu Recht bestehende wahre Tatsache aus; an ihrer Objektivität hängt doch offenbar das ganze philosophische System?! Darüber läßt Lask nichts verlauten, denn es scheint unglaublich, daß er *der* Gegenüberstellung der beiden Sphären, welche verdeutlichen soll, daß »hinter dem, was hierbei als zweierlei hingestellt wird, auch in Wahrheit ... irgendwie *zweierlei* Etwas dahintersteckt«, (S. 14 loc. cit.) auf derselben Seite nur »eigentlich mehr einen didaktischen Wert« zuschreiben will. Trotzdem erfüllen die Bemühungen auf den folgenden Seiten, hauptsächlich S. 16, als die einzigen in dem ganzen Buch wenigstens einigermaßen die Bedingung der Absicht, jenem kritischen Verlangen nach Begründung nachzugeben. Was wir faktisch lesen, sind allerdings bloße Verdeutlichungen des Wortsinns »Gelten« und seiner Anwendungen, phänomenologische Fragmente. Gerade weil Lask sich des analytischen, zu einer Begründung nicht fähigen Charakters dieser Urteile bewußt ist, schreibt er ihnen bloßen didaktischen Wert zu, gesteht damit aber offen die Unmöglichkeit ein, die Wahrheit der – nur zu sehr »gefundenen« – Dualität im All des Denkbaren rechtmäßig auszuweisen. Wenn er sich hätte entschließen können, diese uranfängliche Zweiheit der »Gebiete« als die Spur und das Resultat einer primären Standpunktswahl und Methodengestaltung a priori einzuführen, so wäre er der fatalen Frage nach der Legitimität seiner (philosophischen) Erkenntnis der Dualität der Erkenntnisgegenstände überhoben gewesen. Dann mußte jedoch der ganze Plan einer Kategorienlehre der Geltungssphäre aufgegeben werden, denn *so gab es* keine Geltungssphäre mehr, von der man *wissen* konnte (S. 21 loc. cit.: »So wahr es spekulatives Wissen gibt, so wahr gibt es auch die Logik der Spekulation«), war der Philosophie der Erkenntnischarakter im Sinne der Teilhabe an einer bestimmten *vorhandenen* Gegebenheit auf immer genommen, und das konnte Lask nicht, weil er den analytischen Erkenntnisbegriff ohne Diskussionsmöglichkeit verwandte. (S. 21 loc. cit.: »Nur wer dem Philosophieren den Erkenntnischarakter abspricht . . . dürfte die Logik der Philosophie leugnen«.) Am *Berührungsbegriff* des Wissens, kurz gesagt (welcher die Abbildtheorie der Erkenntnis trägt, wenn auch nicht einzig bedingt), hängt die Lasksche Idee der Philosophie und seine Auffassung der kopernikanischen Tat Kants. Wissen hat sich auf Fürsichbestehendes zu beziehen. Darum gilt es, S. 21: »eine Logik zu begründen, in der endlich einmal auch das geltende Etwas als ein Etwas und nicht als ein Nichts und zwar als ein *erkennbares* Etwas anerkannt, in der das All des Denkbaren als Gegenstand der Erkenntnis legitimiert wird.« Und daß diese Absicht dem Wesen der Philosophie entspräche, behauptet S. 2: »Denn die philosophische Reflexion hat hier den Beruf, das in seine Urbestandteile zu zersetzen und zu den Elementen dessen vorzudringen, was im »Leben«, in der unmittelbar uns umgebenden Wirklichkeit, nicht anders als miteinander verschmolzen, als Gemisch, uns begegnet.« Deutlicher kann man die Analyse nicht zur philosophischen Erkenntnishaltung proklamieren. Dementsprechend sieht Lask gar kein Erkenntnis*problem*, weder im

wissenschaftlichen, noch im philosophischen Verstande, sondern nur die Erkenntnistatsache einer an objektiven Sinn hingegebenen Subjektivität; diese begriffen nicht als die pure Möglichkeit zu bindenden Stellungnahmen, sondern als das konkrete Verhalten eines (beliebigen) Erlebnisträgers. Das Vorhandensein eines in Aktion befindlichen Erlebniszentrums oder »Lebens« ist dazu nötig, die Stätte abzugeben, an welcher das Sinnliche wie das Unsinnliche, das Atheoretische wie das Theoretische zuerst sich unmittelbar zu bekunden hat, um mit der Verdeutlichung seiner Kontur (der »Form«) theoretischer Sinn, Gegenstand zu werden und dem stummen Subjekt die Zunge zu lösen (vgl. S. 210, 211). Die in ihrem Aufbau an und für sich höchst merkwürdigerweise wohlbekannte Schicht des theoretischen Sinnes – Lask läßt sie nämlich durch die reflexive Trübung und Verzerrung praktischerweise *durchschimmern* – bedarf in keiner Weise der Subjektivität (welche ja auch Reflexion, Hingabe an, Erleben von ist); ihr Aufbau wird zwar kopernikanisch gedeutet als Form-Materialverhältnis, jedoch nur, um dieses kopernikanische Gefüge in um so stärkere Transzendenz gegen ein suchendes Erleben zu bringen.
Dies vorausgeschickt, wird es niemandem mehr einfallen dürfen, das Eingeständnis Lasks auf S. 164/165: die Unentrinnbarkeit der reflexiven Kategorien betreffend, so zu bewerten, wie er das will. Gilt auch *innerhalb* seines analytischen Systems der Satz (S. 165): »Erst die Einsicht in den generellen Charakter der reflexiven Formen rechtfertigt die überall befolgte Gewohnheit, auch im philosophischen Erkennen, also bei der Behandlung der unsinnlichen Themata sich fortwährend ihrer zu bedienen, auch bei den philosophischen Objekten beständig von einem Etwas, einer Mannigfaltigkeit, einem Inbegriff usw. zu reden«, hat es ebenso seinen verständlichen Sinn, (auf derselben Seite) von dem »Sichdazwischenschieben der bloß reflexiven Formen« »neben dem unabweisbaren Sichhervordrängen des konstitutiv-kategorialen Gültigkeits- und Wahrheitsmoments« zu reden, so beweisen die Urteile für sich schon ihre Ohnmacht, das System als Ganzes zu treffen. *Begründbar* sind solche Urteile nur von einem *zwischen* der anzutreffenden Zweiheit von reflexiv und konstitutiv gelegenen Ge-

sichtspunkt aus, und dieses Zwischen leugnet gerade die unbedingte Ausschließlichkeit der Zweiheit. Reflexiv und konstitutiv sind Gegensätze – für Lask bezeichnenderweise solche des Klarheitsgrades (ganz cartesianisch, wie jede analytische Erkenntnistheorie schließlich in den Maßen der lebendigen Evidenz enden muß), man bedenke auch den Ausspruch auf S. 164: »Wie alle Philosophie nicht umhin kann«, – ich sperre – »*bis zu einem gewissen Grade* Reflexionsphilosophie zu sein«, und man wird überzeugt sein, daß jenes Eingeständnis der Unentrinnbarkeit der reflexiven Kategorialform gar nicht die konstitutiven Fundamente des ganzen Kategorienentwurfs anrühren will, noch auch faktisch anrührt. Die Gebrochenheit des konstitutiven Gehalts in der reflexiven Zone soll ein *gesehener*, festgestellter Sachverhalt, der konstitutive Gehalt mußte darum ohne die Brechung bekannt sein; und in dem kindlichsinnigen Verhältnis des »Durchschimmerns« scheint das Problem gelöst. Also bezieht sich im Laskschen System dem Wortsinn nach ganz recht das Urteil über das allgemeine Wesen reflexiven Formansatzes auf das ganze System, nur gehört es der Art *seiner möglichen Begründbarkeit* nach in dasselbe und verliert darum an kritischem Wert; denn so betrachtet, zeigt der von Lask mehrfach berührte Zirkel (S. 140 Anm., S. 112, 90), der rein logisch gar nichts Widersinniges an sich hat, die Unmöglichkeit, weil Unbegründbarkeit des *ganzen* Gedankens. In und mit der ursprünglichen Aufteilung des Alls des Denkbaren in Sinnliches und Unsinnliches, welche in der Verzerrung reflexiver Perspektive die wahren Maße der echten Konstituentien sichtbar machen soll, ist nämlich schon die Grundstellung zur Analyse eines Gegebenen (sein Zeichen: die oberste Kategorie des τί) eingenommen, so daß echte Erkenntnis und wahres Verhältnis zum Konstitutiven in ursprünglicher Synthesis gar nicht stattfinden kann.
Die Behauptung dieser Urposition hat Lask an dem Verständnis des Primats des Praktischen und jener legitimen Konsequenz: den Systemen des deutschen Idealismus bis auf Rickerts Wertlehre im letzten Sinne verhindert; daher interpretiert er die kopernikanische Tat Kants rein ontologisch unter Beibehaltung des antiken Erkenntnisbegriffs, welcher ihm mit Bolzano, Husserl, Meinong,

Russel gemeinsam ist. Das unkritische Vorgehen Lotzes, dessen Abscheidung eines eigenen »Gebiets« für die Philosophie, dessen Vergegenständlichung des geltenden Gehalts und also auch der Philosophie als eines »Gebiets« energischste Verkennung des Geists der Vernunftkritik und Rückfall in den vorkritischen Ontologismus des Apriori (der keineswegs mit metaphysischer Hypostasierung sich deckt) bedeutet, hat in Lask einen immanenten Vollender gefunden. Seine Arbeit läßt noch nichts von der zum Durchbruch drängenden Erkenntnis seiner Verhältnislosigkeit zur kritischen Philosophie bemerken, welche ihm durch Husserls »Ideen zu einer reinen Phänomenologie« und Rickerts neue Auflage des »Gegenstands der Erkenntnis« (Tüb. ³1915) hätte kommen müssen. Denn in diesen Werken hat Lotzes Tat sowohl ihr Bewußtsein als ihr Gericht gefunden.

Die Forderung einer dialektischen oder – wenn man den logischen Charakter schärfer abweisen will – einer konstruktiven Methode, welche das reduktive Verfahren der kritischen Forschung ergänzen soll, hat in den verschiedenen transzendentalen Schulen entsprechende Deutung erfahren. Aus der *Marburger Schule* hat sich z. B. Nicolai Hartmann in »Systematische Methode« (Logos III, Tüb. 1912), aus dem *badischen Kreise* Richard Kroner in »Zur Kritik des philosophischen Monismus« (ebda) zu diesem Thema geäußert. Wenn für den Hegelianer (vgl. z. B. Julius Ebbinghaus »Kants Philosophie und ihr Verhältnis zum relativen und absoluten Idealismus«, Diss. Heidelberg 1910) die dialektische Methode als Einheit der metaphysischen und transzendentalen Deduktion Notwendigkeit besitzt, muß der Marburger Methodismus diese Form schon ablehnen. »Totalität ist Idee.« Und Dialektik ist Totalität der Wechselbezüglichkeit aller Kategorien; wie Hartmann sagt (S. 147): »Es gibt also hier noch etwas, was den einzelnen Prinzipien übergeordnet ist, ohne doch ihr Oberbegriff zu sein; das ist ... ihre Gegenseitigkeit ... Diese allseitige Beziehung ... ist aber nichts anderes als die Systemidee.« In der Form aber stimmt die Marburger Schule mit Hegel notwendig überein. (S. 159:) »Die ideale Dialektik ist ... die aus reinem a priori deduzierende ratio essendi, gegenüber der rückschließenden ratio cognoscendi.« Dialektik ist die regulative Idee der systematischen Methode als einer Zusammenarbeit in transzendentaler (reduktiv-aufsteigender) deskriptiver Richtung, welch letztere Hartmann in der Phänomenologie erfüllt sieht. (Vgl. im Text unsere Ablehnung.) Immerhin sagt auch Hartmann von der Phänomenologie sehr richtig (S. 139): »Sie ist der Typus einer solchen Methode, die ihre eigenen Bedingungen nicht durchschaut. Sie ist eine Erkenntnis durch Prinzipien, aber keine Prinzipienerkenntnis ... nur einseitig Gegenstandserkenntnis ... Eine solche Methode ist offenbar dann möglich, wenn überhaupt es Anwendungen von Prinzipien gibt, in der diese als solche nicht durchschaut werden.« – Bei Kroner erscheint die Dialektik in der negativen Gestalt eines Gewissens der analytischen Philosophie (loc. cit. S. 227): »Indem (die zum Selbstbewußtsein erwachte analytische Philosophie) ... sieht, daß der Gegensatz von Inhalt und Form, von analytisch und synthetisch – analytisch gedacht – widerspruchsvoll ist, erkennt sie, daß es für sie notwendig ist, sich selbst als überanalytisch zu denken ... nur wenn sie anerkennt, ... daß es das Problem ihres eigenen Denkens ist – nur dann wird sie zur Ruhe in sich selber kommen können. Dadurch aber wird sie nicht etwa zur synthetischen Philosophie. (S. 228:) Vielmehr zeigt sich das analytische Denken gerade in seinem Resultate, dem Widerspruche, als sich selber fremd. – Und damit erweist sich das synthetische Denken wirksam im analytischen ... die synthetische Philosophie ist das Gewissen der analytischen. Es wäre nicht das Denken, wenn nicht die synthetische Philosophie ihm als letzter Zielpunkt vorschwebte, es wäre freilich aber auch nicht Denken, wenn nicht die Spannung zwischen synthetischer und analytischer Philosophie bestände ... Es ist in der Tat die moralische Weltanschauung, die sich allein in philosophischer Form ausdenken läßt.« Ich setze den ganzen Passus hierher, weil er der einzigen Überlegung entstammt, die Philosophie der Werte *rein prinzipiell* zu begründen. Es ist interessant, wie Kroner in Konsequenz des analytischen Forschungsprinzips zur Paradoxie des Inhaltsbegriffs kommt: der Sinn des Inhalts ist nur als »Inhalt des Inhalts« (Rickert), also formfrei zu denken; was für die analysierende Reflexion, auch unter transzendentalen Prinzipien, unmöglich ist. Die Sinnlosigkeit selbst kann nicht Inhalt eines Sinnes werden. Die formnackte Fülle wird Grenzbegriff. Damit das Verhältnis dieser unendlichen Annäherung begreiflich sei (vgl. Rickert, Gegenst. d. Erk. S. 432), muß die regulative Idee der Synthesis gesetzt sein, welche selbst allein als Norm eines Verhaltens gedeutet werden kann. Kroner ermangelt nur der näheren Einsicht, daß nämlich die systematische Gesamtheit dieser soeben gefällten Urteile über Methode weder für analytisch, noch (in *seinem* Sinn) synthetisch (dialektisch in Hegels Sprache) gelten dürfen, sondern von eigener Gesetzlichkeit sind: konstruktiv nach unserer Erklärung. – Der Zweck, in die Transzendentalphilosophie einzuführen, hat Rickert daran gehindert, in seinem »Gegenstand der Erkenntnis« in der Richtung zum Apriori hin die Wertlehre zu begründen. Gerade seine wiederholte Betonung der petitio principii in beiden Wegen der Erkenntnistheorie läßt darüber gar keinen Zweifel, daß er sich dieses Umstandes bewußt ist. Die »subjektive« Richtung der Bestimmung des Transzendenten aus dem Urteilsakt ist nur möglich, weil »überall vorher feststehende Begriffe näher erläutert und auf ein reales Material angewendet worden« sind, »das dadurch einen logischen Sinn erhält.« Rickert spricht über den Charakter dieser feststehenden Begriffe ganz offen (kurz vorher auf derselben Seite 254): »Also ist auch das, was wir in bezug auf den *Gegenstand* gewonnen haben, nur mit Rücksicht auf den als transzendent schon vorausgesetzten Wahrheitswert *konstruiert.*« Der »objektive« Weg, welcher unmittelbar am transzendenten Satzsinn einsetzt, scheint auf den ersten Blick die petitio principii zu vermeiden. (S. 256:) »Aber der objektive Urteilsgehalt, der verstanden wird, und der seine Selbständigkeit als geleistete ›Wahrheit‹ völlig unabhängig von den Urteilsakten und ihrer subjektiven Leistung besitzt, kann an dem Satz oder dem Wortkomplex ebensogut wie an den wirklichen Urteilen haften, das ihn meint oder versteht. Deswegen läßt sich das Urteilen des Subjekts beiseite schieben und der Satz als Objekt zum Ausgangspunkt einer objektiven Betrachtung machen.« (S. 257:) »Will man auch für den Gehalt des Urteils die Bezeichnung »Sinn« beibehalten, so ist er *transzendenter Sinn* zu nennen, da er unabhängig vom psychischen Akt des Bejahens besteht.« (S. 259:) »*Worin* diese Transzendenz besteht, wissen wir, da wir jetzt den objektiven Weg gehen und das auf dem subjektiven Weg erreichte Resultat ignorieren, allerdings noch nicht. Wir haben sie nur *negativ* charakterisiert. Aber an der Transzendenz des Sinnes, als der Unabhängigkeit von allem immanenten zeitlichen Geschehenen läßt sich schon jetzt nicht mehr zweifeln, und so sind wir wenigstens mit Rücksicht auf diesen Punkt zu einem unanfechtbaren Ergebnis gelangt, was auf dem subjektiven Wege nicht möglich schien.« Rickert operiert zur Begründung des Daß der Transzendenz mit dem Zweifelsargument, also analytisch. Wir haben darauf Wert gelegt, einzusehen, daß dieses Verfahren durchaus nicht stichhaltig ist, weil die Transzendenz hier immer schon vorausgenommen sein muß, um bewiesen zu werden. Macht man einmal die transzendentale Aufteilung in subjektives Erfassen und transzendenten Sinngehalt, dann – aber auch nur dann – hat man die Möglichkeit, die Transzendenz des Sinnes schlechthin zu behaupten. Zweifellos ist es für die analytische Logik, auch wenn sie in Absicht auf transzendentale Wahrheit angesetzt ist, ausgeschlossen, sich gegenwärtig zu halten, daß unter keinen Umständen das Apriori des *Verständnisses* zu einem Geltungsbestand transzendiert werden darf, soll kritisches Verständnis des wissenschaftlichen Begriffs möglich sein. Der Satz von der Winkelsumme hat zeitlose Geltung; das ist unbezweifelbar, nämlich für das verstehende Erleben. Ist er darum auch an und für sich transzendenter Gehalt? Ein radikaler Zweifelsversuch könnte das sinnvoll bestreiten: vielleicht liegt eine Täuschung durch die Aufbauelemente des Erlebnisses selbst vor, welche der Reflexion auf das Erlebnis notwendig unbekannt bleiben. Auf jeden Fall sind wir zur Annahme der Transzendenz des Satzgehalts nur gezwungen wie in der Wahrnehmung zur Hinnahme des transzendenten Dingobjekts. Für das kritische Gewissen sind diese Verhältnisse noch durchaus ungelöst; nicht gezwungen, sondern frei soll man die Notwendigkeit des Zwanges und das Recht dieser fragwürdigen »unmittelbaren Erkenntnisse« einsehen. Mag es darum richtig sein, was Rickert sagt (S. 272): »*der unwirkliche objektive Urteilsgehalt ist nur als theoretisches Wertgebilde von tran-*

*szendenter Geltung verständlich.«* Unseres Erachtens liegt das Problem darin, ob es unter kritischem Rechtfertigungsprinzip methodisch zulässig ist, überhaupt einen Urteilsgehalt primär (d. h. ohne Angabe eines Prinzips) zu verselbständigen und aus dem Ganzen der auf Erfahrung bezogenen Wissenschaft loszulösen, wie es das individuelle Erleben der »Enge des Bewußtseins« zufolge tun muß. In der kritischen Reflexion soll vielmehr die Verkünstelung durch das Erleben in der Totalansicht des Erkenntnisprozesses aufgehoben werden. Der Aprioricharakter des Satzes von der Winkelsumme wird dann verständlich, weil seine Isolierung verschwindet; er wird zum Kunstgriff im Ganzen mathematischer Konstruktion, Objektivität einer Natur zu begründen. Rickert sucht zwar in höchst scharfsinniger Weise den Folgen dieser analytischen Verselbständigung apriorischer Einheiten entgegenzuarbeiten, ohne doch das Verfahren an der Wurzel zu packen. Die Transzendenz des isolierten Urteilsgehalts bleibt für ihn das unbedingt sichere Ergebnis des »objektiven« Weges. Nur (S. 293): »Als reiner Wert ohne Zugehörigkeit zu einem Inhalt, dessen Form er ist, bleibt das Transzendente von allem realen Erkennen durch eine unüberbrückbare Kluft getrennt.« (S. 294): »Will man das Problem der Erkenntnis des Gegenstandes lösen, dann kann man nie rückwärts vom Gegenstand zur Erkenntnis, sondern nur vorwärts von der Erkenntnis zum Gegenstand schreiten. Damit aber sind wir wieder auf den subjektiven Weg hingewiesen ...« Was wir oben sagten, daß Rickert seine Wertlehre nicht »in der Richtung zum Apriori hin« begründet hat, das finden wir hiermit bestätigt. Gemäß seiner analytischen Auffassung der Transzendentalkritik ist für ihn das urteilende Subjekt der gegebene Ausgangspunkt der Betrachtung. Der objektive Weg führt über seine Voraussetzung einer Transzendenz des Urteilssinns nicht heraus; man gewinnt damit (S. 294): »noch keinen *Gegenstand,* sondern höchstens einen »Stand«. »Obwohl der subjektive Weg ausgesprochen eine petitio principii begeht, muß man ihn doch zur Lösung des Erkenntnisproblems wählen, da jetzt die Transzendenz des Gegenstandes als eines ›Standes‹ objektiv begründet sein soll. Freilich ist dieses Zurücktreiben keine Lösung der Frage zu nennen. Wir bewegen uns nur im Kreise und sehen im Prinzip die Sache von zwei Seiten.« So klingt es wie Resignation, wenn Rickert sagt (S. 303): »Zur Feststellung des logischen Wesens, das den Urteilen zukommt, ist die transzendentalpsychologische Sinnesdeutung unentbehrlich: nur sie, die mit ihrer ›petitio principii‹ das wirkliche Erkennen und seinen subjektiven Sinn von vornherein auf den Wahrheitswert bezieht, ... liefert auch weiter den wesentlichen Stoff, an dem die verschiedenen transzendenten Werte zum ausdrücklichen Bewußtsein zu bringen sind. Um diese principii kommt also die Erkenntnistheorie auf keinen Fall herum. Sie setzt, wie jede Wissenschaft, Wahrheit überhaupt als gültig voraus, gleichviel ob sie transzendentalpsychologisch oder rein logisch verfährt, ob sie den subjektiven oder den objektiven Weg geht.« Wir wollen durchaus nicht bestreiten, daß das Urteil, »daß es Wahrheit gibt, ... das gewisseste Urteil« und seine Bezweiflung »ein unvollziehbarer Gedanke« ist. Aber es genügt kritisch nicht, sich damit zu rechtfertigen, wie es Rickert tut (S. 311): »denn es gibt überhaupt keine Untersuchung, die diese unbeweisbare Voraussetzung nicht einschließt, und die daher nicht ebenfalls auf dieser ›petitio principii‹ beruht.« Gemeinsamer Mangel, und sei er selbst unausweichlich, rechtfertigt noch nicht. Rickert vermag aber nicht bis zum letzten Punkt der Rechtfertigung durchzudringen, auch wenn er (S. 369) den theoretischen Wert in seiner Transzendenz unbegründbar nennt, auch wenn er sagt (S. 441): »Der autonome Willensentschluß trägt, wie man auch über die Geltung der unwirklichen Werte ... denken mag, nicht nur das wirkliche sittliche, sondern auch das wirkliche wissenschaftliche Leben ...« Das hängt einzig und allein daran, daß ihm (S. 442): »der Ausgangspunkt aller Philosophie« in »der Korrelation des geltenden Wertes und des wertenden Subjekts« liegt. Gerade die Korrelation, wenn anders sie gültig sein und das Urteil über den philosophischen Ausgangspunkt zu Recht bestehen soll, muß ihre Legitimation selbst vorweisen können; und das vermag sie nur als freie nichtbedingte Setzung und Konstruktion. Nicht ein tatsächliches Verhältnis, sondern rechtsgültiger Entschluß (*keines* lebenden »Willens«) allein vermag der kritischen Philosophie zum Ausgangspunkt zu dienen;

eine Instruktion, welche das Denken sich selbst, oder besser, in welcher das Denken sich selbst gibt. Auf diese Weise wird die ganze Kritik und alle theoretische Untersuchung bewußt auf eine anfängliche petitio principii gegründet, worin nunmehr kein Mangel und nicht Unausweichlichkeit, sondern die methodische Autonomie der Ursprungstat zu erkennen ist. Mag die vom analytischen Standpunkt des aktuellen Bewußtseins mögliche Gliederung in Wertgehalt und Urteilsvollzug bestehen bleiben, ihre kritische Rechtfertigung im »urteilenden Bewußtsein überhaupt« erhält sie nur unter der Bedingung, daß dieser Begriff in seinem ganzen systematischen Umfang als freie Bildung gilt, welche den Gesichtspunkt für den Aufbau und die Arbeit der kritischen Methode zu liefern hat. Das System der Werte, selbst gegründet in einem Entschluß, ruht auf dem unbedingten Grunde der setzenden Freiheit, sofern nicht irgendein vorhandener individueller oder allgemeiner Wille, sondern der Akt des Anfangs (das denkende Denken, der unobjektivierte Ent-Schluß im Wollen und in der springenden Tat) zum Prinzip ausdrücklich erhoben und als Prinzip durchgeführt ist. Das Minimum an Antezipation in jedem Denken (daß es gültige Wahrheit gibt) bedeutet dem kritischen Bewußtsein die Anfangstat bildender Freiheit zur Ermöglichung einer Autonomie in jeder Stellungnahme überhaupt.

Übereinstimmend mit Husserls Absichten haben einige Phänomenologen neuerdings sich dahin ausgesprochen, daß die phänomenologische Methode nicht nur nicht mit der transzendentalen in Konkurrenz treten könnte, sondern daß sie die recht verstandene Transzendentalkritik selbst sei (so z. B. Brunswig, Cornelius, Linke). Ohne uns noch einmal besonders auf den Fehler dieser Argumentation einzulassen, den unsere Arbeit aufzudecken bedacht war, möchte ich an einer Mühe, die sich die Verteidigung dieser These zur Aufgabe gemacht hat, nicht ganz vorbeigehen. Metzger sagt (loc. cit. S. 31): »An welchem tieferen Grunde liegt es, daß die Phänomenologie die kopernikanische These verwirft? . . . Indem wir diesem Problem nachgehen, eröffnet sich die Wurzel der Differenz der beiden erkenntnistheoretischen Standpunkte. Sie liegt darin, daß der Phänomenologe in dem bedeutungsfremden

Inhalt einen Widerspruch erblickt, und deshalb auch die Synthesis (die Form) als gegenstandskonstituierend verwirft, in dem Sinne, daß sie dem Inhalt seinen Sinn, sein identisches Was aufdrückt.« M. verwechselt, wie Cassirer, in dem Terminus »Bedeutungsfremdheit« Fremdheit mit Indifferenz, macht andererseits nicht den Unterschied von Bedeutung und Sinn. Denn wenn er einen Widerspruch (vermeintlich in Übereinstimmung mit den Marburgern) darin sieht, daß die vormateriale Fülle bloßer Anschauung bedeutungsfremd sein soll, wie wohl sie doch offensichtlich in diesem Urteil als beurteilungsfähig erkannt und also an einer Bedeutung orientiert sei, so irrt er sich. Das sinnliche Moment (welches übrigens in dieser primitiven Fassung gar nicht in die Psychologie und ihr Objekt gehört) ist *innerhalb* des Sinnes der negative Gegenspieler der positiven Bedeutungsform, die Grenze asymptotischer Überwindung des Widerstands gegen die ständig wachsende Bedeutungsklarheit. Diese Spannung, dieser Prozeß ist der transzendentale Sinn, und innerhalb dieses Sinnes steht deshalb auch die Beurteilung der bedeutungsfremden Anschauungsfülle. Mit diesem »ersten« Einwurfe, welcher (S. 38) »die entgegengesetzte phänomenologische Einstellung, wonach das ›Was‹ vor der Synthesis liegt, (Gegenstandsprobleme also keine Formprobleme sind) . . ., kritisch nachzuweisen« sucht, und welchem M. bedauerlicherweise keinen weiteren Entwurf nachfolgen läßt, kann er seine Absicht nicht durchsetzen. Und sie gibt sich selbst in ihrer Grundverkehrtheit klar zu erkennen, wenn man verstanden hat, was transzendentale Synthesis heißt. Läßt man sie freilich, wie das M. tut, in der Mannigfaltigkeit der Explikationen aufgehen, dann kann man sich über sein Urteil nicht wundern (S. 39): »Alle sinnmäßigen Aussagen über einen Gegenstand, also alle synthetischen Handlungen des Geistes, setzen die an sich bestehende Identität des Gegenstandes, an der die Denkhandlungen geschehen, voraus.« Der logischen Explikation geht allerdings das Identische möglicher Prädikationen voraus. *Die Identität des Identischen aber ist gerade das transzendentale Synthesisproblem,* das man durch die Wesenhaftigkeit des betreffenden Begriffs nicht auflöst, sondern in anderer Wortwendung nur stellt und einfach wiederholt. Wenn es richtig ist, daß ohne Identität (des Subjekts) keine Synthesis der prädikativen Ausdrucksbedeutung möglich ist, so ist es wahr, daß keine Identität (des Subjekts) ohne Synthesis der transzendentalen Urfunktion zu Recht bestehen kann. Verbirgt sich das letztere Verhältnis dem unmittelbaren Bewußtsein, so liegt es darum noch lange nicht *unter* ihm, es liegt *vor* ihm und für es. Indem M. aber urteilt (S. 27): »Sieht der Transzendentalphilosoph in ihr (sc. der Gegenstandssphäre) den Ansatz, um sie zu transzendieren, um sich über ihre ›Faktizität‹ hinauszubegeben, fundierende Schichten aufzusuchen, von wo aus diese . . . in ihrer Notwendigkeit eingesehen wird, so beruhigt sich die Phänomenologie bei der Tatsache als solcher.«, so beweist er nur zu deutlich seinen gänzlichen Mangel an Einsicht in das Wesen des Transzendentalen. Von »Schichten« ist da gar nicht zu reden; das ist ein phänomenologischer Begriff. Nicht das Bewußtsein als das unmittelbare Faktum, wie es dem Phänomenologen mit Recht gilt, will der Transzendentalphilosoph erklären, sondern, indem er es für einen Standpunkt nimmt, schafft er die Möglichkeit, es zu rechtfertigen. Er geht nicht hinter, unter, über das Gegebene, *an welches* er gar nicht einmal gestellt sein will; er geht *zum* Gegebenen: in der Konstruktion seines Prinzips. – Der radikale für die Positivisten des Erlebnisses typische Fehler Metzgers besteht darin, den transzendentalen Formgedanken nach phänomenologischen Maßstäben zu messen. Dabei kommt er höchstens zu einem negativen Resultat (S. 24): »Wir sehen auf diese Weise, indem wir rein phänomenologisch das Wesen des Gegenstandes und dessen Konstituentien zur Gegebenheit bringen wollen, finden wir keinen Schlüssel zur kopernikanischen These. Was in transzendentaler Einstellung Form und Inhalt bedeuten . . . ist durch eine gegenständliche Analyse (distinctio rationis) nicht zu ermitteln . . .« Ganz richtig, solange man zum Himmel bloß sieht, wird sich (in voller Evidenz) die Sonne stets über die Erdscheibe drehen, wofür Astronomie unterbleibt.

22 P. F. Linke, Das Recht der Phänomenologie, in: Kantstudien 21 (1917) S. 177, Anm. 1

Den Vorwurf jedoch, welchen Linke[22] erhebt, daß M. den Gegensatz zwischen Phänomenologie und Kantianismus zu stark unterstreicht, kann man dieser Arbeit ersparen. Hier beweist M. einen schärferen Blick; denn der Ausspruch Linkes (loc. cit. S. 171): »Das nicht empirisch Gegebene der Phänomenologie scheint uns ein bedeutend weiterer Begriff zu sein, als das Apriori der reinen Anschauung und das kantische Apriori überhaupt«, zeigt eine wenn möglich noch stärkere Verkennung der Begriffe. Gewiß, man kann Transzendentalkritik überhaupt ablehnen; man kann Phänomenologie für die Grundwissenschaft halten, denn auch ohne Rechtfertigung läßt sich praktisch forschen; aber man kann nicht die eine an Stelle der anderen setzen oder gar beide miteinander vergleichen wollen. Das Apriori Kants ist kritisch-methodisch und bedingt Verfahren und Thema; das nicht-empirisch Gegebene stellt an sich selbst aber ein ganzes System von Gesichtspunkten, d. h. apriorischen Setzungen (nicht Vorfindlichkeiten) voraus. Es ist unmöglich, vom unmittelbaren Gegebenen und dem »Wesen« aus einen Zugang zur transzendentalen Funktion zu finden, wohl aber ist es sinnvoll, von der transzendentalen Funktion her das reine Bewußtsein und seine Wesensinhalte zu rechtfertigen. So sagt Kant (K. d. r. V. »Von der Amphibolie der Reflexionsbegriffe durch die Verwechslung des empirischen Verstandesgebrauchs mit dem transzendentalen.« B 316-319): »Nicht alle Urteile bedürfen einer *Untersuchung* d. i. einer Aufmerksamkeit auf die Gründe der Wahrheit; denn wenn sie unmittelbar gewiß sind: z. B. zwischen zwei Punkten kann nur eine gerade Linie sein, so läßt sich von ihnen kein noch näheres Merkmal der Wahrheit, als das sie selbst ausdrücken, anzeigen.« (In gegenwärtiger Sprechart heißt das: Wesensurteile bedürfen keiner Untersuchung, denn es lassen sich keine anderen und näheren Gründe ausfindig machen, als welche sie ausdrücken und der Ein-Sicht unmittelbar aufzwingen.) »Aber alle Urteile, ja alle Vergleichungen bedürfen einer *Überlegung* d. i. einer Unterscheidung der Erkenntniskraft« (will sagen: Erkenntniswertigkeit), »wozu die gegebenen Begriffe gehören. Die Handlung, dadurch ich die Vergleichung der Vorstellung überhaupt mit der Erkenntniskraft zusammenhalte, darin sie angestellt wird, . . .

nenne ich die *transzendentale Überlegung*... Man könnte also zwar sagen, daß die *logische Reflexion* eine bloße Komparation sei; denn bei ihr wird von der Erkenntniskraft, wozu die gegebenen Vorstellungen gehören, gänzlich abstrahiert...; die *transzendentale Reflexion* aber (welche auf die Gegenstände selbst geht) enthält den Grund der Möglichkeit der objektiven Komparation der Vorstellungen untereinander... Diese transzendentale Überlegung ist eine Pflicht, von der sich niemand lossagen kann, wenn er a priori etwas über Dinge urteilen will.«

Die transzendental-kritische Reflexion enthält also nicht »die Verhältnisse..., in welchen die Begriffe in einem Gemütszustande zueinander gehören können«, denn diese findet und unterscheidet allein die logische Reflexion (die subjektive Reflexion über gegebene Wesensverhältnisse), die transzendentale Reflexion *findet* aber nicht, sondern *»enthält«*, und zwar enthält sie den Grund der Möglichkeit dieser Wesensverhältnisse, insofern sie objektive Realität in Dingen gewinnen können. Ihre Handlung *stiftet* Objektivität, (holt sie nicht von irgendwo transzendent Gültigem her), insofern die Vergleichung der Vorstellung mit eben *dem* Denken, *welches vergleicht,* durch sie allein zusammenge*halten* wird (nicht zusammen stattfindet). Fände ein Zusammen statt, dann wäre sein Subjekt die subjektiv-innerliche Aktivität meiner selbst schlechthin als eines Erlebenden. Diese Handlung hier aber ist das Prinzip aller der von Kant hervorgehobenen Erkenntniskräfte (Sinnlichkeit, Einbildungskraft, Verstand, Urteilskraft, Vernunft), deren Subjektivitätscharakter nur an die autonome Selbstgesetzgebung der transzendentalen Reflexion erinnern soll, deren grundlose Tat der Setzung des Rechtsgedankens den Paß ausstellt, ja dieser Paß selbst ist, mit welchem jede »Vorstellung« von nun an sich zu legitimieren hat. Der bedingungslose Anfang jeder Objektivität, also auch aller transzendentalpsychologischen Objektivität eines erkennenden Subjekts im üblichen Sinn, ist das Zentrum einer gerechtfertigten Welt. Darum ist es ganz unrichtig, in den »Erkenntniskräften« der Vernunftkritik Begriffe der Transzendentalpsychologie oder Phänomenologie zu sehen. Sie sind vielmehr die reinen Urheber der Objektivität schlechthin, keine unbewußten Faktoren, entia psychologica sive metaphysica, sondern Setzungsmöglichkeiten der in Bildung transzendentaler Methode, des kritischen Inbegriffs aller nur möglichen Methoden, gesetzgeberischen Freiheit.

Was alle Welt durch das Verfahren der Physik kennt: den ungeteilten Eindruck der Empfindungen in einem System formal vertretender Symbole zu formulieren, soll sie im kritischen Duktus auch der Transzendentalphilosophie erkennen und einsehen, daß der Kritiker, weit entfernt davon, die Gegebenheit der Sachen in Natur und Kultur zu leugnen, sie vielmehr braucht, um ihnen den Prozeß zu machen. Ob es die gegebenen Sachen *wirklich gibt*, ist eine Frage, die dem kritischen Kopf nur die Bedeutung haben darf, wie es sie *rechtlich* geben soll, die in Anklagezustand versetzte Welt hat sich lediglich auf ihre Normgemäßheit hin befragen zu lassen, darum untersucht der Kritiker nicht das nackte Leben, sondern durch Wissenschaft sachlich und sprachfähig gemachte Natur und Kultur. Den Richter bewegt es nicht, ob ein vor dem Gesetz fraglicher Mensch Gottes Sohn ist, denn er hat ihn in der Ebene seiner Existenz zu nehmen, welche das Gesetz vorschreibt. Welt und Mensch mag nicht mit rechten Dingen zugehen, es sei ihm sogar sehr wahrscheinlich, nur daß es in der Welt und in der Menschheit mit rechten Dingen zugeht, dafür setzt sich der transzendentale Richter ein. In und mit der Welt – diese transzendentalrechtliche Umfassung wird erreicht auf Grund wissenschaftlicher Arbeit; sie bringt das Leben zur umrandeten Gestalt und zeugt einzelne Größen hervor, welche als einzelne in einer Gesamtheit Verantwortung tragen: Auch bloß der in sich verlassene Mensch im Nebeneinander mit anderen Menschen, das *Handeln* schafft das Objekt der Jurisdiktion, so hat die kritische Philosophie am Recht, das ins Leben eingesenkt ist, im Leben bleibt und ihm dient, ein Gleichnis. Sie aber erhebt sich über das Leben, ohne die Gemeinschaft der Prinzipien mit ihm aufgeben zu dürfen, auch der Richter steht unter dem Gesetz, und ihre Immanenz hinsichtlich der Norm, ihrer Unendlichkeit, drückt sie aus als transzendentale Wahrheit gegenüber dem Leben.

Was an den gegebenen Sachen, deren Gegebenheit zu bezweifeln einer Vernunftkritik nicht in den Sinn kommen kann, unerläßlich zu ihrer Verantwortungsfähigkeit ist, macht den *empirischen* Charakter aus. Empirische Realität und Erfaßbarkeit wird in ihren Grenzen ausschließlich durch die Rechtsfrage bestimmt, ein umgekehrtes Verhältnis findet nicht statt, es wäre sonst die Autonomie als Prinzip der Methode aufgegeben.

Fassen wir zusammen, laufen alle Linien in den Punkt der *Freiheit*. Warum war sie nicht definiert? Weil sie erstens das Prinzip zur Herbeiführung der Krisis des transzendentalen Rechtsverfahrens bedeutet, mit dessen Hilfe ihm der gleiche Prozeß gemacht wird, wie er gegen die Sachen der Natur und Kultur angestrengt ist. Weil sie zweitens die Möglichkeit, ein vorgebliches Recht zu dem Prozeß zu erweisen, a priori verneint und daher die Unmöglichkeit ausspricht, die kritische Philosophie kritisch auch nur in Frage zu stellen. Ich bin, soll über transzendentale Methode a priori d. h. hinsichtlich ihres Prinzips geurteilt werden, verpflichtet, die Rechtsfrage an die transzendentale Methode zu stellen, dem Satz gemäß, daß, wo immer a priori geurteilt werden soll, transzendentale Untersuchung des fraglichen Urteilsobjekts Pflicht wird. Dagegen überzeugt mich die einzig mögliche Fassung des Transzendentalprinzips als eines unbedingten Anfangs nach dem Wert schrankenloser Autonomie, daß ein Zurückfragen hinter die freie Frage inkonsequent gegen die Anlaßlosigkeit der kritischen Frage handeln hieße.

Überlegen wir uns nochmals: Ist ausgemacht, daß a priori geurteilt werden soll und lassen wir das dahingestellt sein, so kann ich, weil ich soll, die kritische Frage an das betreffende Urteil richten. A priori urteilen hinsichtlich einer Sache – wie ist das möglich, heißt: wie ist dieses ganz bestimmte Apriori möglich. Will ich zergliedern, komme ich über den abstrakten Charakter des Apriori und das jeweilig bestimmende Konkretum nicht hinaus und begreife nichts. Demnach darf ich mich nicht vor das fertige Urteil bringen lassen, um zu zergliedern, sondern muß versuchen, das bestimmte Apriori konstruktiv erstehen zu lassen, es heißt, die Apriorität nicht zum allgemeinen Charakter vergegenständlichen, sondern sie als den Ansatzpunkt jener so und so bestimmten Sache auffassen:

Apriorität nicht Gegenstand, sondern konstruktiver Zustand. Ich kann scheinbar wohl nach dem Recht eines bestimmten auf apriorische Gesetzlichkeiten ausgehenden Urteils fragen, aber dem Sinn rechtmäßiger Antwort gemäß ist schon die Frage eine Unmöglichkeit. Ein Urteil a priori, in welchem Sachgebiet auch immer, ist *Resultat der Frage* nach Recht und Möglichkeit eines Gegebenen; es setzt die Befolgung des Autonomiewerts im vollen Umfang voraus. Nach dem Recht der Urteile a priori fragen, das ist: nach dem Recht des Rechts, dem Warum des Warum fragen. Das Recht kennt kein Warum, sondern ist der Niederschlag eines der Rechtskräftigkeit für würdig erklärten Entschlusses. Die Anerkennung der Würde beruht nicht etwa auf dem Entschluß oder dem Vorzug irgendwelcher Person oder Gemeinschaft, sie bedarf keiner Tatsache, außer derjenigen Besiegelung, welche die Anerkennung rechtsverleihender Würde vollzieht. Anerkennung ist eine konventionelle Form für den schöpferischen Befehl, und dem »So sei es« gegenüber nachträgliche Angelegenheit. Wesentlich, daß ein Sinn und verpflichtender Wert durch eine Würde *geschaffen und gerechtfertigt* wird. – Man nimmt an, es könne a priori etwas ausgemacht werden – und man hat transzendentale Wahrheit anerkannt. Denn, um es noch einmal zu sagen, es gibt kein Apriori, sondern es muß immer erst im Hinblick auf Sachen unter Wahrung des bestimmten Werts der Selbstgesetzgebung hergestellt werden; Urteile a priori, sogenannte synthetische und analytische, sind nur Arten der ursprünglich freien Gesetzgebung eines Programms von Normen, transzendentale Wahrheit hervorzubringen. Darum gibt Kant im Problem der Möglichkeit synthetischer Urteile den Auftakt zu einer einzigen Analyse des in allen Teilen konstruierten Systems, welches die Tragfähigkeit der exakten Wissenschaft garantieren soll. Aber diesem Apriori, dieser vorausliegenden anlaßlosen Gestaltung (nur an keine Tätigkeiten und Subjekte denken!) geht nichts voraus; auch vor dem Recht liegt kein mit ihm verknüpfbarer Zustand, im Bilde zu sprechen, ich muß erst den Raum haben, um den Punkt zu erzeugen, und doch ist der Punkt die Grenze seines Elements, aber nur der Raum im ganzen ist die Bedingung der Möglichkeit seiner *Konstruktion*.

Der Raum hat als reelle Elemente nur Räume, und Fläche, Linie, Punkt sind die Wege, seine Einheit sukzessiv aufzubauen, Symbole zur Darstellung nach der Idee einer Konstruktion überhaupt. Der Raum gilt als dreidimensional, die Zeit als eindimensional, aber Raum und Zeit *haben* überhaupt keine Dimensionen. Unpsychologischer, unphänomenologischer, rein kritischer Ursprung des angeschauten Raumes ist darum der Punkt nicht, das Element mathematischer Konstruktion (hier ist Raum total zu jedem konstruktiven Schritt notwendig, in der Mathematik ist er die Bedingung der Möglichkeit seiner selbst). Eine transzendentale Erzeugung des Raumes – sie ist nicht durchführbar, darum erscheint die äußere Anschauung als selbständiges Prinzip der Vernunftkritik – hätte das Ganze der Anschauung erstehen zu lassen, ohne zu irgendeinem Schritt ihrer architektonischen Arbeit das Ganze zu benötigen. Auch eine Transzendentalkonstruktion des Raumes bliebe bei Anschauung nach ihm immanent, dem Arbeitsinhalt nach weder immanent noch transzendent, sondern an der *Grenze*. Ist jetzt noch etwas Erstaunliches daran, zu sagen, unter kritischem Prinzip geht dem Recht kein mit ihm verknüpfbarer Zustand voraus, es ist in solchem Sinn *frei*? Recht und Norm müssen ihrem transzendentalen Kritiker Sphären faktischer Immanenz sein und das Urteil ihrer Grenze, ihres Ursprungs: notwendiger Ansatz ihrer Rechtfertigung, ihrer Konstruktion wie in allen Gebieten möglicher Immanenz bedeutet nicht, der Kritiker steht über und außerhalb der Sache im Transzendenten (und schämt sich bloß, es einzugestehen), sondern er sucht das Recht aus *letzten* Elementen aufzubauen, so sich seines Zusammenhanges vergewissernd. Angewendet auf unser Problem des Transzendentalprinzips gibt das radikale Ursprungsnichts der Methode, die Anlaßlosigkeit der konstruktiven Idee einer Rechtsfrage überhaupt, sich als *Konstruktionsstück* zu verstehen und nicht als ein der lebendig durchgeführten Methode *reell* immanentes oder transzendentes Element. Jene problematische *Freiheit* der Methode ist das Begriffssymbol des Ansatzes zur Darstellung der Methodenprinzipien, wie der Punkt zum Raum, wie der gültige Entschluß zum Recht verhält sich das Nichts der Freiheit zum Etwas der transzendenta-

len Kritik. Die Erkenntnis, auf der Grenze zu stehen und in Grenzen zu denken, ist das sicherste, letzten Endes entscheidende Kriterium der Beschränkung auf transzendentale Wahrheit.
Derart vorbereitet, wird die Lösung der oben gedachten Paradoxie nichts erschweren. Ich soll das Apriori der transzendentalen Methode darstellen und bin darum verpflichtet, erst über ihre Rechtmäßigkeit mir im klaren zu sein. Das Apriori des Transzendentalen duldet kein Zurückfragen auf es selbst. Äußerlich-analytisch und wenn wir dem Geist der sprachlichen Ausdrucksweise trauen, hat diese Zurückfrage nichts auf sich. Wohl aber, wenn wir über das Verständnis der Bedeutung zur Erkenntnis des Sinnes jenes besonderen Apriori kommen. Beliebige bestimmte Urteile a priori in allen nur möglichen Sachzonen bedürfen der Legitimation, will sagen Lokalisation im ganzen der Vernunft oder der Methode. Bedarf aber der Richtpunkt für alle Lokalisation selbst der Lokalisation? Nein, er *gilt* als Mitte und nichts als diese Mitte haben wir im subjektiv-synthetischen Prinzip der transzendentalen Apperzeptionseinheit vor uns, dem Prinzip der transzendentalen Frage, dem Apriori der Kritik. Hier handelt es sich eben um kein Apriori hinsichtlich einer Sache, sondern um das Apriori des Apriori (wir erinnern uns, das Apriori ist kritisch mit dem Transzendentalitätscharakter gleichbedeutend), um seine systematische Stellung, um seine Grenze. Ebensowenig nun, als Geometrie für den Punkt ein begrenzendes Element finden kann, er die absolute Grenze, den Anfang der Raumdarstellung bedeutet, wird kritische Überlegung hinsichtlich der *Apriorifunktion* statthaft sein. Daß sie *trotzdem gefordert* ist, könnte man auf das Scheinmanöver der Sprache zurückführen, welche die transzendentale Methode zu einer beliebigen Sache macht (man glaubt, in ihr einen Gegenstand vor sich zu haben, und überlistet, stellt man sich zu ihr problematisch). In der Tat, das wäre grundfalsch, wollten wir die transzendentalkritische Arbeit im ganzen einer Konstruktion unterwerfen, ohne unter der Transzendentalidee bereits zu stehen; fordern wir ein Prinzip, sind wir dem System, welches seinen Ursprung im Ansatz zu apriorischer Konstruktion besitzt, immanent; aber *wie ist es möglich, ihm gegenüber transzendental zu stehen?*

Der kritischen *Forderung* sind keine Schranken gesetzt, das Setzen der Schranken forderte die Rechtsfrage heraus; der *Versuch,* dem Transzendentalen einen transzendentalen Grund zu geben, ist undurchführbar, aber nicht anzutasten, erst indem uns die in der kritischen Richtung laufende *Absicht* zum Unmöglichen bringt, wissen wir, über die Grenze gewollt zu haben. Den Versuch kann man kritisch nicht mehr fassen, denn hier ist die Richtung offenbar einwandfrei, und es liegt nicht an ihm, wenn er keinen Erfolg haben soll. Um nicht den Verdacht zu bekommen, Forderung, Versuch, Absicht – das setzte Wille und subjektive Entschlußfähigkeit voraus, deren Existenz problematisch sei, stellen wir das Verhältnis der Grenze anders dar. Konstruktion – nur als solche ist Transzendentalkritik möglich – ist allein unter der Idee der Freiheit des Entwurfs, wir können auch sagen des ersten Schrittes, denkbar. Stellen wir uns vor, die Konstruktion ist zuweggebracht, gilt von ihr die Autonomie; »sie« hat autonom »gehandelt«, hat »sich« selbst das Gesetz ihres Wesens vorgeschrieben. Sie war vorher nicht da, um sich ein Gesetz zu geben, sondern sie gab *sich.* Um nicht bei verbalen Raffiniertheiten aufgehalten zu werden: Sucht man das Apriori oder die konstruierende Grundlegung ihrerseits wieder auf eine erschöpfende Formel zu bringen, erfährt man die Grenze; dem Grund darf kein Grund gelegt werden, er ist für das Prinzip der Grundlegung frei. Nicht etwa, er stammt aus der Freiheit und nicht, das kritische System ruht auf der lebendigen Aktionsfähigkeit. Die methodische Freiheit bedeutet der ganzen unter dem Wert der Autonomie gestalteten Methode dasselbe, was das Ursprungsnichts dem Etwas des kritischen Prozesses – die absolute Würde der Autonomie ist hier schon außer Frage – innerhalb des Systems.

Autonomie an und für sich: nehme ich, nimmt irgendein denkendes Wesen überhaupt sie zum Fundament, dann erst ist *kritischer* Anfang gemacht und ist die Möglichkeit jenes unaufhebbaren *Wettstreits der Prinzipien* gegeben. Erst hier verzweigen sich die Wege zu den verschiedenen transzendentalen Systemen, darnach orientiert, ob die Praxis: Verhalten = Wert oder die Kontemplation: das zu erschauende Wesen, die theoretische Urrelation den

Primat hat. Man bemerkt, wie alle Systemformen, gegen deren Unbedingtheit wir gekämpft haben, gleich möglich und prinzipiell annehmbar sind, vorausgesetzt, sie sind kritisch gemeint, und dem Praktischen ist in dem Sinn, daß die Wahrung der Autonomie als erste Bedingung für alles weitere Denken gilt, der Primat gelassen. Wir haben die einzelnen Systeme angegriffen, weil sie den Primat des Praktischen entweder übersehen, auch zur Begründung nicht an den Anfang stellen, dann sind sie gegen ihre ausdrückliche Verwahrung dogmatisch: der Positivismus Husserls und der Konszientialisten, oder den Primat in das System hineinziehen, ihm notwendig einen beschränkten Sinn geben, sie sind dann aus kritischem Bewußtsein dogmatisch und halten die Kritik nur im System, in ihrem System für möglich: der romantische Idealismus (von seiner religiös-metaphysischen Unterlage abgehoben) und die modernen Kantianer.

Doch fordert die kritische Einstellung geradezu, der transzendentalen Arbeit irgendeinen *bestimmten* dialektisch-konstruktiven Leitfaden zu geben, und *irgendeine* Systemform wird die Arbeit darum anzunehmen gezwungen sein. Entscheidend ist, daß man sich des ganzen Systems ausdrücklich zu Zwecken der Kritik (arbeitshypothetisch) bediene und eine nicht abschließbare Mannigfaltigkeit von möglichen Systemen anerkenne, welche gleiches Recht vor dem Gesetz der Autonomie beanspruchen.

Jede systematische Stellung hat ihre eigene Perspektive, es ist zu erwarten, daß die eigentümliche Schwierigkeit und das Verhältnis des Anfangs den systematischen Grundsätzen gemäß gedeutet wird. Der Wettstreit der Prinzipien erscheint vielleicht unter dem Titel: Dialektik des Anfangs, Sonderabteilung des Kapitels Relation; zwar verwahren wir uns dagegen, daß die transzendentale Absicht analytischen Weg der Reflexion einschlägt, und die Gesetze des Urteils, das disjunktive kommt hier hauptsächlich in Frage und die Negation, erst zu konstruierende Größen auf höherer Stufe, zur Entscheidung des Anfangs herangezogen werden. Auch der Ursprung der Sätze *erscheint* als Satz und ist doch Ursprung. Oder der Anfang gibt sich als Kampf zwischen Werten zu erkennen, der Transzendentalismus als moralische Weltanschauung, selbst eine intuitionistische Interpretation auf transzendentaler Grundlage ist denkbar, aber das fällt gegenüber der kritischen Funktion des Systems, d. h. gegenüber dem Bewußtsein der *Ersetzbarkeit des Systems* nicht ins Gewicht. Überflüssig zu sagen, daß unsere eigene Darstellung des Transzendentalprinzips sich hiervon nicht ausnimmt, wenn sie auch nichts anderes an ihre Stelle setzen kann. Man wird mir zugeben, daß in den Diskussionen der Systeme von dieser kritischen Haltung nichts zu verspüren ist und man braucht nicht einmal jener gemäßigten Zone zu gedenken, welche einen Max Scheler begeistert, mit vielen Einfällen über das hiesige Leben die kantische Ethik anzugreifen (einen Kopernikus rührt selbst kein Ptolemäus), damit man erfahre, mit welchem Scharfsinn die Systeme einander zu »widerlegen« trachten. Zum guten Teil sind »Widerlegen«, »Fehler aufweisen« Äußerungen eines üblen Gebarens gewohnheitsmäßiger Rezensenten, welche ihren unreifen Ehrgeiz darein setzen, mit allen Philosophien »fertig« zu werden, welche Begreifen mit Registrieren verwechseln und innerliches Überwinden, Hinauswachsen über Gewesenes, Gegenwärtiges mit flacher Schulmeisterei scharfsinnigen Definierens zu bezeugen glauben. Das Verlangen nach sogenannten klaren und eindeutigen Formulierungen, deren ganze Stärke im Gebrauch abgenutzter Wörter liegt, jenes Analytikerideal der Geschlossenheit in Axiomen, Propositionen und Korollarien, für deren Nüchternheit allein die Ernüchterung besserer Leser bürgt, der Wunsch nach einer Allerweltsmathematik ist daran schuld, den Glauben an das System befestigt zu haben.

Ihr Gegengewicht findet jene dem wissenschaftlichen Leben tödliche Enge in irgendeiner grotesken Weitherzigkeit, die ist dem Leben gegenüber nicht blind, hält auf *Inhalt*. Hat der Schematismus der definitorischen Form die Tiefe verriegelt, bleibt nichts anderes als die maßlose Breite dessen, was vor dem äußeren oder inneren Auge liegt. Ein Respekt vor dem Vorhandenen, der mit philosophischer Achtung für die ursprünglichen Maße nichts mehr zu tun hat, kommt hoch, das Denken bekommt einen Kennerblick, die Wahrheit liegt zur Schau, der Esprit kann sich am farbigen Abglanz nicht genugtun, und wir sind glücklich so weit, anziehende und angezogene Nachdenklichkeiten über den Henkel oder das Abenteuer oder über den Genius des Krieges für Philosophie nehmen zu müssen. Der sterile Kopf sehnt sich nach bunter Phantasie wie die Flüssigen (Platon nennt die Espritiens seiner Zeit, denn so etwas werden die kleinen Herakliteer wohl gewesen sein: οἱ ῥέοντες) nach der Strenge. Einer aller philosophischen Begabung bar wie der andere, das muß Stücke auf sich halten und unzertrennlich sein. Ich habe mich für verpflichtet gehalten, die paradoxe Bundesgenossenschaft zwischen systematischer und nichtsystematischer Schriftstellerei ad hominem zu demonstrieren, um begreiflich zu machen, wie wenig es dem innerlich organischen Denken der Wahrheit auf Überschriften ankommt, ja unmöglich ankommen kann, wie minderwertig die andere Klugheit informierter Intellekte ist, welche von den Dingen reden, als wären es Teppiche und Porzellane. Impressionismus in der Philosophie führt zur Katastrophe, die vorkritisches Bemühen um einen formalen Rationalismus nicht abwenden, bloß voll machen kann. Darüber soll kein Zweifel sein, daß echte Einheit des Gedankens (analog dem Stil in der Kunst) jetzt nur in der Schule des Transzendentalprinzips erreicht werden kann, wobei es freigelassen ist, zur schöpferischen Positivität in eigener Art durchzudringen; um an ein Wort Friedrich Schlegels anzuknüpfen: weder der mechanische Geist, der Verstand, welcher nach dem Stoff sich richtet, noch der chemische, der Esprit, welcher zu Bildungen reizt, können allein oder verbunden organischen Geist geben: er ist der Stoff selbst und vollendete Bildung, synthetisch von Anfang an. Zugleich ist Polemik, welche sich nicht in naiver Voraussetzung einer für alle Systeme identischen Wahrheit zum Widerlegen hinreißen lasse, die unvermeidliche Äußerung eines jeden Systems, welches sich selbst kritisch als einzig mögliche Abfassung und Deutung der Probleme gibt. Ein System, in kritischer Absicht unternommen, setzt die überpersönliche, überhistorische, in allen Welten verbindliche Normierung voraus, ihm dreht es sich um ihre unbeschränkte Erkenntnis; darum ist sie im Namen der Vernunftgeltung zum Angriff auf jedes andere System verpflichtet, selbst wenn sie sich der Sinnlosigkeit, welche im Angriff liegt (jedes echte System ist beziehungslos) kritisch bewußt bleibt. Dieser kardinale Widerspruch von systematischer Absicht und kritischem Bewußtsein, von *Einzigkeit* (sähe das System in sich nicht die einzige Darstellungsmöglichkeit, könnte es nicht beginnen) *und Ersetzbarkeit* (das System darf nur Mittel sein wollen, wie beispielsweise die Erkenntnis der Schwerkraft andere Geometrien und Phoronomien braucht als der ruhende Raum), von Naivität des bedingungslosen Anfangs und kritischem Gewissen ist Basis und Krisis der transzendentalen Methode als einer Disziplin philosophischer Wahrheit. Ein Widerspruch fundamentiert die kritische Erkenntnistheorie, nicht logischen Charakters, sondern praktischer Art, wie ihn die Antinomie hat. Die transzendentale Dialektik löst uns die grundsätzlichen Antinomien dadurch, daß sie den praktischen Ursprung der transzendenten Ideen konstruiert, und beweist die Leerheit ihres Anspruchs aus der Unmöglichkeit, ihnen Gegenstände in Anschauung aufweisen zu können, welche eine adäquate Realisierung verbürgten. Es gelingt diesem systematischen Satz gleichmäßig: die unbedingte *Würde* der Ideen in der Selbstherrlichkeit einer der moralischen Handlung fähigen Freiheit zu verankern, indem sie als unerläßliche Bedingungen des Moralischen erscheinen, und ihre verlangte absolute *Realität* (durch den Hinweis auf die prinzipielle anschauliche Unerfüllbarkeit) zu verneinen, ohne jedoch ihre *Unvermeidlichkeit* (sie sind Abkömmlinge unserer praktischen Natur) in Abrede zu stellen. Sie *müssen* im theoretischen Dasein der Vernunft eine Rolle spielen, weil sie hinsichtlich des praktischen Daseins jener berücksichtigt sein *sollen,* und die Ideen dürfen nicht theoretisch zu Recht bestehen, weil sonst die metaphysische Welt, in ihrer Realität gewiß, den Stillstand des sittlichen Strebens nach Realisierung herbeiführen und die Reinheit der Gesinnung, welche sich in Taten, bloß um ihrer selbst willen getan, manifestiert, praktisch unmöglich machte und theoretisch verwerflich erscheinen ließe; denn die höchsten Existenzen verlangen die letzten Würden. Metaphysik ist theoretisch sinnlos, dem Versuch nach aber unvermeidlich, als selbständige Weltanschauung vernichtet, im Rahmen des kritischen Selbstbewußtseins moralisch gerechtfertigt; ihre Fehler sind ihr verziehen, gerade weil es Verfehlungen nicht zu verzeihen gab.

Die kurze Erinnerung wird genügen und man erkennt, daß der Versuch einer kritischen Philosophie selbst an und für sich, wiewohl keine transzendente Idee sein Gegenstandspunkt ist (im Sinne der transzendentalen Dialektik), zu einem Widerspruch in Art der Antinomie führt, der Antinomie des Anfangs mit Rücksicht auf die Unmöglichkeit, innerhalb des Systems die Ersetzbarkeit des Systems für möglich zu halten, und daß das transzendentale Prinzip, alles auf seinen Rechtsgrund d. h. systematischen Ort und Ursprung hin zu untersuchen, selbst daran schuld ist, die kritische Begriffsarbeit unter eine systematische Problematik, unter die Ursprungsfrage gerückt und den *Anfang* als das konstitutive Element der kritischen wie aller wissenschaftlichen Methode bestimmt zu haben. Problematik des Anfangs wird erst unter dem transzendentalen Prinzip einer Betrachtung a priori notwendig, sofern eine Rechtfertigung der kritischen Betrachtung aus Gründen reiner Vernunft erstrebt ist. Eben diese Vernunft, welche Philosophie nur als Kritik für sinnvoll hält und die Kritik im Wesen der Vernunft begründet, muß im Namen der Rechtmäßigkeit eines jeden Urteils zum Problem gestellt werden, dasselbe anders angesehen, der Sinn dessen, was a priori kritischerweise letzten Endes besagen darf, soll eine Erkenntnistheorie zwecks Darstellung der Rechtmäßigkeit von Erkenntnissen aller Art möglich sein, hat kritisch fraglich zu werden, damit sich ein Verständnis der Notwendigkeit gerade kritischer Philosophie durchsetzt.

Wenn freilich die Dinge so lägen, wie die Friessche Schule und weiter der Positivismus des reinen Bewußtseins glaubt: die Erkenntnisse a priori seien *Gegenstände,* darum aber keineswegs *Inhalte* der Vernunftkritik, und es bestände gar keine Schwierigkeit für die aposteriorischen Urteile der kritischen Untersuchung, die apriorischen zu begründen (es sei denn, man hielte nur ein Urteil der *Begründung* für fähig, das selbst den *Grund* darstellte, – »eine willkürliche Annahme«), wenn die Dinge so lägen, hätte man allerdings keine Problematik und Antinomie des Anfangs zur Kritik. Wer bürgt uns aber dafür, daß die Dinge so liegen? – niemand, wer dürfte uns überhaupt nur dafür bürgen? die Vernunft selbst, d. h. dasjenige, welches gerade kritisiert werden soll, also Mißtrauen (hypothetisch) verdient. Diese projektierte Situation gibt eine unhaltbare Forderung: Die Vernunft mißtraut sich selbst, und um sich zu überzeugen, wie es mit ihr steht, greift sie zur Selbstkritik, setzt also höchstes Selbstvertrauen in sich. Den wahrhaften Anfang jeder Vernunftleistung, auch des hypothetischen Vernunftzweifels, bildet ihr Selbstvertrauen, und Kritik als *Erkenntnistheorie* ist unmöglich. Subjekt-Objekt darf Vernunft unter keinen Umständen sein. Damit man es kritisieren kann, muß geistiges Vermögen in *vorliegenden* Gebilden Faßbarkeit erlangen, welche der prüfenden Forschungstätigkeit als Gegenstände dienen, und nach diesem Schema trennt sich das Anthropologische vom Apriori. Psychisch-variabel sind Weg und Ort, die Methode mit ihrem durch Richtung auf den transzendentalen Gegenstand geschaffenen Inhalt, formal-konstant ist der Gegenstand, das in Urteilsgehalten bestimmte Apriori. In die ungetrübte Erfassung des Apriori Zweifel zu setzen, was kritisch doch wahrhaftig das Erste wäre, wird natürlich mit Hinweis auf das oberste Postulat des Selbstvertrauens als sinnlos abgelehnt (regressus ad infinitum, vorbildlicher Glaube an Dinge in äußerer Wahrnehmung, wir haben die Argumente schon früher besprochen).

In der Tat, es scheint unfaßbar, wider das gute klare Recht von Fries, Nelson und (bei weiterem Verstande) aller psychologisch-phänomenologisch fundamentierten Erkenntnistheorien Stellung zu nehmen, und doch dünkt uns, daß Kuno Fischer in seiner Jenenser Rede* vom Jahre 1862 auf alle Fälle darin Tiefe bewies, die Lehre des Apriori nach dem Typus aposteriorischer Erkenntnis abzulehnen. »Was a priori ist, kann nicht a posteriori erkannt werden«, denn was garantiert mir, de iure erkannt zu haben, wenn nicht ein Kriterium a priori, um dessen Erkenntnis oder Prüfung es sich eben darum, weil es a priori gilt, in keiner Weise mehr handeln soll. Und weiter, brächte ich mir Gewißheit davon, daß ich ein echtes Apriori zum Gegenstand machte und mich nicht etwa in seinem Wesen täuschte, wenn ich dabei auf eine nachträgliche Auskunft (in aposteriorischer Erkenntnis) hören müßte? So-

* K. Fischer, Die beiden kantischen Schulen in Jena, Stuttgart 1862

wohl hinsichtlich der Rechtfertigung des Kriteriums als auch der nachträglichen Auskunft wären wir einem regressus ad infinitum überantwortet, und dem wollen – das ist das Interessante – beide transzendentalen Schulen auf besondere Weise ausweichen: die Positivisten des gegebenen Apriori durch Einführung einer unmittelbaren Erkenntnis oder Intuition oder Wesensschau oder eines Vorwissens, Habens von Bedeutung, die Idealisten des prinzipiellen Apriori durch Verneinung der Notwendigkeit einer Situation (des Bewußtseins), welche zu dem Gegebensein von etwas, also auch vom Apriori, unerläßlich ist.
Jetzt ist es verständlich, warum ich diese Fragen noch einmal berührte: im Text polemisierte der Idealist des prinzipiellen Apriori gegen den Positivismus der Unmittelbarkeit, spielte er die Unbedingtheit des inhaltlich nicht fixierten Gesichtspunktes gegen die Bedingtheit eines inhaltlich festgelegten Systems aus. Hier komme ich zu dem Eingeständnis, daß beide Lehren gleich möglich sind (ungeachtet dessen, daß sie sich gegenseitig aufheben), *sofern* beide als besondere Typen einer transzendental-systematischen Gesetzlichkeit überhaupt gefaßt, d. h. ohne Rücksicht auf ihre eigentliche Absicht und Gesinnung typologisch gewertet werden. Erheben wir uns von diesem besonderen Fall, wo beide Systeme auch selbst transzendentalkritisch sein *wollen,* zu der Möglichkeit einer Überschau auf die Gesamtheit historisch überlieferter Philosophien, ist die Systematisierung der Systeme als transzendentale Typologie gegeben. Der Frage des Anfangs kann keine Lehre ausweichen, und an der Stellung zu ihm haben wir ein Prinzip der Scheidung, der Entscheidung. So definitiv die Krisis der Systeme ist, welche sie alle auf eine Stufe stellt, um sie als relative Vernunftgestaltungen gelten zu lassen, ihren absoluten Anspruch auf Unbedingtheit hingegen verwerfend, so definitiv trifft die Krisis schließlich auch das System oder die Transzendentalidee der Systeme im ganzen, und zur Besprechung dieser Schwierigkeit kehren wir jetzt zurück.
Ernst verstanden, darf das kritische Bewußtsein nicht zur Geste eines Systems der höchsten Gattungen (nach dem Muster der Leibnizischen mathesis universalis) werden. Oben haben wir die Frage aufgeworfen: wie ist es möglich, dem kritischen System

selbst transzendentalkritisch gegenüberzutreten (damit das transzendentale Apriori in Reinheit gefaßt werde), wo doch jede Rechtsfrage in bezug auf das Ganze der kritischen Methode nur einen Schritt nach dem Gesetz der Methode, den immer und immer wieder fruchtlos zu erneuernden Beweis unserer faktischen Immanenz im System der Transzendentalidee, nur das Zeichen unserer Folgsamkeit gegenüber ihrem Gebot bedeutet. Die scheinbar unlösbare Frage ist aber kein Luxus, sondern liegt ganz im Sinn des transzendentalen Prinzips, welches an sich selbst angewendet werden soll. Trotz offensichtlicher Sinnlosigkeit, ungefähr so führten wir aus, besteht die Verpflichtung und Forderung, die rechtlich-vernünftigen, die geistigen Bedingtheiten der kritischen Rechtsfrage (und des Apriori als eines Ausdrucksmittels, wenn man will, einer Erfindung, geeignet, auf die Frage Antwort zu geben) selbst aufzuweisen. Denn es handelt sich um Kritik nicht als ein beliebiges, sondern als einzig mögliches und notwendiges d. h. vernunftgemäßes Verfahren der Philosophie; und das Urteil ihrer Einzigmöglichkeit darf nicht bloße Behauptung bleiben wollen, darf es gar nicht können, wenn anders hier, wie die gelehrte Meinung ist, die Vernunft sich selbst das bindende Urteil spricht. Als Selbstbeurteilung des transzendentalen Systems angesehen, könnte man dem Satz schwerlich eine andere als immanente Gültigkeit (immanent der Gesetzmäßigkeit der Transzendentalidee) zusprechen, und es wird gut sein, die wesentlichen Endpunkte unserer bis hierher geführten Betrachtung um ein konstruktives Zentrum, den Gesichtspunkt der Freiheit, zu ordnen, damit sie alle in Einheit und Klarheit kommen. Darüber darf natürlich kein Zweifel bestehen, daß wir nicht die Schwierigkeit haben, in eine Situation zu wollen, wo man uns nicht mehr unter der regulativen Idee des transzendentalen Apriori findet –, solche Anstrengungen macht nur der neumodische Metaphysiker, welcher »über« die transzendentalen Grenzen in die Fülle unmittelbaren Lebens gelangen will, unseres Erachtens herrscht da ein recht rückständiger Begriff von Transzendentalität und augenscheinlich das bloße Verhältnis von Immanenz und Jenseitigkeit, von Begrenztsein und Grenzenlosem –, die Sache liegt so: wie heben wir die Antinomie eines kritischen Urteils in philosophischer Absicht, d. i. den Widerspruch von Ersetzbarkeit des jeweilig zu einem bestimmten Urteil notwendig einzunehmenden systematischen Gesichtspunkts und absoluter, einziger Geltungsunbedingtheit des Urteilsstandpunkts auf? Kritisch verstanden, gehört jedes vernünftige Urteil zu einem Bezugssystem, innerhalb dessen es seine präzise Lage einnimmt und auf Grund dessen nur es zu verstehen ist. Die systematische Grundstellung ist das Apriori oder das Prinzip des betreffenden Urteils. Je nachdem wir eine besondere Materie und Anschauung oder Arbeitsweise haben, liegt eine besondere Einstellung sei es der gleichen oder auch einer in sich gebrochenen und vielfältigen Wertigkeit vor – in der Regel haben wissenschaftliche Wege moralische Bedenken, ästhetische Förderungen, Lokkungen, politische Hemmungen, religiöse Macht zu erfahren, sie zu assimilieren oder zu meiden. Um einen stetigen Fortschritt in den Wissenschaften zu machen, hat man das Äußerste an Wertüberwindung zu leisten, um die Vielfalt unaufhörlicher Erscheinungen in stetige Mannigfaltigkeit überzuführen. Wie sich die faktische Wissenschaftsarbeit dem Bewußtsein darstellt, ist der kritischen Ansicht nicht bindend, nur anregend. Das will sagen, die Vielgestalt entgegenstürmender Gegensätze ist *kritisch* als das ständig im Fluß bleibende Versuchen und Ansetzen systematischer Gesichtspunkte, wie ein unaufhörliches Netzewerfen in das Meer purer Möglichkeiten der Anschauung zu denken. Einmal jene Umwendung der gewohnten Ansicht vollzogen, ist der Anfang des kritischen Weges gemacht; die erste Zone ist die transzendentale *Kategorie*. Zum Problem ihrer sogenannten Deduktion sei hier kurz noch bemerkt, daß beide Phasen ihrer methodischen Wirksamkeit, die regressiv-analytische der Forschung, die progressivkonstruktive der Maßstäbe aufstellenden Dialektik (Projektik), in inniger Wechselwirkung zu belassen sind, so bleibt der Kategorie die Wertallgemeinheit, welche Individualität in gar keiner Weise ausschließt. In der zweiten Zone stehen wir im Blickpunkt für die Kategorie, wir haben den Begriff der subjektiv-synthetischen Einheit der *transzendentalen Apperzeption.* Sie bedeutet den Mittelpunkt der Kategorienmannigfaltigkeit und dadurch wieder der ursprünglich gesetzten Ansätze zu Arbeitssystemen innerster Zone, weshalb man recht daran tut, zu sagen, das subjektiv-synthetische Einheitsprinzip stellt zugleich die typologische Norm aller nur möglichen Systeme formaliter dar, Prinzip der Prinzipien, Form der Prinzipien. Allerdings greifen wir mit diesem Urteil dem Urteil dritter Zone vor; ihre Aufgabe ist die Erkenntnis der Eigentümlichkeit des Apperzeptionsprinzips, d. h. seiner Funktion als Mitte aller kritischen Relationen und Element, welches die Verantwortung für den Vollzug des erkenntniskritischen Rechtsspruches trägt. In dieser wesentlichen und ausschließlichen Bedeutung ist das Apperzeptionsprinzip *Form* des reinen *Ursprungs* und deutet damit die Einheit der transzendentalen Methode an, schließt die drei Zonen ab und gibt den Anlaß, über den Abschluß hinauszukommen. Denn es versteht sich, man hat die Möglichkeit, einer vierten Zone oder, wenn man will, einer Befreiung von den systematischen Fesseln der kritischen Einheit, sobald man mit ihren selbsteigenen Mitteln, d. h. von Rechts wegen, transzendentalen Ausgleich mit ihr schafft. In der Frage nach dem Recht der im Namen der Vernunft proklamierten *Ausschließlichkeit* erkenntniskritischer Fragestellungen stellt man die Philosophie nach transzendentaler Methode eben selbst in Frage, und weil es nicht angeht, uns die Frage zu verbieten – ein Verbot setzte die ganze Transzendentalphilosophie als Grundlage voraus –, bleibt die Frage in Geltung, das System in Schwebe. Mehr kann nicht erreicht werden, mehr soll aber auch nicht erreicht werden, denn im Eingeständnis der Rechtlosigkeit des Transzendentalprinzips an und für sich genommen liegt eine ungeheure Einsicht, die befreiende Einsicht der vierten Zone, die, ich finde keinen lebhafteren Ausdruck: systembildende Einsicht der Freiheit. Nur unter dem Gesichtspunkt der gesetzlosen, wiewohl einzig und allein zur Gesetzgebung berufenen und in dieser Funktion sich erschöpfenden Freiheit gelingt die transzendentalkritische Konstruktion der transzendentalen Methode als einer Philosophie und auf diese Weise die *Auflösung* der Antinomie des Anfangs. Sofern wir die Möglichkeit haben, das transzendentale Apriori kritisch auf die absolute *Würde der Autonomie* zurückzuführen – und die Möglichkeit haben wir unter dem Gesichtspunkt einer schlechthin schrankenlosen Freiheit –, haben wir auch den Schlüssel, die Einzigkeit und Unbedingtheit des kritischen Systems mit dem Bewußtsein seiner Ersetzbarkeit im kritischen Interesse zu verbinden. Ist die Autonomie zur obersten Richtschnur der Wertung einer Tat genommen (Gründe kommen hierbei, wie wohl ein jeder einsieht, wahrlich nicht in Frage), so ist, das Ziel eines Erkenntnisganzen vorausgesetzt, kein anderer als der kritische Erkenntnisbegriff möglich; transcendentia vertragen sich nicht mit Autonomie. Man begreift den Anspruch des Systems auf Einzigkeit. Wohlgemerkt gilt dieser erste Schritt zum System dem System selbst, dem kritischen Philosophiebegriff nichts, und er besteht *für* das System gar nicht, so daß in Strenge an diesem Punkte nur derjenige von System und endgültiger Bindung reden darf, der in »kritischer« Urteilsenthaltung die Absolutheit der Autonomie noch für diskutabel hält. Dem kritischen Philosophen beginnt das System sozusagen erst mit dem Moment seiner Grundlegung und ohne im mindesten an der Vorausgesetztheit des kritischen Apriori, der Systemidee zu zweifeln, worin sich die Bedingung der Möglichkeit kritischen Philosophierens formuliert, sieht er sich doch nur für die Konstruktion des wissenschaftlichen Systems verantwortlich, nicht aber für die kritischen Faktoren wiederum der Konstruktion; er wird vielmehr behaupten müssen, bei solcher Fragestellung käme man auf eine unendliche Reihe identischer Elemente und einfach dazu, das Anhypotheton beständig hinauszuschieben. Wir wiederholen, so liegt die Sache allerdings für den kritischen Philosophen, der immanent in sein System nach kritischer Idee gebunden ist und infolgedessen den Versuch, die Möglichkeitsbedingungen des Systems zu finden, gar nicht anders als analytisch ausführen kann. Wohl aber vermag derjenige, welcher dem Prinzip des Systems, d. h. der Autonomie gegenüber seine Freiheit bewahrt hat, das kritische Bildungsgesetz der Transzendentalidee ausfindig zu machen und synthetisch dem System gegenüberzutreten. Für ihn ist das System nur eine Zone weiter als für den Kritiker, für ihn besteht darum eine kritische Verpflichtung (und ein Verstoß gegen sie), wo der kritische Philosoph sich notgedrungen außer Stande sieht und darum in die Antinomie des Anfangs verstrickt erscheint. Schrankenlose Unbedingtheit der Geltung gerade dieses bestimmten kritischen Systems streitet nur dann gegen kritische Absicht, für welche jedes System als Hilfsmittel der kritischen Arbeit relativen Wert besitzt, wenn man eine solche kritische Absicht *vor* aller definitiven systematischen Bindung gelten läßt, und man läßt sie nur gelten unter dem Gesichtspunkt einer Freiheit *gegenüber* der Autonomie als schlechthin dem Denken verbindlicher Norm. Bei dieser Einstellung entsteht der Begriff des *Anfangs,* ein abgekürzter Ausdruck für die unweigerliche und absolute Gebundenheit jeder Argumentation, auch der dogmatisch-metaphysischen, an ein System, die Gebundenheit jedoch so verstanden: nicht als Eigenschaft und Schicksal, wie es sich dem naiven Kopf darstellt, sondern als immer bestimmter Beginn, als Zwang zum Verlust schrankenloser Freiheit.[23] Der Einsicht entsprechend wird also auch der transzendentale Kritiker der Transzendentalphilosophie nie leugnen dürfen, daß er, um zu seiner Kritik zu kommen, eben den kritischen Anfang machen mußte, und nicht sinnloserweise eine Überlegenheit darin suchen, noch im vollen Besitz ungebundener Freiheit zu sein. Und was für das Verständnis von geradezu ausschlaggebender Bedeutung ist, an das Verständnis des verbalen Ausdrucks die schärfste Zumutung stellt, sei am Ende nochmals betont: Anfang bedeutet hier ebensowenig als Freiheit realen Akt und Zustand (die Rechtfertigung der Realität setzte die ganze Transzendentalphilosophie voraus, hier soll aber die Rechtfertigung den Anfang voraussetzen), und Anfang ist nur der abgekürzte Ausdruck für die unter dem Gesichtspunkt der Freiheit gelingende Konstruktion des Bildungsgesetzes der tran-

23 Um das Problem der Willensfreiheit handelt es sich betontermaßen nicht. Bei der Handlung haben wir das Verhältnis: Unbestimmtes Vermögen, so oder so zu wollen, und notgedrungen bestimmtes einsinniges Handeln (Gewollthaben), also die Frage: Kann ich wollen, was ich will, der kritische Anfang aber ist a priori einsinnig, d. h. systematisch, nur die zu seiner kritischen Rechtfertigung notwendige *Konstruktion* einer Richtung nehmenden Freiheit oder Beliebigkeit zu möglichen Richtungen führt zur Verwechslung einerseits zwischen dem reinen Systemprinzip der Freiheit zu Stellungnahmen, dem normgebundenen Willen andererseits.

szendentalen Idee. Trotzdem bringt aber dieser Gesichtspunkt bewußtermaßen eine organische Berührung des ganzen Systems mit dem *reinen*, nicht objektmäßig gefaßten, weder als Gegenständlichkeit noch auch als Subjektivität und Innerlichkeit verstandenen *Leben* unter dem *Bilde* der Tat zustande. Ich weiß sehr wohl die Schwierigkeit zu schätzen, welche sich hier an diesem wahrhaft kritischen Punkt dem Verstand entgegenstemmt, und ich bin mir der vollen Verantwortung, der Schwere des Satzes bewußt. Als das Entscheidende sehe ich die *Richtung* an, in welcher die systematische Betrachtung zum Leben kommt; der Berg soll nicht mehr zum Propheten gezwungen werden und die Gewaltsamkeit eines in das bereitliegende Formensystem eingepreßten Stromes lebendigen Werdens ist aus den in dieser Schrift vorgewiesenen Gründen zu vermeiden. Kritizismus ist die einzige Philosophie, welche das Leben in seiner unergründlichen Totalität aus den Grenzen der Wahrheit gewiesen hat, darum hat es im System nichts zu suchen. Sehr wohl aber hat der Weg zum System, der Weg der Grundlegung die Macht, den Berg der Prophetie nahezubringen, aber in ganz anderer Weise, als es immer versucht wurde und durchaus nicht in jener vorkritischen vorsokratischen Art Bergsons einer Angleichung der Begriffe an das gegebene und so bekannte Leben. Jenes Leben, welches aus Gründen des Systems zum *Einsatz* gebracht werden muß, hat keine Farben und keinerlei Bekanntheitsqualität, es scheint nicht und hat keine Maske, weil es ein Antlitz nicht zeigt, es ist im tiefsten Sinn namenlos, ja man könnte sehr präzis sagen, daß wir erst am farbigen Abglanz des bemerkbar werdenden Systems das Leben haben. Ich sagte es schon – und damit bringt man eindeutig die eigentümliche Umkehr der Richtung, die kopernikanische Drehung zum Ausdruck –, das kritisch nicht zu treffende Leben ist nicht von der Art, daß man es irgendwie antrifft, als Natur oder Wille oder Gefühl, Streben, Akt oder gar Bewußtsein, es darf einfach nicht zu irgendeinem kategorischen Kreis unserer Welt gehören und kein Urteil der Substantialität, Realität, Idealität soll für seine Eigenart zuständig sein; es ist der höchste Einsatz, den es *gibt*, wenn Transzendentalphilosophie oder überhaupt eine Philosophie möglich sein soll, und es versteht sich, so liegen die Dinge unter transzendentalem Prinzip. An den Einsatz mit Maßstäben heranwollen, ist unmöglich, und daran dachte Fichte, in seinem Ausspruch, daß, welche Philosophie man wähle, davon abhänge, welch' ein Mensch man sei. Es ist das Signum eines kurzen Verstandes, diesen Satz eine Relativierung der Wahrheit zu nennen, weil gerade die Überzeugung: welchen Menschen man wähle, hinge von der Philosophie ab, durch den Geist der neueren Zeit, den Christus in Luther und Kant überwunden worden ist.

Das positive Verhältnis des Lebens zum System, zu den Systemen habe ich kurz berührt, um es der Nachdenklichkeit zu empfehlen. Neues erkennen wir nur durch Übung, und die Trägheit hört aus allen Worten das Alte. Meine Aufgabe war mit der Besprechung des negativen Verhältnisses des Systems zu einem Vorsystematischen zu Ende, welches Vorsystematische, kritisch angesehen, als ein zu Zwecken der Konstruktion des transzendentalen Prinzips benötigter Hilfsbegriff gelten muß. Von einer Berufung auf die persönliche Freiheit meiner selbst, welche ein Problema in der kritischen Philosophie bedeutet, kann demnach keine Rede sein; alle Themata der Freiheit, des Willens, der Handlung, für sich oder im Rahmen der Natur genommen, des Menschen und der Menschheit und der organismischen Lebenswelt sind, als Gegebenheiten zu möglichem Aufweis in schlichter Intuition oder als Aufgaben einer kritischen Definition, Themen und Fragmente eines höheren Ganzen, des im Unendlichen geschlossen werdenden kritischen Systems. Ohne Zweifel muß es das kritische Bewußtsein paradox anmuten, ein Vorsystematisches gelten zu lassen, das nicht ein der Methode Transzendentes bedeuten soll, aber die Paradoxie haftet dem Begriff der Grenze ganz allgemein und notwendig an. Worauf es mir letztlich ankommt, ist eine im transzendentalkritischen Sinne konsequente Haltung der eigenen kritizistischen Überzeugung gegenüber. Und hat man die schlichte Tatsache, welche kritisch eben mehr ist als alle Tatsachen der Welt, bei sich entdeckt, sind einem die Augen darüber aufgegangen, daß es mit der geforderten Konsequenz unbegreiflich seine *Grenzen* hat, *daß an einem gewissen Punkte der Forderung nach bedingungslos allgemeinem Sy-*

*stembezug Gefolgschaft nicht mehr geleistet* werden kann, dann hat man den Sinn dessen, was die Sprache mit dem alten Wort der Freiheit und des Lebens sagen wollte, begriffen und innerlich durchgemacht. Es ist eben nicht so, wie die zur Unzahl vermehrten immer klügeren Schüler wollen, man steht nicht in den kritischen Problemen und ist nicht an ihre Geltung unweigerlich von Ewigkeit her gebunden, es sei denn, man hat sich ihrem Gesetz frei verschrieben; der dogmatische Geltungsbegriff des kritischen Apriori muß um der kritischen Haltung, der Autonomie willen dem juridisch-kritischen Geltungsbegriff weichen, das kritische Philosophiesystem muß um seiner selbst willen seine Bedingtheit in einem letzten ersten Anfang, in einem Sichentreißen zur Anerkennung der Autonomie als Würde anerkennen, sonst ist es dogmatisch wider seinen eigenen Geist und Inhalt. Diese Einsicht habe ich mit dem Wort der methodischen Freiheit bezeichnet, um die Antinomie des Anfangs aufzuheben, um den absoluten Gegensatz von Unwiderruflichkeit und Widerruflichkeit einer Kritik als Überzeugung, einer Überzeugung, welche nichts als Kritik sein soll, wenn nicht zu beseitigen, so doch zu erklären aus einer unvermeidlichen Täuschung über den Standort des Denkens. Unwiderruflich und absolut bindend ist der Kritizismus als Philosophie von kritischer Einstellung aus, d. h. sobald Autonomie als letzthöchste Verpflichtung und definitorisches Merkmal der Philosophie gilt. Widerruflich und kritisch zu Zwecken einer Theorie wissenschaftlicher Erkenntnis bindend ist der Kritizismus von kritischer Einstellung gegenüber kritischer Einstellung aus, wenn auf Grund einer *nicht mehr zu bestimmenden* Haltung sich eines Urteils über den Wert der Autonomie und der Würde schlechthin enthalten wird. Der dogmatisch überzeugte Kritizist kann nicht umhin, diese Haltung trotzdem für autonom zu proklamieren, der Kritiker des Kritizismus dringt dagegen entschieden auf die ideelle Unmöglichkeit, ihr irgendeine dem System selbst (sei es auch nur als Bedingung angehörende) kategoriale Gliederung angedeihen zu lassen. Beide Parteien müssen sich und sollen sich bekämpfen, beide mit gleichem Recht oder mit der gleichen Unmöglichkeit der Entscheidung darüber, wer Recht und wer Unrecht hat. Ihr

Kampf, die Antinomie einer kritischen Philosophie, setzt diese in Schwebe, das will sagen: in Freiheit, in welcher der transzendentale Kosmos sich selbst erhalten muß, denn das Ganze der Gründe bedarf keines Grundes, auch nicht des Abgrundes, und dem kopernikanisch geschulten Auge, welches im Anblick des gestirnten Himmels über mir längst keinen absoluten Ort und Standgrund mehr hat, soll es ein kopernikanisch geschultes Verständnis hinsichtlich der Gesetze in mir gleichtun. Wir halten es für an der Zeit, daß in den Tagen, welchen eine Revolution der physikalischen Meßkunst gegeben wurde, an eine *Relativitätstheorie der Normen* gedacht werde und man sich, wenn auch nicht nach dem Vorbild, doch unter dem Eindruck der Marburger Schule besonders und Rickerts daranmache, den transzendentalen Platonismus nach Friesschem und Lotzeschem Muster endgültig in der Wissenschaftstheorie zu beseitigen. Erst wenn die Notwendigkeit dieser Forderung eingesehen ist, läßt sich über jene näher besprochene Antinomie der Transzendentalkritik als Weltanschauung oder des Anfangs sprechen. Und erst nachdem man der Problematik der Methode und der Zwiespältigkeit von Naivität und Forderung kritischer Bewußtheit innegeworden ist, darf man zugeben, daß mit einem absoluten Widerspruch nichts und darum auch nicht anzufangen wäre, und daß schließlich an diesem Gefahrpunkt für die transzendentale Wahrheit – das kritische Prinzip der Stellungnahme an sich selbst betrachtet, muß rechtlos sein – der Mensch nicht mehr eine Angelegenheit des Systems, sondern das System eine Angelegenheit des Menschen geworden ist.

# Literaturverzeichnis

Außer der klassischen Literatur der Transzendentalphilosophie wurden hauptsächlich verglichen:


Friedrich Brunstäd, Beiträge zum kritischen Erkenntnisbegriff, Habilitationsschrift Erlangen 1911.

Alfred Brunswig, Das Grundproblem Kants, Leipzig/Berlin 1914.

Ernst Cassirer, Erkenntnistheorie nebst den Grundfragen der Logik, in: Jahrbücher der Philosophie (hg. v. M. Frischeisen-Köhler), 1. Jahrg. Berlin 1913.

Hermann Cohen, Logik der reinen Erkenntnis, Berlin 1902 (³1922).

Hans Driesch, Ordnungslehre, Jena 1912 (rev. Aufl. 1923).

– Zur Lehre von der Induktion, in: Sitzungsberichte der Heidelberger Akademie der Wissenschaften, phil.-hist. Klasse, Jahrg. 1915, 11. Abh.

Julius Ebbinghaus, Kants Philosophie und ihr Verhältnis zum relativen und absoluten Idealismus, Diss. Heidelberg 1910; auch Leipzig 1910.

Erich Frank, Das Prinzip der dialektischen Synthesis und die Kantische Philosophie, in: Kantstudien, Ergänz.-Hefte Nr. 21, 1911.

Max Frischeisen-Köhler, Wissenschaft und Wirklichkeit, (= Wissenschaft und Hypothese Bd. XV), Leipzig 1912.

– Das Zeitproblem, in: Jahrbücher der Philosophie, Berlin 1913.

Nicolai Hartmann, Systematische Methode, in: Logos III, 1912; Neudr. in: ders., Kleinere Schriften III, Berlin 1958.

– Über die Erkennbarkeit des Apriorischen, in: Logos V, 1914/15; Neudr. in: ders., Kleinere Schriften III, Berlin 1958.

Fritz Heinemann, Der Aufbau von Kants Kritik der reinen Vernunft und das Problem der Zeit, in: Philosophische Arbeiten, hg. v. H. Cohen und P. Natorp, Gießen 1913.

Paul Hensel, Hauptprobleme der Ethik, Leipzig/Berlin ²1913.

Richard Hönigswald, Zum Streit über die Grundlagen der Mathematik, in: Beiträge zur Philosophie Nr. 2, Heidelberg 1912.

– Die Skepsis in Philosophie und Wissenschaft, in: Wege zur Philosophie Nr. 7, Göttingen 1914.

Edmund Husserl, Logische Untersuchungen Bd. I »Prolegomena zur reinen Logik«, Halle 1900/01 (²1913); heute in: Husserliana Bd. XVIII, Erster Band, hg. v. E. Holenstein, Den Haag 1975.

– Ideen zu einer reinen Phänomenologie und phänomenologischen Philosophie, 1. Buch: »Allgemeine Einführung in die reine Phänomenologie«, zuerst in: Jahrbuch für Philosophie und phänomenologische Forschung, Halle 1913 (heute in: Husserliana Bd. III, 1, Erster Halbband, hg. v. K. Schuhmann, Den Haag 1976).

Karl Joël, Die philosophische Krisis der Gegenwart, Leipzig 1914 (³1922).

Emil Kraus, Der Systemgedanke bei Kant und Fichte, in: Kantstudien, Ergänz.-Hefte Nr. 37, 1916.

Richard Kroner, Zur Kritik des philosophischen Monismus, in: Logos III, 1912.

Heinrich Lanz, Fichte und der transzendentale Wahrheitsbegriff, in: Arch. f. Gesch. d. Phil. Bd. 26, 1913.

Emil Lask, Fichtes Idealismus und die Geschichte, Tübingen 1902.

– Gibt es einen »Primat der praktischen Vernunft« in der Logik?, in: Bericht ü. d. dritten int. Kongr. f. Philos. (1908), Heidelberg 1909.

– Die Logik der Philosophie und die Kategorienlehre, Tübingen 1911.

– Die Lehre vom Urteil, Tübingen 1912.

Georg Lasson, Was heißt Hegelianismus?, in: Philos. Vorträge Nr. 11, hg. von der Kant-Gesellschaft, Berlin 1916.

Arthur Liebert, Das Problem der Geltung, in: Kantstudien, Ergänz.-Hefte Nr. 32, 1914.

Paul F. Linke, Die phänomenale Sphäre und das reale Bewußtsein, Halle 1912.

– Das Recht der Phänomenologie, in: Kantstudien Bd. XXI, 1917.

Hermann Lotze, System der Philosophie, Teil I »Logik«, Leipzig 1874 ([2]1881).

Siegfried Marck, Die Lehre vom erkennenden Subjekt in der Marburger Schule, in: Logos IV, 1913.

Arnold Metzger, Untersuchungen zur Frage der Differenz der Phänomenologie und des Kantianismus, Diss. Jena 1915.

Fritz Münch, Erlebnis und Geltung, in: Kantstudien, Ergänz.-Hefte Nr. 30, 1913.

Paul Natorp, Die logischen Grundlagen der exakten Wissenschaften, Leipzig/Berlin 1910 ([3]1923).

– Philosophie – ihr Problem und ihre Probleme. (Wege zur Philosophie Nr. 1), Göttingen 1911 ([3]1921).

– Allgemeine Psychologie nach kritischer Methode, Bd. 1, Tübingen 1912.

– Logik, in: ders., Leitsätze zu akad. Vorlesungen, Marburg 1910.

– Philosophische Propädeutik, in: ders., Leitsätze zu akademischen Vorlesungen, Marburg 1914.

Leonard Nelson, Über das sogenannte Erkenntnisproblem, Göttingen 1908, (= Abhandlungen der Fries'schen Schule, N. F., Bd. 2).

Helmuth Plessner, Die wissenschaftliche Idee, Heidelberg 1913.

Heinrich Rickert, Der Gegenstand der Erkenntnis, Tübingen [3]1915 ([6]1928).

Wilhelm Windelband, Vom System der Kategorien, in: B. Erdmann et al. (Hgg), Philos. Abhandlungen-Chr. Sigwart zu seinem 70. Geburtstage, Tübingen 1900; als Teildruck auch Tübingen (3. Abdruck) 1924.

– Über Gleichheit und Identität, in: Sitzungsberichte der Heidelberger Akademie der Wissenschaften, phil.-hist. Klasse, 1910, 14. Abh.

– Die Prinzipien der Logik, in: Enz. d. philos. Wissenschaften, hg. v. W. und A. Ruge, Tübingen 1912.

Max v. Zynda, Kant-Reinhold-Fichte, in: Kantstudien, Ergänz.-Hefte Nr. 20, 1910.

# Editorische Notiz

*Drucknachweis*

Plessners »Wissenschaftliche Idee« erschien 1913 als Heft 3 der Heidelberger »Beiträge zur Philosophie«. Der genaue Titel lautete damals: »Die wissenschaftliche Idee. Ein Entwurf über ihre Form, von Helmuth Plessner in Heidelberg, Carl Winters Universitätsbuchhandlung, Heidelberg 1913«.
Die »Krisis der transzendentalen Wahrheit im Anfang« erschien 1918 im gleichen Verlag. Der größte Teil dieser Schrift (119 von 138 Seiten) war bereits 1917 ebenda unter dem Titel erschienen: »Vom Anfang als Prinzip der Bildung transzendentaler Wahrheit (Begriff der kritischen Reflexion). Inaugural-Dissertation zur Erlangung der Doktorwürde der Hohen Philosophischen Fakultät der Friedrich-Alexanders-Universität Erlangen, vorgelegt von Helmuth Plessner aus Wiesbaden. Tag der mündlichen Prüfung: 19. Dezember 1916. Dekan: Professor Dr. Solereder, Referent: Professor Dr. Hensel«.

*Zum Text*

Zur Drucklegung des vorliegenden Bandes wurden die Vorlagen von 1913 bzw. 1918 benutzt. Orthographie und Interpunktion wurden – wo nötig – revidiert und heutigen Maßstäben angepaßt. Einzelne Zitatversehen sind stillschweigend berichtigt worden; die Zitatnachweise und Literaturangaben des Autors wurden ggf. erweitert. Die Herausgeberanmerkungen sind mit * gekennzeichnet. Kursiv und gesperrt gesetzte Wörter und Passagen bezeichnen des Autors eigene Hervorhebungen.

Ein *Gesamtinhaltsverzeichnis* ist für Bd. X der Gesammelten Schriften vorgesehen.